La collection
ROMANICHELS
est dirigée par
André Vanasse

L'art du maquillage

La publication de cet ouvrage a été rendue possible grâce à l'aide
financière du ministère des Communications du Canada,
du Conseil des Arts du Canada, du ministère
de la Culture et des Communications du Québec
et de la Société de développement des entreprises culturelles.

XYZ éditeur
1781, rue Saint-Hubert
Montréal (Québec)
H2L 3Z1
Téléphone: 514.525.21.70
Télécopieur: 514.525.75.37

et

Sergio Kokis

Dépôt légal: 4ᵉ trimestre 1997
Bibliothèque nationale du Canada
Bibliothèque nationale du Québec
ISBN 2-89261-209-8

Distribution en librairie:
Dimedia inc.
539, boulevard Lebeau
Ville Saint-Laurent (Québec)
H4N 1S2
Téléphone: 514.336.39.41
Télécopieur: 514.331.39.16

Conception typographique et montage: Édiscript enr.
Maquette de la couverture: Zirval Design
Photographies: Nicolas Kokis
Tableau de la couverture: Sergio Kokis, *Le peintre et la mort*
(*Danse macabre*, n° 40)
Dessins des pages de garde, à la manière de Egon Schiele
par Sergio Kokis

Sergio Kokis

L'art du maquillage

roman

XYZ
éditeur

Romanichels

L'auteur désire remercier le Conseil des Arts du Canada, qui a encouragé la création de ce roman.

À tous les artistes, y compris les
coiffeuses, les chirurgiens plastiques,
les travestis, les actrices et les putes.
À tous ceux qui mettent leur brin de rêve
pour tenter d'améliorer le quotidien fade.
À la mémoire du maître inconnu qui,
au tout début de notre siècle, créa
la plus belle des Vierge *de Sandro*
Botticelli, la Madone au voile
(Courtauld Institute of Art).
À lui et à tant d'autres artistes de
l'ombre, ces maîtres dans l'art du maquillage.

[…] la dissimulation est sys-
tématiquement une con-
duite intermédiaire, une
conduite oscillant entre les
deux pôles du caché et du
montré. Pas de dissimula-
tion habile sans ostentation.

GASTON BACHELARD

[…] la vérité ou l'apparence
ne sont pas dans l'objet […]
mais dans le jugement que
nous portons sur cet objet,
en tant qu'il est pensé.

IMMANUEL KANT

Prologue

J'arrive enfin à retrouver une certaine paix, même si les élans paranoïaques m'assaillent encore de temps en temps. Ces sursauts sont idiots, j'en conviens, car personne ici ne sait au juste d'où je viens. Surtout, ils ne s'intéressent pas à moi. J'ai de l'argent, ma façade de photographe est bien attestée par une carte de presse que j'ai achetée à Mexico, et mon visa est encore bon pour huit mois. Assez pour me faire oublier, je crois. Mes photos de paysages sont d'ailleurs si anodines que même les autorités locales sont rassurées. Au début, ils craignaient que je ne sois l'un de ces gringos fanatiques de l'environnement qui cherchent à semer la pagaille. Plus maintenant. N'empêche qu'il m'arrive encore de paniquer en croyant percevoir des agents de Rosenberg déguisés en touristes. Il est clair que cette ordure ne m'oubliera pas de sitôt. D'un autre côté, peut-être que j'exagère la portée de ma vengeance car, en fin de compte, il a fait bien plus d'argent avec mon travail de faussaire que je n'ai pu lui en soutirer. Il y a l'honneur, bien sûr, et le fait qu'à n'importe quel moment je pourrais tout déballer. Au moins, je n'ai pas besoin de craindre la police. Rosenberg et ses associés chercheront à régler discrètement mon cas, si jamais ils me trouvent.

Le plus difficile cependant est de vivre chaque jour avec cette paralysie étrange qui s'est emparée de moi depuis que je suis arrivé ici. C'est quelque chose d'incompréhensible, comme si ma vie avait été brisée en quelque sorte. Ce village mexicain est tout ce qu'il y a de plus confortable; mon atelier est beau, discret, et je ne manque jamais de modèles magnifiques. Pourtant, impossible de dessiner; aucune envie de peindre. J'ai perdu le fil de ce que, jadis, je me proposais de faire. L'argent et la paix sont là, mais ces dix dernières années que j'ai passées à peindre et à dessiner paraissent avoir drainé toute l'énergie de mes propres désirs. Il ne me reste qu'une grande confusion. Peut-être que j'ai été trop intimement lié à l'art, que je suis passé de l'autre côté du miroir en délaissant la vie. Le charme semble disparu et je ne me retrouve plus.

Les paroles de maître Guderius me reviennent parfois inopinément à l'esprit, accompagnées de son sourire narquois, comme une sorte d'écho d'Anvers ou de ricanement des choses anciennes. Je me surprends aussi à faire de longues balades imaginaires dans les églises de sa ville, parmi des hordes de saints taillés dans le bois, comme si mon âme — Guderius l'appelait démon — cherchait à retrouver un chemin perdu. En vain. La sagesse du vieux ne me sert maintenant à rien; mon âme paraît avoir perdu le désir de marcher plutôt que le but de la quête.

J'ai amplement le temps de réfléchir, mais je ne sais pas par où commencer. Son conseil de continuer à copier les maîtres anciens, à la recherche de leur secret englouti, ne m'est d'aucun secours. J'évite même de regarder les reproductions dans les livres d'art, car j'ai peur de me perdre davantage. De toute façon, je peux imiter à merveille et sans aucun effort les maîtres que j'admire. Mon problème serait plutôt celui de me retrouver moi-même, le Max Willem d'autrefois, celui du temps d'avant les contrefaçons et les mensonges.

Je prends plutôt le parti de tenter de me raconter l'histoire qui m'a conduit jusqu'ici, l'histoire de ma confusion entre l'art et le maquillage. Si j'arrive à mettre en mots, à comprendre ce qui s'est passé au juste, peut-être que cette paralysie relâchera ses griffes. Aussi, si je peux mettre Vera en perspective, la transformer en personnage de narration, la blessure commencera à se cicatriser. Car je souffre encore de ma tendresse bafouée, et son absence me blesse. Les autres femmes n'arrivent pas à combler le vide qu'elle a creusé en moi, même si, de plus en plus, ce vide s'exprime par une sorte de honte doublée d'une rage sourde. C'est d'ailleurs d'abord cette honte que je veux anéantir en saisissant dans le détail le jeu de cette femme singulière.

Il est clair que je ne sortirai pas grandi de cet exercice narratif, si jamais j'en sors. Mais, que faire d'autre, si le fil de l'histoire se dérobe au peintre que je suis en me laissant seul avec des scènes intolérables ? Qui sait ce qui peut advenir si je tente, sans trop me mentir à moi-même, de répondre au moins à la petite question : où donc ai-je commencé à perdre pied ? L'aspect extérieur, la convexité du masque m'aidera sans doute à imaginer sa face cachée, la concavité des âmes.

1

Rien ne sert de retourner jusqu'à l'enfance. J'ai déjà trop cherché de ce côté-là, sans aucun résultat palpable. Mon itinéraire a été bien commun, sans traumatisme ni bizarrerie capables d'expliquer ce qui s'est passé par la suite. Aussi loin que je peux reculer, il n'y a que vie paisible, sans histoire. Même le fait de choisir les Beaux-Arts, alors que mes copains allaient en droit ou en génie, ne me semble pas significatif, car j'ai toujours aimé dessiner, et mon père n'a jamais pensé que je devrais faire autre chose. Il avait gagné tellement d'argent au temps où Port-Alfred était un port international — avec une mafia bien québécoise, main dans la main avec les politiciens —, qu'il pouvait désormais conduire discrètement ses investissements depuis sa retraite à Bar Harbor, sans jamais remettre les pieds à Montréal. Son fils artiste ennoblirait sans doute la fortune suspecte de l'immigrant belge qu'il avait été.

Mon attirance pour le revers du réel, pour les coins cachés et les situations ambiguës devait se confondre, au début, avec la curiosité naturelle d'un enfant. Cette inclination insolite s'est cristallisée sans que je m'en aperçoive. Un beau jour, je me suis rendu compte que la réalité banale, l'apparence innocente des choses ne m'intéressait point. J'étais déjà définitivement plongé dans le monde fascinant de la simulation et du déguisement. Les êtres m'apparaissaient désormais comme formés de couches de voiles illusoires, d'artifices que je me devais de pénétrer pour me sentir vivant. Il me fallait voir sans être vu, scruter les coulisses de la chair et de la vie en quête de leurs essences que je pressentais trompeuses.

Je ne peux pas expliquer mon penchant pour les objets que l'on façonne en vue de faire semblant. Mais je me souviens, à ce propos, d'une vision mémorable dont je n'arrive pas encore à dégager la signification. Ce sont les seins gonflés au silicone d'une femme riche que j'ai connue en 1963, au début de mes études. Elle s'appelait… C'est sans importance puisqu'elle n'était que le véhicule de ses seins majestueux. Les hommes lui tournaient autour comme des bourdons attirés par de la confiture. Cette femme pouvait dire n'importe quelle bêtise, elle pouvait bafouiller en parlant, se négliger même au point de sentir un peu le rance derrière son nuage de parfums : rien ne dérangeait sa cohorte de mâles haletants. Elle n'était plus très jeune et arborait une certaine lourdeur dans ses robes amples. Visiblement chère à l'entretien, elle ne s'occupait aucunement de tenir parole et, insouciante, elle mentait avec le plus naïf des sourires. Elle se savait fascinante et n'avait même pas besoin de chercher à en profiter. C'était comme une simple évidence. Les autres femmes lui laissaient le passage, elles lui rendaient des hommages, sans rancune — ce qui est très rare —, comme si elle détenait un rang aristocratique intangible. Elle était en fait d'une classe à part, sans qu'on sache pourquoi.

J'étais beaucoup plus jeune qu'elle mais, à l'instar d'autres hommes de son entourage, je me surprenais à la regarder, entièrement absorbé par son sortilège. Pas amoureux, non ; plutôt captivé, telle une bête qui fixe les phares d'une auto sur une route, la nuit. Pourtant, à cette époque, je côtoyais chaque jour des jeunes filles adorables, et les modèles des classes de dessin à l'université Sir George Williams me permettaient de me délecter de la vision de formes féminines dans toutes les poses imaginables. J'avais aussi un bon nombre de copines, souvent très libérées et tout à fait décidées à se prouver que les femmes étaient les égales des hommes dans tous les domaines, y compris l'activité sexuelle. Les filles paraissaient émerveillées de découvrir qu'elles avaient un cul, et ne se lassaient pas d'en apprendre le mode d'emploi, tout en se disant, innocentes, que c'était là une façon comme une autre de se dénicher un mari. Mes allures à la fois bohèmes et attendrissantes faisaient le reste.

Ce n'était donc pas la privation qui me poussait vers cette blonde platinée dans la trentaine bien avancée, aux jambes toujours bottées pour donner du volume à ses mollets un tantinet trop maigres. Nue, elle avait l'allure d'une énorme poupée gonflable sur pilotis. Mais cela ne se remarquait pas dans la vie courante. Au contraire, sa moue de petite fille dominait entièrement le premier coup d'œil. Son nez était refait, bien sûr, et pas très bien refait puisqu'une cicatrice sur le pont trop concave accentuait dangereusement l'apparence insolite d'immaturité. Ce petit nez contrastait avec le reste du visage massif, surtout lorsque celui-ci rougissait et transpirait dans la chaleur de l'été. Sur mon matelas posé par terre, les fenêtres fermées, en pleine vapeur des après-midi d'orgie, sa rougeur était si intense que parfois j'avais l'impression de baiser une créature hybride, moitié nouveau-né, moitié vieille paysanne normande. Mon regard scrutateur, hélas ! trop imprécis à cause des secousses et des scotchs fins qu'elle m'apportait, ne réussissait pas à figer une vision unique de son visage ; comme devant les images d'illusions perceptives, je sautais alors continuellement entre les deux extrêmes, sans arriver à me fixer.

Ce n'était pas non plus le désir, puisque bien vite elle avait accepté de se donner dans mon atelier, tout en feignant d'être surprise, puis amoureuse et flattée par l'appétit du jeune artiste. Elle l'avait fait d'ailleurs à mon grand étonnement. J'avais attendu assez longtemps, hésitant, un peu craintif, intimidé devant cette masse d'atouts féminins ramassés dans un bloc et surmontée d'un sourire béat, dont la langue jouait continuellement avec d'invisibles cheveux lorsqu'elle bégayait en allumant ses grands yeux avides.

Je n'avais pas ressenti de désir envers elle comme je le ressentais d'habitude envers mes copines. Je me bornais à la regarder à distance, dégustant sa présence d'une manière originale, et j'ai pris bien du temps avant d'en saisir le sens.

Un jour, par hasard, alors que j'étais assis à ses côtés à une table de restaurant, j'ai eu une envie irrésistible de lui toucher les cuisses. Tout en continuant à bavarder avec les autres convives, elle s'est laissé faire comme si de rien n'était. Peu après, presque sans aucune parole, nous avons abandonné la réception à la hâte pour nous retrouver dans son auto. Il a fallu qu'elle conduise vite pour éviter qu'on baise en plein trafic. Pendant tout le trajet jusqu'à mon matelas, je tenais entre les mains l'objet de ma convoitise, cette chose qui me dévoilait un coin jusqu'alors obscur de ma passion artistique : ses seins lourds, gonflés et tendus, déformés et pourtant en équilibre, aux consistances étranges qui me laissaient deviner les poches de silicone.

J'avais tâté, caressé, mordillé, examiné et contemplé tant de seins, et de toutes les sortes, mais jamais des trucs rafistolés. Ceux-ci étaient sûrement aussi l'œuvre du chirurgien qui avait raté le nez. Rien qu'à la regarder, je pouvais m'imaginer le gros médecin au goût émoussé, amateur d'épais steaks saignants, de blagues salaces et de Cadillac décapotables. Soit qu'il allait à la chasse, soit qu'il se tenait dans ces hôtels de Floride aux couleurs pastel, ou encore qu'il était un habitué des croisières dans les Caraïbes. Il l'avait faite à l'image de son désir : un prototype idéal de la femelle nord-américaine, dont l'architecture osée défiait les lois de la gravité. Les lourdes fesses, dans leur mouvement descendant, ne s'arrachaient pas au large bassin et n'écrasaient pas les minces jambes. Elles flottaient, tout simplement, comme un pendant naturel des mamelles suspendues, aux allures de balcons remplis de neige. Et, là-haut, trônait diaphane le petit museau de lapin. L'ensemble me faisait penser à une sorte d'esquisse grossière, exécutée à la spatule trop pleine, à une croûte presque obscène et tout à fait expressionniste suggérant vaguement l'objet réel qu'avait été Marilyn Monroe.

Voilà un travail d'artiste. Avec des moyens limités, ne disposant que de la chair et de la graisse, ce sculpteur avait fait vivre la matière la plus rebelle pour traduire le rêve de l'objet sexuel : à la fois l'éternelle Lilith, Ève et la putain de l'Apocalypse, coiffées d'un visage de fillette salope dont les lallations innocentes trahissaient des cloaques de sensualité. Un grand maître de la contrefaçon !

À ce moment-là, et durant les mois suivants, je n'avais pas encore conscience de ma découverte. Je m'affairais uniquement à malaxer et à balancer ses seins pour m'imprégner de leur nature intime. Leur essence mystérieuse ne se laissait pas circonscrire facilement, d'autant plus qu'ils n'étaient pas, au sens littéral, des attributs destinés à être dénudés. Au contraire, ils paraissaient à leur mieux lorsque, encadrés à l'intérieur de décolletés plongeants et généreux, sans soutien-gorge et rehaussés par la dorure de cheveux en cascade. Tout à fait comme un tableau de maître : pour le regard uniquement, en passant et à une distance raisonnable. En effet, lorsqu'ils étaient dépouillés de leurs parures, ces seins semblaient artificiellement supportés par une structure invisible qu'on devinait à travers la vibration de la peau recouvrant les côtes. Ils étaient, en outre, grotesques, puisque les mamelons trop centrés donnaient l'impression de capsules destinées à empêcher que la chair n'implose sous leur surface sans vie. Le plus remarquable était l'absence de ce mouvement descendant qu'ont les gouttes d'eau et qui fait le charme des poitrines robustes. Non, ils se tenaient en érection par-dessus les poches invisibles, sans la rondeur moelleuse d'en bas, qui invite le geste ascendant de la main pour les soupeser. Donc, dénudés, ils avaient l'air des décors de théâtre abandonnés dans un entrepôt.

J'étais non seulement intrigué par ces seins que j'avais devinés artificiels, mais aussi bien surpris par l'étreinte de cette femme. En sa présence, mon corps gagnait des énergies que je ne lui connaissais pas, et je m'abandonnais à une lascivité nouvelle, insatiable, qui relevait plutôt du registre de la compulsion. Là, dénudée sous moi, ses cuisses ouvertes offrant le ventre informe baigné de sueur, ce portrait moderne de Marilyn déployait une viscosité de méduse, une vitalité de pieuvre. Les seins n'étaient en fait que l'appât pour un banquet autrement plus exquis. Se donnant à voir, le visage radieux, les yeux écarquillés et le sourire euphorique, elle s'extasiait davantage de mon regard que de mon corps. Fière, goulue, c'étaient mes yeux et mes rêves, mon envie qui la faisaient vibrer. Elle savait, spontanément, que le regard de la passion ne pénètre jamais, qu'il ne fait qu'effleurer la surface des apparences. C'est ainsi qu'elle triomphait désormais de son ancienne personne, de son nez et de ses seins d'autrefois, de son vieux sentiment de laideur ou d'incomplétude. Son corps et ses gestes devenaient de la sorte un lieu de désir symbolique qui conférait au spectateur un sentiment formidable de puissance, d'insatiabilité. Cette femme était une œuvre d'art, spectacle et nourriture qu'elle livrait sans pudeur, démesurée.

Voilà quel était son mystère. En sa présence, face à son propre enthousiasme d'être autre que ce qu'elle craignait d'être, la plus frileuse des bites gagnait des dimensions hyperboliques. Le plus timoré des hommes se sentait un satyre à la seule illusion de se croire la cause de l'aura de son visage et des secousses tectoniques de son bassin ancestral.

Il m'a fallu presque quatre mois pour me détacher de cet esclavage. Heureusement, ce n'est pas dans ma nature de croire que la verge est l'instrument du bonheur, et j'ai fini par m'écœurer. La recherche compulsive du regard idéal était aussi une des dispositions de cette femme, et notre rupture s'est faite sans heurt, car d'autres patrons autrement plus importants la sollicitaient déjà.

Parfois, je pense encore à elle, un peu comme à une révélation. J'évite cependant d'imaginer les ravages du temps sur une structure corporelle si peu fiable. Il me plaît de penser que je l'ai connue juste au bon moment, pas trop rigide ni trop ramollie, la pauvre.

Cette rencontre m'a enseigné quelque chose d'essentiel concernant le lien entre le spectateur et l'œuvre d'art. Sans que j'en aie encore tout à fait précisément conscience, le rapport entre le regard d'autrui et la représentation nichée dans l'objet-copie me hantait désormais chaque jour. La similitude n'était certes pas essentielle au charme de l'œuvre ; en effet, une fois libéré de son emprise, je me demandais comment j'avais pu faire pour étreindre Marilyn en baisant cette pauvre créature. Même que, par la suite, quand je la voyais passer au loin, un sentiment proche de la honte m'envahissait ; je préférais alors attribuer mes chimères aux excès d'alcool et au haschich puissant qu'un de mes amis importait du Maroc. Mais je n'étais pas dupe ; je savais que cette expérience extatique me mènerait plus loin.

Ma peinture a ainsi pris un nouvel essor. Mes modèles se transformaient en dessin d'une façon nouvelle, avec moins de contraintes ; leurs chairs gagnaient une intensité parfois sinistre, leur visage se tordait de drôles de manières et leur ventre s'ouvrait avec une pudeur de viandes sur l'étal d'un boucher. Mon succès était cependant bien mitigé dans ces temps d'art abstrait. En classe, les professeurs faisaient de longs détours pour éviter mon chevalet. Mes copains, sans se prononcer ouvertement, commençaient à m'avertir du danger de *flash-back* de certaines capsules et de certains champignons alors à la mode. Les filles, plus prosaïques, exprimaient leur peur par des moues de dégoût, et elles abandonnaient entièrement le désir de visiter mon matelas. Seules quelques grosses peu sollicitées se prêtaient encore à ma compagnie et, une fois couchées, elles paraissaient vibrer d'une étrange tension lorsque je m'évertuais à les admirer. L'une d'entre elles en particulier, qui oscillait continuellement entre la boulimie et l'anorexie, a même réussi à retrouver un certain équilibre aux alentours des soixante-dix kilos, à cause de mon regard. Je me souviens d'ailleurs que cette fille est ensuite allée vivre avec un membre des Hells Angels ; la dernière fois que je l'ai vue, elle était devenue quelque peu mystique, avec un sourire béat, et elle avait abandonné les Beaux-Arts pour se consacrer aux disciplines de Krishna.

Je découvrais une force d'expression originale en déformant mes dessins dans le sens naturel de l'apparence des modèles. Une singulière beauté se détachait des images ainsi massacrées, au point que certaines filles très laides se croyaient des beautés sauvages après avoir posé pour mes esquisses. Cette impulsion nouvelle me rassurait et me stimulait, car mon dessin avait toujours été trop parfait, réaliste, presque photographique, ce qui paraissait un anachronisme comparé à l'art de mon temps. Après la rencontre de Marilyn de Rosemont, j'ai pensé avec enthousiasme que je m'étais ouvert à l'esthétique moderne. C'était un peu vrai, quoi ! Faire un beau portrait d'une jolie fille est bien facile ; mais réussir à faire vibrer une laide par le seul regard d'un artiste, voilà le coup de génie.

Mon modeste atelier se remplissait d'œuvres tout en se vidant de présence humaine. Pas si grave que ça. J'éprouvais le besoin d'être seul pour réfléchir à cette découverte que je ne réussissais pas encore à cerner. D'autant plus que ma nouvelle attitude devant le réel me causait parfois certains désagréments. En effet, il m'était difficile de me débarrasser de certaines filles qui, ne se sentant plus laides ni connes, me regardaient avec des yeux hagards, prêtes à me suivre vers n'importe quel holocauste. Voilà pourquoi je me suis intéressé pendant un certain temps aux lesbiennes et aux féministes radicales, qui commençaient alors à se regrouper en troupes de combat. Ma marge de liberté n'a pas été garantie pour autant. Je ne les choisissais peut-être pas bien, et ce regard admirateur que j'avais développé — celui qui confère un sens esthétique à son objet — produisait parfois de véritables miracles chez des créatures apparemment endurcies. Ces excès me confirmaient dans la certitude que la réalité n'a aucune importance devant le désir de celui qui s'est décidé à croire.

❑

Ma vie continuait paisiblement et je croyais comprendre de plus en plus clairement ce qui me paraissait être le travail de l'artiste. Il s'agissait de transformer les objets pour en faire des simulacres qui exciteraient l'ardeur des sens. L'art me paraissait être la déformation expressive, l'exagération ou le mensonge drapé d'insolite, d'où mon attirance vers les effets grotesques et illusoires du maquillage. D'autres expériences viendraient cependant, bientôt, me montrer combien j'étais encore loin de la véritable conscience esthétique.

J'étais en dernière année du bac et je me sentais prêt à me lancer seul dans le monde de l'art. Mon atelier se trouvait alors dans un sous-sol attenant à l'entrepôt d'une petite usine de vêtements, boulevard Saint-Laurent près de Rachel. Un quartier agréable, aux accents étrangers, avec ses magasins exotiques qui n'étaient pas encore à la mode. Le loyer était convenable et je pouvais me perdre parmi les Portugais, les Juifs et les Ukrainiens qui ne s'occupaient aucunement des autres Québécois.

Je travaillais jusque tard dans la nuit; de rares copains passaient parfois me voir après la fermeture des bars. Cela ne me dérangeait pas, bien au contraire; ils étaient discrets, bons parleurs, et ils n'oubliaient jamais d'apporter et la bière et la pizza. Mes matins commençaient ainsi vers midi; le bruit des ouvrières et des camions de livraison constituaient une musique rassurante pour bercer mon repos. L'artiste de la grande ville se sent toujours en sécurité, voire vengé, lorsqu'il est certain que le reste du monde est au travail. C'est là un de ses seuls privilèges qui peuvent compenser le manque d'argent, l'absence de respect et l'insécurité sociale.

Un jour, presque à l'aube, Caroline a frappé chez moi. Elle a dû faire du vacarme pour me sortir de mon lit. Enroulé dans ma couverture, les yeux à demi fermés pour ne pas me réveiller tout à fait, j'ai réussi à ouvrir la porte. La fille était plantée là, muette, l'air dépité, la tête basse.

— C'est moi, Caroline, a-t-elle fini par balbutier pendant que je retournais me coucher sans comprendre cette intrusion.

Elle est entrée en fermant la porte avec une violence qui m'a fait sursauter. Comme le silence persistait, j'ai fini par ressortir la tête de sous la couverture. Caroline était debout, à côté de moi, toujours en silence et sans l'intention apparente de repartir.

— Qu'est-ce qu'il y a, Caroline?

— Ô Max, excuse-moi. Je n'aurais pas dû... Es-tu malade?

— Non, ça va.

Caroline paraissait regretter d'être venue et ne disait rien. C'était une situation fort inhabituelle puisque je la connaissais à peine. Elle était venue chez moi à deux reprises, en compagnie d'une de ses copines qui posait, et nous n'avions presque pas parlé. Je me demandais alors ce qu'elle pouvait bien faire là. Y avait-il eu une catastrophe quelconque : décès, *overdose* ou simple arrestation ? Je la regardais, attendant qu'elle parle, lorsqu'elle s'est mise à pleurer. Comme ça, tout doucement, sans sanglots, seules les larmes coulant le long de ses joues.

— Caroline, voyons, Caroline... Viens, assieds-toi ici, viens. Respire un peu ; prends ton temps. Je me lève et je nous fais un bon café. Ne bouge pas.

Elle s'est assise sur un coin du matelas, comme une petite fille, la tête baissée.

Ces trucs de filles sont parfois longs, et je n'ai jamais trop su quoi faire dans ces occasions. Je sais seulement qu'il faut leur donner du temps, qu'il ne faut rien précipiter ; en fin de compte, ce sera ainsi bien moins grave que ç'en avait l'air. J'étais tout de même très intrigué, et j'ai prolongé mon séjour dans la minuscule salle de bains pour mieux me réveiller. Quand je suis ressorti, elle était toujours dans la même position, ce qui m'a permis de m'habiller, de préparer du café et de mettre du pain à rôtir.

Caroline était une fille tout à fait insignifiante. Ni grosse ni maigre, habillée en hippie du genre commune campagnarde, les cheveux longs tombant à la mode sorcière, la peau pâlotte et les yeux sans couleur définie, chaussée de sandales et disparaissant sous une jupe de coton écru et un poncho à franges. Aucune apparence de sexe, de désir ni d'imagination. Elle paraissait être de celles qui suivent le courant, se moulant à leur temps dans l'espoir que les autres leur disent quoi faire. Elle aurait été habillée en bonne sœur à peine quinze ou vingt années auparavant, ou en garde rouge, si elle avait été chinoise. Elle était peut-être même encore vierge. Il me semble qu'elle faisait des études en sociologie ou en histoire de l'art. Elle suivait sans doute ses copines plus hardies comme un petit chien battu, sans prendre de risque ni surtout manifester de sentiment. Il y avait des milliers de Caroline, comme à chaque époque, et celle-ci finirait par se caser quelque part.

— Tiens, voilà du café. Tu te sentiras mieux.

Elle a obéi, machinalement. J'avais tout le loisir de l'observer, distraitement, comme on observe un insecte quelconque. La lumière du matin entrant par les petites fenêtres sales égayait quand même mon atelier, d'une façon que j'avais rarement l'occasion de voir. Je me sentais presque content d'avoir été réveillé de bonne heure. Café, tartines, cigarette, tout cela compense largement un réveil brutal ; en bout de ligne, le plus difficile est de sortir du lit.

— J'ai honte, Max, d'être ici... Mais je n'ai personne à qui le dire. C'est si bête !

— ...

— Et puis, j'ai peur qu'on rie de moi. J'ai toujours peur qu'on rie de moi !

— Ce n'est pas grave, Caroline. Dis-moi ce qui se passe, vas-y.

Je me sentais un peu comme un curé ; sauf que, plus le silence s'allongeait, plus j'avais envie de rire. Qu'est-ce que ça pouvait être ? Avortement ?

— J'aurais voulu que tu m'aides, Max. Je ne sais pas quoi faire. Alors, j'ai pensé à toi... Tu as l'air plus mûr, tu comprends ?

— Es-tu enceinte ?

— Mais non ! Qu'est-ce que tu vas chercher là ? a-t-elle rétorqué, visiblement blessée. Je prends la pilule...

— Ah !...

— Ce n'est pas ça. C'est plus personnel, plus intime... Plus difficile à dire. Voilà, Max, je te fais confiance... Vois-tu, on m'a invitée à une fête, ce soir. Une

cousine. Je ne la vois pas souvent. Elle étudie à McGill.
Tu vois le genre ? Des gens snobs. Je ne sais pas quoi
faire...

— Bah ! Caroline... ai-je répondu sans pouvoir
cacher ma déception. Tu n'y vas pas, c'est tout !

Après un long silence, le regard fixé sur ses sandales,
elle a repris :

— Mais, justement, c'est bête... Je veux y aller... Je
veux, beaucoup.

Je gardais le silence, me contentant de l'observer, la
tête vide et avec une envie de bâiller.

— Vois-tu, Max, je veux y aller. C'est un truc snob,
d'accord. Bourgeois, d'accord. Réac, si tu veux. Mais
c'est plus fort que moi. Il faut que j'y aille. Ça va être une
fête formidable !

— Alors, vas-y. Qu'est-ce qui t'en empêche ? ai-je rétorqué un peu agressif, car je commençais à avoir le
vague soupçon qu'elle s'apprêtait à m'inviter, moi aussi.

— J'ai peur qu'on rie de moi, voilà. Je déteste qu'on
me prenne pour une idiote. Alors je ne peux me confier
ni à mes copines, ni à la maison, ni à personne. Et puis je
sais que je vais paraître ridicule. C'est des gens snobs,
des filles... comment te dire... pas des gens conscients,
tu vois ? Ni artistes... Tout à fait aliénés, quoi ! Des bourgeois très riches, de droite, des Anglais...

C'était d'une simplicité désarmante. La femme en
Caroline était attirée vers la fête, mais son identité ne
l'avait pas préparée à affronter de vraies femmes de son
âge. Pire encore, elle cherchait conseil auprès d'un inconnu comme moi, car elle n'avait même pas d'ami pour
la consoler. Pourquoi moi ? Allez donc savoir en quelle
sorte de personnage elle m'avait transformé dans sa
petite tête. Elle avait peur de paraître ridicule en jouant
un rôle de femme, et il fallait que je la rassure.

J'avais compris son problème par bribes, sans qu'elle
soit capable de tout expliquer. C'était quand même
attendrissant de chercher la jeune femme derrière cet

accoutrement de hippie qui cachait entièrement les attributs de son sexe.

— Ne t'en fais pas, Caroline, je vais t'aider. Je sais comment sont ces fêtes de gens riches. C'était le milieu de mon père lorsqu'il habitait ici. Il n'y a pas de quoi se laisser impressionner, tu verras.

L'idée me plaisait comme une sorte de gag : il fallait la déguiser en femme. J'ai même réussi à banaliser l'entreprise en lui disant d'aller aussitôt chez le coiffeur, puis de revenir chez moi avec une trousse de maquillage et une robe empruntée à sa mère.

— Et n'oublie pas, hein, la plus décolletée possible. Une robe, pas une jupe. Des souliers à talons hauts, des bas de nylon et un petit bijou très simple. Ah !... J'oubliais. Excuse-moi de te le dire comme ça... Tu sais, Caroline, c'est l'habitude : elles se rasent les jambes et les aisselles.

— Je sais, a-t-elle balbutié au bord des larmes. Mes jambes, ça va ; les aisselles aussi, presque. Je vais le faire.

— Et pas de truc hippie ni indien, tu comprends ? Le plus simple possible. De la lingerie sexy... Cherche dans les tiroirs de ta mère. Je t'arrange ça et je ne raconte à personne, promis.

En plus, il faudrait que je m'occupe de son maquillage. Caroline n'avait jamais essayé de fard ni de rouge à lèvres. Elle m'assurait cependant que sa mère avait tout ce qu'il fallait. Je me demandais quelle sorte de poufiasse était cette mère pour que sa fille soit dans un désarroi pareil. Tant pis. J'étais peintre, n'est-ce pas ? La toile ou Caroline, ça ne ferait aucune différence. Si je ratais mon coup, ou en désespoir de cause, la coiffeuse espagnole de l'autre côté de la rue me viendrait en aide.

Caroline est repartie, rassurée, promettant de revenir dans l'après-midi, coiffée, avec tout l'attirail, et prête pour affronter la cousine snob qu'elle admirait tant.

Ma journée était cependant gâchée. Des pensées complexes occupaient mon esprit, s'entremêlant à des projets de dessins de sa mère écorchée, de son père se masturbant devant des hippies, et d'autres trouvailles dans la même veine.

Elle est revenue vers trois heures. J'étais si absorbé à tendre de nouvelles toiles et à penser à des tableaux que je l'avais complètement oubliée. En ouvrant la porte, j'ai eu un traumatisme esthétique. Caroline était là, un sac de toile entre les mains, mais avec la tête transformée en cactus. En me voyant surpris, elle s'est remise à pleurer.

— Je déteste qu'on me trouve ridicule! Je déteste ça, bafouillait-elle entre deux sanglots.

En effet, la coiffeuse n'avait pas raté sa vengeance contre la petite hippie. De la pure cruauté féminine, évidemment. C'était une coiffure du genre potiche émaillée, très haute, mettant à profit ses longs cheveux désormais enroulés et lourdement laqués, qui épousait les mouvements de la tête comme si son crâne avait été aspiré par un réacteur d'avion. Une horreur.

— Arrête, Caroline!

Je l'ai serrée entre mes bras comme une petite enfant dans l'espoir que cessent les secousses de son corps. Sa tête contre ma poitrine dégageait une odeur offensante de parfum bon marché, et ses cheveux me grattaient le cou.

— Arrête, petite! Ce n'est rien.

— Max, hou, hou, hou... Que le monde est méchant!

— Mais non, Caroline, ça va aller...

— Tu fais quelque chose, n'est-ce pas? Tu ne vas pas me laisser comme ça... Il faut que tu m'aides... Hou, hou, hou! Je suis une idiote, mon Dieu! Je voudrais mourir...

Je cherchais à la consoler en lui promettant de corriger les dégâts, et elle s'agrippait à moi comme une noyée. Je l'ai alors tirée vers la salle de bains où, malgré une très légère résistance, elle s'est laissé déshabiller. Puis, sous la douche.

Je la tenais par les aisselles pour qu'elle ne tombe pas. Le silo à grain sur son crâne dégoulinait de partout, se pliait, mais résistait encore. La laque épaisse, durcie depuis peu, empêchait l'eau de pénétrer, et la pauvre fille ressemblait de plus en plus à une fontaine. Mes efforts pour faire basculer le formidable cylindre ne réussissaient qu'à lui tirer les cheveux, tandis qu'elle poussait de petits gémissements aigus en tentant de se dérober.

Exaspéré, trempé, je me suis déshabillé à mon tour et, en tenant la fille en équilibre précaire contre mon corps, je me suis alors attaqué à la coiffure. C'était une besogne difficile, délicate : je devais plonger les doigts furieusement dans la masse de ses cheveux pour faciliter la circulation de l'eau, tout en décrochant les innombrables épingles qui renforçaient l'affreuse charpente. Heureusement d'ailleurs, car cela détournait mon attention de son corps juvénile. Caroline ne paraissait pas remarquer la situation intime dans laquelle nous nous trouvions. Du shampoing à profusion, encore de l'eau, tout en démêlant les mèches épaisses qui tombaient comme des pans de murs. Je m'efforçais de ne pas lui faire mal ; je devais ainsi la savonner à partir de la base du crâne, de la nuque, et remonter doucement les débris de ce bombardement. Elle se laissait faire en tentant seulement de se protéger les yeux, ou en m'aidant à pénétrer les treillis les plus rebelles. Nous gagnions du terrain, laborieusement, et la masse de cheveux avait déjà l'aspect de nombreux tuyaux brisés. Peu à peu, ses mains s'activant aussi avec plus d'enthousiasme, elle a participé davantage à mesure que l'eau dissolvait son humiliation.

Ses longs cheveux lisses enfin collés sur le corps comme des algues, elle avait le sourire aux lèvres. Ses mains me tenaient par le bassin. Nous étions comme des camarades rapprochés par l'acharnement au combat, et je n'ai pas pu résister à l'envie de lécher l'eau qui coulait sur son visage. La petite entaille qu'elle s'était faite en rasant son aisselle droite était émouvante. Les yeux fermés, la bouche ouverte, Caroline goûtait elle aussi à l'eau et bougeait la tête pour s'offrir à mes caresses. Je l'ai savonnée entièrement, glissant ainsi de plaines en vallons, remontant avec force les collines des seins pour bien frotter les mamelons éveillés. Puis, de nouvelles plongées le long des cheveux pour rebondir dans le creux des reins, sur la rondeur du ventre, vers des abîmes qu'elle entrouvrait, le rire aux yeux. Ses doigts me griffaient les fesses, car ces jeux innocents menaçaient à chaque instant de nous faire basculer dans la baignoire trop glissante.

Lorsque nous sommes enfin sortis de là, je l'ai épongée avec la serviette, ce qui l'a fait soupirer de nouveau ; elle s'est avancée d'un pas élégant vers mon matelas. Couchée sur le dos, les yeux entrouverts, tout en attente, Caroline ressemblait déjà plus à une femme. Tout se passait très au ralenti. Je me souviens d'avoir admiré son corps, ses seins rougis, son bassin un peu de biais écrasant une fesse et sa cuisse pliée offrant le pubis à la lumière de la fenêtre.

Elle m'a aidé avec un gémissement lorsque j'ai levé ses genoux pour arquer son corps. L'envie m'est venue d'embrasser ce ventre que j'avais tant savonné ; mais d'un mouvement du dos, appuyée sur ses coudes pour m'offrir davantage, elle a prononcé mon nom en serrant les yeux de plaisir... Son corps tout entier frémissait. Ensuite, elle s'est laissé posséder longuement, sans pousser le moindre soupir.

Pourtant, ce matin même, cette fille m'était encore pratiquement inconnue. Caroline paraissait avoir gagné entre-temps quelque chose d'insolite, de serein qui lui affinait les traits du visage. Les cheveux lavés, les sandales oubliées, la nuque détendue et les cuisses abandonnées, elle dégageait un charme jusqu'alors totalement enseveli. En caressant ses lèvres pour entrouvrir ses dents, je me disais, étonné, que les apparences peuvent être trompeuses. L'insecte de ce matin avait curieusement déployé des couleurs par la grâce de mon regard.

Elle s'est alors tournée, la face blottie contre mon ventre, et d'une voix un peu rauque, elle m'a rappelé ma promesse :

— Dis, Max, c'est vrai que tu vas m'aider, n'est-ce pas ?

— Promis, Caroline.

Alors, se réveillant tout à fait, les yeux pétillants et mordant sa lèvre inférieure, elle m'a demandé :

— Maintenant, d'accord ? On y va.

— D'accord. Mais tu me laisses faire, sans protester.

— Je me laisse faire. Tu ne me maltraites pas, hein ?

Je n'avais aucune envie de la maltraiter, bien au contraire. Me laissant guider uniquement par mon intuition, comme devant une feuille blanche, je l'ai assise sur un tabouret, nue et pleine d'espoir.

— Ferme les yeux, Caroline. Tu ne bouges pas, tu ne dis rien. N'aie pas peur ; je promets de ne rien gâcher.

Elle a opiné de la tête, les yeux baissés, comme une fillette sage.

Mes mains s'agitaient, cherchant à placer ses cheveux de diverses manières pour dégager la nuque. Je pressais son visage pour lui donner des expressions, à quoi elle répondait en suivant le mouvement de mes doigts par des moues et des haussement de sourcils. Je sentais sa glaise malléable à mon toucher puisqu'elle collait son corps à mes paumes, obéissante à mes intentions, les yeux toujours fermés et dissimulant un sourire taquin.

Les cheveux à la mode sorcière compromettaient définitivement l'ensemble. Je me suis emparé des ciseaux et j'ai entamé la première mèche à la hauteur de la nuque. Caroline a réagi par un léger frisson accompagné d'un soupir, mais elle n'a pas bougé. Mes ciseaux bien aiguisés pour l'attaque de la toile ne faisaient qu'une bouchée de sa crinière hippie.

Je ne savais pas couper comme un coiffeur, mais il me fallait au moins détruire l'ancienne image. Les mèches tombaient une à une, aérant son visage, pendant qu'elle haussait les épaules telle une chatte pour se débarrasser des cheveux. La coupe au carré, libérant les clavicules et les omoplates, a mis du volume sur ses pectoraux moelleux et, du même coup, la rondeur des petits seins s'est trouvée mise en relief. Par un heureux effet d'optique, cela rapprochait les mamelons roses du regard de l'observateur. Son nez, jusqu'alors insignifiant, se manifestait à son tour ; même les lobes des oreilles paraissaient activer à distance le coussin graisseux sur la couronne du bassin. Le nombril gagnait ainsi une perspective nouvelle et il dirigeait le regard depuis la saillie bombée du ventre vers les poils noirs du pubis aux fonds azurés. Elle s'animait entièrement sous mon regard et mon toucher. L'effet le plus spectaculaire se manifestait dans le creux des reins, maintenant extrêmement arqué à cause du dévoilement de la nuque. Son bassin se projetait en avant, sans exagération, et j'ai eu l'impulsion de lui écarter quelque peu les fesses pour augmenter la surface de contact avec le tabouret. Ensuite, en replaçant ses cuisses dans une position confortable, mes mains ne pouvaient pas s'empêcher de la caresser plus à fond, pour apprécier ce que les yeux ne pouvaient pas atteindre. Elle a poussé un gloussement et a plissé les lèvres pour ne pas pouffer de rire.

— Tais-toi. Ce n'est pas encore fini. J'ai taillé seulement pour donner la mesure. Il faudra aller chez la coiffeuse pour compléter la coupe. Le polissage n'est pas ma spécialité, mais je sais qu'on ne pourra plus rire de toi.

La mine fière, Caroline a haussé la tête en tournant de côté et elle a fait entendre un claquement de langue comme si elle venait de déguster un alcool fin.

— Maintenant, la polychromie. Le dessin de base est parfait. Rien qu'un peu de couleurs, presque transparentes, comme des glacis sur un tableau ancien. Il faut du relief pour cette petite bouille nouvelle.

Plongé dans le travail, je cherchais à accentuer la ligne des yeux avec un brin de violet tirant vers le bleu.

Ses cheveux noirs sur un teint pâle commandaient des tons froids, d'autant plus que les joues savaient s'animer d'une rougeur indescriptible, presque tactile. Les lèvres un peu grises, par contre, méritaient un soupçon de rose saumon pour encourager le désir de les mordiller ; à peine, comme on met du vernis pour donner de l'intensité à une surface trop mate. Les dents se sont aussitôt mises à éclater, et sa langue est alors sortie de sa torpeur d'une façon agréablement rieuse et humide.

Attention, me disais-je. Surtout, ne pas exagérer. Il faut que ça vienne d'elle, spontanément.

J'ai continué un peu, pour faire durer mon propre plaisir pendant qu'elle apprenait à se laisser admirer. Une fois satisfait, j'ai risqué une caresse obscène. Ses joues se sont aussitôt illuminées et le tableau était là, magnifique, sans mauvais reflets.

— Tu es très belle, Caroline… Regarde-toi. Non ! Pas de miroir. Regarde-toi dans mes yeux, petite peste.

Les jambes entrouvertes, le bassin cambré, le cou fier, elle a alors posé sur moi ses yeux brillants avec un sourire bien énigmatique. Ces yeux-là savaient que j'étais conquis. Les mêmes yeux que ceux de Marilyn de Rosemont, mais en plus jeunes, plus taquins, moins désespérés.

Le tableau redevenait corps, un corps de jeune fille sous l'intensité de mon regard. Sa respiration s'exaltait, sa bouche avalait péniblement et son nez frémissait d'un émoi certain. Tandis que ses yeux me tenaient captif, la nouvelle Caroline a alors pris mes mains pour me guider dans la découverte de ce corps inconnu. Les rôles s'inversaient ; je me laissais faire, fasciné devant cette étrange métamorphose.

Dans l'étreinte longue et presque douloureuse de nos corps, la jeune femme ravissante paraissait se divertir en découvrant, elle aussi, le nouveau pouvoir de ses charmes. Très longue étreinte, en effet, et qui m'a laissé ensuite face à une amère mélancolie.

La coiffeuse espagnole s'est fait un plaisir d'égaliser la coiffure. À l'aide de la tondeuse elle a accentué davantage le mouvement de la nuque. À cause de cette coupe ascendante depuis les branches des trapèzes, qui bleuissait la base du crâne, mon regard ne pouvait pas s'empêcher de rêver à des mystères pubiens.

Je suis revenu à mon atelier en compagnie d'une jeune femme fière, à la voix claire, au regard vagabond et aux hanches libérées. Des retouches de couleurs, un long séjour à la salle de bains, et elle est réapparue avec une robe souple, gris foncé, qui faisait éclater la blancheur de sa poitrine. Pas de bijou. D'un geste coquet, en faisant une révérence, elle a soulevé la robe pour me montrer le minuscule slip noir qui pénétrait ses fesses. Les talons hauts rehaussaient de jolis mollets ; sa démarche légèrement maladroite ne faisait qu'ajouter un brin d'obscénité au mouvement du bassin. On ne distinguait presque plus ses ongles rongés.

Caroline est repartie en me disant qu'elle repasserait le lendemain chercher son costume hippie ; mais surtout pour me raconter la fête. Je suis resté couché, las, un peu confus, avec un vague sentiment d'abandon. Un parfum insolite de sorcellerie paraissait se dégager de mon lit, et je ne pouvais pas encore dire si ce que je venais de vivre s'appelait rêve ou cauchemar.

Mais elle n'est pas revenue.

Les jours suivants, j'ai ressenti une sorte d'étrange paresse. Je n'avais envie de rien entreprendre. J'attendais. Ma créature avait emporté avec elle mon élan créateur et il ne me restait que la lassitude et l'insécurité qui suivent les efforts extrêmes. Je la repassais sans cesse dans mes pensées, dans une tentative de récupérer toutes les visions qu'elle m'avait offertes, mais que je n'avais pas eu le temps de déguster. Je me promettais de tout recommencer la prochaine fois, de l'explorer avec plus de minutie, de la posséder davantage quitte à briser un peu de sa nouvelle assurance, de la faire un peu plus mienne que sienne. Mon imagination aidant, mes accès de jalousie étaient particulièrement intenses, me poussant même à haïr sa cousine et tous les snobs qui me l'avaient ravie.

J'ai bien cherché à la noyer dans le corps d'une autre, recette très efficace contre les peines d'amour. Un de mes modèles, qui s'était un peu amouraché de moi, m'a semblé la compagne propice pour cet exercice. Mais ça n'a pas marché. La fille s'était réjouie de mon désir et, en bonne copine, elle avait joué le jeu. Sauf que, en partant, elle m'a dit avec un dédain maternel avant de claquer la porte :

— Tu es amoureux d'une femme, Max. Et c'est bien fait pour toi. Ça t'apprendra à jouer avec le feu ! J'espère qu'elle te fera souffrir, la salope.

Pendant un mois, je n'ai pas eu de nouvelles de Caroline. Je m'habituais à mon nouvel état d'âme, même si je cultivais encore des moments de douce tristesse. Le sens mystique de sa rencontre devenait sens plastique, et j'arrivais à réfléchir plus clairement. Je confrontais Caroline avec les seins au silicone de Marilyn, et cela m'aidait à comprendre un peu l'expérience vécue devant certains tableaux qui m'avaient tourmenté. La vie reprenait son cours habituel, routinier ; les copains venaient boire, et les projets interrompus me sollicitaient de nouveau. Je n'avais cependant pas le courage de rencontrer de nouvelles Caroline, moins à cause de la souffrance que de la peur de paraître ridicule.

Un jour, elle est arrivée chez moi, au milieu de l'après-midi, sans avertissement, comme si c'était la chose la plus naturelle du monde. Elle était très jolie, sans trace de son ancienne apparence, désinvolte, le regard glissant sur la surface des choses, non pas pour voir mais pour attirer l'attention. Ses gestes me paraissaient souples, naturels, et elle savait se tenir sur des souliers à talons. À la main, au lieu de l'éternel sac de toile de style indien, elle tenait une bouteille de Chivas Regal. Mon cadeau.

— Et la cousine de McGill, les gens snobs, la fête des bourgeois ?

— Ah, c'est vrai, m'a-t-elle répondu d'un air distrait. C'était pas mal. Les gens étaient bien sympas.

Nous étions tout à fait étrangers, bien plus encore qu'avant. Je pouvais, certes, reconnaître chez elle des bribes de mon intention artistique, mais l'ensemble m'échappait. Seul un regard très scrutateur, indiscret, pouvait déceler des vestiges de l'ancienne Caroline. J'avais beau la chercher, je la perdais aussitôt dans le mélange des perspectives, des couleurs et des nouvelles manières qu'elle avait acquises après son départ de mon atelier. Elle était distante, transformée. Comme un faux tableau dans un musée, la fausse Caroline était devenue vraie ; et moi, le contrefacteur amoureux de son œuvre, je me sentais dépossédé.

J'ai cherché, malgré tout, à forcer un peu l'intimité pour tester la barrière de ses charmes, pour mieux me situer. Mais en vain. Son baiser était froid ; elle s'est esquivée en faisant un geste mondain et en disant que ce n'était pas le bon moment, qu'elle ne faisait que passer pour m'apporter la bouteille en souvenir de nos enfantillages. Une autre fois, sûrement, elle reviendrait, pour que nous prenions une douche ensemble. Elle était pressée, avec tant de choses à faire…

Je ne l'ai plus revue, ni l'ancienne ni la nouvelle Caroline. Parfois, je suis tout à fait persuadé que mon imagination exagère lorsque je me souviens d'elle.

2

Après la rencontre avec Caroline, j'ai commencé à éprouver d'autres légères difficultés avec mon dessin. Je sais, aujourd'hui, que j'étais sorti blessé de cette courte relation ; ce n'était pas tant Caroline qui me manquait que l'intensité des sentiments que j'avais ressentis durant sa transformation. L'agacement a pris du temps à s'estomper, et toutes mes activités en ont été dérangées. Mais, en ce qui concerne le dessin, quelque chose de plus insidieux a commencé alors à se manifester, dont les suites ont été beaucoup plus sérieuses. Ce n'est qu'une coïncidence, me disais-je en tentant de me rassurer.

Jusqu'alors, j'avais dessiné n'importe quoi. À mes yeux, tout objet était intéressant du simple fait qu'il avait des volumes, des ombres, des lignes de force ou une localisation dans l'espace ; il devenait un objet plastique en puissance. Par ailleurs, je ne m'étais jamais demandé pourquoi certains d'entre eux attiraient davantage mon regard que d'autres. Le soin que je mettais dans l'exécution et la qualité du dessin final n'avaient, pensais-je, aucun rapport avec l'original dans la réalité. Je pouvais, naturellement, déformer et massacrer les objets pour obtenir des effets expressifs, comme j'avais pris le goût à le faire après ma rencontre avec la Marilyn de Rosemont. Mais il m'importait peu que ce soient là des corps de femmes, une bicyclette, un clochard ou un bouquet de fleurs. J'éprouvais un plaisir purement ludique dans l'acte de dessiner, sans égard au contenu.

Après le passage de Caroline, je me suis surpris à choisir minutieusement les objets que je voulais dessiner, comme si mon dessin était en quelque sorte devenu dangereux, tel un sortilège qui a le pouvoir de modifier l'apparence des choses. Curieusement, dessiner est alors devenu une activité sérieuse, presque maléfique. Souvent, je pouvais passer des journées entières sans dessiner, sous prétexte que je n'avais pas trouvé un objet ou un lieu suffisamment propices. Devant les modèles nus, cette nouvelle manie se manifestait par un choix de certaines parties, plutôt que du corps dans sa totalité. C'était ici un sein, voire un mamelon qui attirait mon attention et qui remplissait inopinément la surface entière de la feuille de papier. Ça pouvait aussi bien être un pied, un orteil, un simple muscle, que je travaillais comme s'il était un énorme paysage ; ou encore le treillis d'une chevelure, avec une profusion telle de détails, et si isolé, qu'on aurait dit une œuvre abstraite.

Cette étrange manière ne me dérangeait pas outre mesure ; j'étais même content de cette attitude qui constituait un exercice particulièrement rigoureux pour la discipline du regard et pour la précision du trait.

La transformation de mes choix de sujets allait de pair avec une envie bizarre de dessiner de mémoire. Je me disais que c'était pour me soustraire à la fatigue du dessin d'observation. Le dessin d'invention ne m'avait pourtant jamais trop passionné. Je me méfiais de ce procédé trop facile, qui permet des transformations aléatoires en fonction des accidents de parcours, et dont le résultat final ne ressemble qu'à lui-même, sans critères de comparaison possibles. Tout de même, j'ai eu la fantaisie de dessiner Caroline telle qu'elle m'était apparue durant sa transformation. Cette idée me hantait presque car, si je me souvenais bien de la jolie Caroline, au contraire, celle du début, celle qui pleurait à côté de mon lit était comme disparue de ma mémoire.

J'ai fait de nombreuses tentatives, sans aucun succès. Je pouvais réussir des portraits tout à fait ressemblants de la Caroline transformée. Mais, c'est étrange, j'étais incapable de retracer l'autre, l'originale. Même en retravaillant les dessins de la deuxième Caroline, en leur ajoutant la coiffure sorcière, les vêtements hippies, en déformant les poses, il était impossible de retrouver celle qui m'obsédait. Le seul résultat était de la vieillir. En fait, j'avais aussi le même problème lorsque je tentais de retrouver Marilyn avant ses nombreuses chirurgies plastiques. Ou mes dessins aboutissaient à des laiderons méconnaissables, ou alors, quand je cherchais à conserver ses traits tout en modifiant le dessin, sa peau flasque retombait comme des draperies de chair morte, sinistres, qui s'accrochaient à son squelette tel un vêtement en lambeaux sur un cintre. Toutes mes tentatives pour imaginer comment les gens avaient été, ou ce qu'ils deviendraient, se traduisaient par des résultats spectraux malgré la perfection du tracé. Je me sentais condamné à copier les gens devant moi, sans pouvoir les toucher, pour éviter les désastres.

Cette poursuite vaine a occupé une bonne partie de ma dernière année à l'université. Camarades de classe et professeurs étaient déjà bien habitués à mes manières, et je n'ai pas été dérangé par leurs commentaires durant mes exercices de vieillissement de jolis personnages. Je me souviens aussi que je n'étais pas du tout malheureux ni effrayé par cette sorte de création, seulement surpris.

Les déviations qui pouvaient paraître bizarres aux yeux des autres, souvent, sinon la plupart du temps, me plaisaient justement par leur caractère insolite. J'avais ainsi ramassé une énorme quantité de ces dessins un peu déviants, tous très détaillés, aussi bien au crayon et au fusain qu'à la plume. Je les étudiais longuement chez moi, tard dans la nuit, et je ne pouvais alors pas réprimer une singulière fierté devant ce qui m'apparaissait comme un réel accomplissement.

Il y avait quand même une barrière nouvelle entre mes intentions initiales et le résultat final, j'en étais bien conscient. Cela ne me décourageait pas cependant ; ces dessins curieux paraissaient me stimuler comme une sorte de chemin nouveau qui étonne tout en poussant à la découverte. Je me disais que ces effets inusités venaient peut-être de l'état peu avancé de mes connaissances anatomiques. Cela n'était pas entièrement faux. Les écoles de Beaux-Arts boudaient littéralement le dessin d'observation, et les classes de modèle étaient en général perçues comme un anachronisme destiné à disparaître.

J'avais tenté de parfaire mes connaissances de l'anatomie par les livres. Mais étudier le corps humain à travers les planches imprimées ou les dessins des grands maîtres est un exercice un peu vain : tout cela manque d'âme. Mon œil était déjà suffisamment exercé pour copier sans réfléchir, et il me fallait passer à une étape supérieure. J'aspirais, de façon romantique, à fréquenter le cadavre comme dans l'ancien temps, ou les asiles d'indigents, où la chair affamée laisse transparaître les structures sous-jacentes avec moins de pudeur que dans la vie publique. Les modèles à ma disposition étaient souvent jeunes et beaux — les gens laids n'aiment pas se montrer —, et si les douces adiposités sont agréables au toucher, elles cachent leurs secrets autrement mieux que les maquillages ou les déguisements.

Je suis ainsi arrivé à me persuader que je ne pouvais pas me passer d'un séjour à la Art Student's League de

New York, le dernier endroit en Amérique où l'on enseigne encore l'anatomie artistique. La décision de m'y rendre m'a alors obligé, par un curieux détour, à faire connaissance avec l'œuvre de deux peintres paysagistes québécois : Marc-Aurèle Fortin et René Richard.

❑

J'étais allé voir mon père dans sa maison du Maine, dans l'espoir qu'il accepte de financer mon séjour à New York. Je suis arrivé juste au moment où un marchand de tableaux lui offrait des peintres québécois. Mon père, depuis sa retraite, était continuellement à l'affût d'investissements nouveaux pour placer son argent, et il avait déjà commencé à ratisser le marché de l'art. Au contraire d'autres investisseurs cependant — et suivant en cela la façon bien solide selon laquelle il avait fait fortune —, il ne respectait que l'argent sonnant, celui qu'on peut transporter sur soi et qui ne laisse pas de traces. Voilà pourquoi il a pu se sortir de ses lubies de collectionneur sans trop de dégâts, même si ses achats avaient été des plus spéculatifs. Il n'a d'ailleurs conservé aucun des tableaux de cette époque. On était encore au début de l'engouement nationaliste envers les artistes québécois, et d'autres comme lui ont pu faire d'excellentes transactions. Puis, mon propre intérêt pour ces peintres lui avait permis de bien conduire ses manœuvres, et de quitter le bateau avant la catastrophe. Mais ce sont là d'autres histoires.

Ce marchand, M. Lacroix, était l'un des propriétaires de la galerie Borealis, dont la salle d'exposition était convenablement située dans un lieu de villégiature fréquenté par de riches Anglais, dans les Laurentides. M. Lacroix s'occupait des ventes, tandis que ses associés — un comptable et un avocat fiscaliste — travaillaient au siège social des Investissements Borealis inc., à Montréal. La quatrième roue de leur entreprise était une femme très charmante, distinguée, qui s'occupait d'inoculer la passion de l'art aux femmes des investisseurs. Ce dernier point était essentiel car, même si l'entreprise garantissait le rachat des œuvres, en plus de l'intérêt encouru, elle préférait ne rien racheter du tout. En effet, comme cela est devenu évident lors des scandales subséquents, les œuvres d'art gagnaient de la valeur sur papier uniquement.

Mon père était en pleine contemplation devant un grand tableau posé contre le mur.

— Max, regarde-moi ce magnifique Marc-Aurèle Fortin. Je viens de l'acheter, impossible de résister. M. Lacroix l'a déniché expressément pour moi. C'est une vue de Port-Alfred, du temps où j'étais là-bas. Tu vois ? Peut-être même que j'ai croisé le peintre, sur le quai, alors qu'il était en plein travail. Incroyable !

C'était un beau paysage, mais ça pouvait être n'importe quel port du monde.

— C'est la seule représentation de Port-Alfred dans l'art québécois, a ajouté M. Lacroix de sa voix douce-reuse. Les Fortin sont aussi très rares... C'est un artiste dont la destinée a été très malheureuse, hélas ! Un véritable pionnier, comme votre père, jeune homme.

Je n'avais jamais entendu parler de ce peintre, ni d'aucun autre d'ailleurs parmi ceux de la galerie Borealis. C'étaient exclusivement des paysages. J'ai compris, plus tard, que les paysages se vendaient mieux, car ils étaient décoratifs et les acheteurs oubliaient ainsi de les revendre ; c'était un atout majeur pour les associés de Borealis. Lorsqu'ils plaçaient un nouveau tableau, la valeur de celui-ci était certifiée par les nombreuses références aux collections privées qui possédaient déjà d'autres œuvres du même peintre. Ça donnait un cachet d'éternité et de bon goût, un peu comme les titres de noblesse. L'acheteur investissait dans du solide, certes, mais il entrait surtout dans une confrérie sélecte et, pourquoi pas, patriotique. Il n'y a pas meilleur argument pour appâter un nouveau riche.

Les autres tableaux étaient du même genre : les couleurs, le dessin et la facture rendaient juste ce qu'il fallait de mouvement et de liberté pour qu'ils aient l'air d'œuvres d'art. Sans exagération, très décoratifs. L'idée qu'ils transmettaient était celle d'un pays pittoresque, joyeux et un peu rêveur, où même les maisons dansaient avec la neige. Pas trop de neige non plus ; juste ce qu'il fallait pour cacher la misère, comme sur les cartes de Noël.

Mon père était ravi de pouvoir se délecter à loisir de cette vingtaine de tableaux qui égayaient sa maison. M. Lacroix reviendrait dans deux semaines pour s'enquérir de son choix, et pour conclure les ventes. Il avait aussi promis de ne pas rajuster les prix malgré la hausse presque quotidienne des cotes de ces peintres.

— Avec la prise du pouvoir prochaine par le Parti québécois, vous imaginez, ces trésors de notre culture deviendront inestimables, a-t-il remarqué en rangeant ses papiers. Je vous laisse donc, monsieur Willem, en leur compagnie, pour que vous puissiez découvrir ceux avec lesquels vous vous sentez le plus en harmonie. Mettez-les en présence des autres, vous verrez alors comment ils se marient.

Mon père l'a accompagné jusqu'à son automobile, et ils sont restés un certain temps à discuter à voix basse avant de se quitter.

J'étais à peine surpris de retrouver mon père collectionneur de tableaux ; le temps m'avait appris à ne plus m'étonner de la diversité de ses placements. Il avait déjà été mêlé au commerce du bois et de la pâte à papier, à de l'import-export de toutes sortes, en passant par les livres anciens, les gravures, les cartes géographiques et même des automobiles américaines usagées, luxueuses et désuètes, qu'il revendait un peu partout dans le monde. Ces excès avaient plutôt l'air de passe-temps, sinon de couvertures pour des transactions autrement plus louches qu'il réalisait avec ses copains de l'Union nationale ; en effet, ses affaires étaient prospères même s'il avait toujours l'air de se passionner pour ces marchandises exotiques. Puis, comme par le passé, les tableaux céderaient la place à quelque chose d'autre.

Mais cela tombait bien. Dans son enthousiasme momentané pour l'art, il m'a aussitôt accordé son approbation pour mon séjour à New York.

— C'est bien que tu ailles à New York, Max. Je trouve que ton bac à Montréal n'est pas suffisant. Il faut aller plus loin, te frotter au véritable marché de l'art. Il y a là des fortunes à faire pour quelqu'un de jeune comme toi. New York c'est bien, très bien... a-t-il conclu distraitement en se replongeant dans la contemplation des tableaux et des documents que M. Lacroix lui avait laissés.

Son contentement était d'autant plus vif que, selon les dernières nouvelles, sa petite collection de tableaux, qu'il gardait enfermée dans une chambre vide, venait de tripler de valeur en moins de six mois. M. Lacroix le lui avait non seulement assuré par écrit, mais il avait aussi accompagné le tout d'une offre officielle de rachat, ce qui mettait mon père dans une disposition propice à la jouissance esthétique.

— Max, aide-moi à les transporter, veux-tu? Pour les mettre en présence des autres. Sinon, je ne saurai jamais lesquels acheter. Je les trouve tous très beaux, et ils valent une fortune! Admire ces couleurs... Rien à voir avec les reproductions qu'on achète déjà encadrées. Attention! Il ne faut pas les abîmer... C'est délicat, des tableaux.

Nous ne nous sommes pas vus beaucoup durant mon séjour. Il partait chaque jour à Bangor pour s'occuper de ses affaires et, souvent, le soir, il sortait pour voir ses copains — ou il avait rendez-vous avec une de ses *bitches*, comme disait autrefois ma mère. Mon père était divorcé depuis presque vingt ans et il s'était adapté à sa nouvelle vie comme un vieux garçon heureux; cela me laissait une grande marge de liberté.

Cette fois-là, j'en ai profité pour étudier attentivement ses tableaux, ses nombreux dessins, aquarelles, photos et attestations de toutes sortes qui constituaient son investissement. L'ensemble était très inégal du point de vue artistique même si, selon les papiers des Investissements Borealis inc., il paraissait homogène sur le plan de la valeur commerciale. Les deux Borduas m'ont paru des croûtes sans intérêt, tout à fait semblables aux milliers de croûtes abstraites qui existent dans les musées de chaque pays de l'hémisphère nord. Ils avaient peut-être un intérêt historique quelconque dans la mesure où le Québec disposerait de capitaux pour mettre en valeur ses artistes du passé. Un autre des tableaux, une composition géométrique constituée de cercles concentriques faits au compas, comme une simple cible, ne me disait rien. Deux autres encore, avec des lignes verticales peintes au rouleau, à l'aide de ruban adhésif, étaient tout à fait semblables à ceux que tout étudiant des Beaux-Arts avait chez lui, après avoir suivi les cours d'un certain professeur à la mode. Seuls deux artistes me plaisaient dans toute la collection : Marc-Aurèle Fortin et René Richard.

Je me souviens de la drôle de question qui m'est venue à l'esprit pendant que j'examinais les tableaux : pourquoi donc valent-ils plus d'argent que ceux des autres peintres ? Question insidieuse, même si elle était justifiée par mes propres problèmes d'identité en tant que jeune artiste. Insidieuse, car elle est la question par excellence qu'il faut éviter de se poser si l'on désire croire à l'art. Je ne le savais pas à l'époque ; si je me la posais, c'était surtout à cause des circonstances. Ce M. Lacroix m'avait laissé une impression quelque peu suspecte. En outre, je n'avais jamais vu mon père déployer un tel respect pour une marchandise.

N'empêche que Fortin et Richard m'avaient beaucoup impressionné. Je ne sais pas pourquoi, mais dans mes promenades solitaires durant ce séjour-là, en particulier au bord de la mer, j'étais devenu incapable de voir autre chose dans le paysage que des Fortin et des Richard. Cette impression ressemblait à ce que j'éprouvais en dessinant, lorsque je ne réussissais pas à me détacher de l'objet concret devant mes yeux. Sauf que, désormais, l'effet était curieusement inversé: pour la première fois, le paysage m'attirait, dans la mesure où il était perçu selon le schème de ces deux peintres. On aurait dit qu'ils provoquaient en quelque sorte mon regard, comme s'ils m'invitaient à voir le monde à leur façon. C'était très agréable, et je revenais à la maison avec la tête pleine d'œuvres inédites qui ne m'appartenaient point. Au fur et à mesure que j'étudiais davantage les tableaux, mes perceptions se transformaient automatiquement: les falaises bordées d'épinettes gagnaient des courbures à la Fortin, les monts un peu chauves m'apparaissaient comme des plages de couleur ou des coups de pinceau à la Richard. Une fois ces effets perçus un peu malgré moi, je m'amusais à les reproduire en les intensifiant, à les déclencher à tout moment comme une sorte de jeu. C'était aussi la première fois que je m'intéressais au paysage comme tel, et je ressentais une sorte d'étonnement dans la découverte des aspects à la fois ludiques et si simples de cet objet plastique. Mais, aussi, parce qu'une petite idée amusante commençait à germer dans mon esprit. Après tout, me disais-je, ce ne sont pas des tableaux, mais de simples investissements; pourquoi ne feraient-ils pas comme certaines actions, qui en génèrent d'autres?

Un seul peintre canadien m'avait toujours fasciné depuis mon enfance, et me fascine encore: Tom Thomson. Sa vie d'aventurier, son coup de pinceau à la Van Gogh, le fait qu'il avait été un type solitaire, tout ça ensemble, en plus de la beauté sauvage de ses esquisses, m'attirait. J'avais même copié l'une de ses petites pochades que j'avais vues en Ontario. Non pas pour la contrefaire, mais uniquement pour l'avoir auprès de moi, comme souvenir de Thomson.

Or, voilà qu'au cours d'une de mes promenades, sans préméditation, l'idée de copier les Fortin et les Richard s'est imposée à mon esprit comme une évidence. Mais pas copier comme je l'avais fait pour Thomson ; plutôt peindre des originaux, issus de mes propres perceptions du paysage, à la manière de Fortin et de Richard.

Lorsque j'avais copié l'esquisse de Tom Thomson, le problème de la ressemblance se trouvait compliqué parce que je ne pouvais pas examiner le support ni la couche de peinture. Maintenant, au contraire, je disposais de tout ce qu'il fallait pour étudier à loisir chacun des aspects matériels, et mes copies de ces deux peintres seraient plausibles. « Ce sera même très facile, ai-je pensé avec un sourire sarcastique. Après tout, je ne connais rien de leur vie, et leur objet, le paysage, ne me concerne pas du tout. Pour moi, hors du corps humain, point de salut. »

Ma décision était renforcée du fait qu'il s'agissait presque d'artistes contemporains. Je pourrais trouver leurs matériaux dans n'importe quel magasin d'articles de peinture. Puis, ce serait agréable d'arrondir l'allocation pour mon séjour à New York, tout en faisant quelques petits cadeaux à mon père. Même si ces tableaux-là ne valaient pas tout à fait la fortune dont il avait été question, ils avaient quand même l'avantage indéniable d'être encore mal connus : j'éviterais ainsi tout le danger des experts, des catalogues raisonnés et d'autres tribulations malencontreuses.

Une dernière caractéristique des diverses esquisses, des aquarelles et même des tableaux de ces deux peintres m'a convaincu du bien-fondé de ma décision. Sans même m'en rendre compte, et sans doute instruit par leurs œuvres, je m'étais mis à dessiner des paysages durant mes promenades. Comme ça, sans but précis. Le soir, en comparant mes dessins avec ceux de la collection de mon père, j'étais surpris de constater que les miens se ressemblaient tous, qu'ils avaient une personnalité. Au contraire, les esquisses de ces deux artistes dans le catalogue de Borealis étaient si hétéroclites — même celles d'une même année, voire d'une même scène —, que je ne pouvais pas m'empêcher de penser qu'elles étaient l'œuvre de plusieurs individus. Les coups de pinceau de Fortin, en particulier, étaient tellement différents d'une toile à l'autre qu'un vrai expert ne saurait jamais trancher sur leur authenticité.

Juste avant de repartir, j'ai ajouté clandestinement trois aquarelles de Fortin et des esquisses au fusain de Richard à la collection de mon généreux papa. Par une sorte de superstition, j'ai préféré revenir à Montréal sans attendre le retour de M. Lacroix. J'avais quand même la vague intention de le rencontrer dans d'autres circonstances, une fois que j'aurais donné suite à mon projet. Mais j'ai pris soin de photographier la collection de mon père, ainsi que la documentation richement illustrée que Borealis mettait à la disposition de ses meilleurs clients.

Une fois chez moi, un minimum de recherches dans les bibliothèques et dans quelques galeries m'ont permis d'apprendre bien des choses intéressantes qui renforçaient mon intérêt pour ces deux peintres. D'abord, ils commençaient à devenir très à la mode. Richard, à cause d'un joli roman de Gabrielle Roy, *La montagne secrète*, où l'écrivaine ne s'était pas gênée pour créer un personnage en s'inspirant de la vie du peintre. Quant à Fortin, il était déjà une légende : le peintre solitaire, incompris, malade, malmené, trahi par ses propres concitoyens québécois, dont on avait détruit les œuvres, que l'on avait abusé, mais que l'histoire redécouvrait enfin. Sa destinée était pratiquement une métaphore de la destinée du Québec, à la veille du moment de gloire de son indépendance. Mieux encore, les Fortin disparus dans une décharge publique — définitivement perdus, détruits par la neige et la pluie — commençaient à réapparaître comme par miracle dans plusieurs galeries. Personne ne se posait d'ailleurs de question quant à leur authenticité ; pourquoi s'emmerder avec une telle question, d'autant que les œuvres rescapées du peintre étaient honteusement trop peu nombreuses, eu égard à son importance posthume ?

J'arrive juste à temps, pensais-je. Pourvu qu'on n'en ait pas déjà trop dans les galeries.

Il y en avait pas mal, des Marc-Aurèle Fortin, un peu partout, et il s'en découvrait ou s'en fabriquait d'autres chaque jour. Il y avait même des querelles entre divers marchands, chacun cherchant à passer à l'histoire comme l'unique sauveur, celui qui l'avait redécouvert et réhabilité devant son peuple. Mais, avec cette confusion devant la carcasse du peintre, personne ne s'offusquerait de voir son œuvre augmentée de quelques nouveaux tableaux ; surtout si ceux-ci paraissaient plus vraisemblables que la plupart de ceux qui étaient déjà sur le marché.

J'ai tâché de me faire invisible au cours de mes visites dans les galeries pour éviter qu'on me repère, et bien vite mes recherches m'ont paru concluantes. Pas de catalogues, des collectionneurs anonymes, chaque marchand à l'affût d'une trouvaille majeure, et tout le monde très naïf, tellement le mythe était vivant. Naïfs et sans le moindre scrupule. Richard me semblait cependant plus problématique que Fortin à cause de l'unité de son œuvre. J'ai alors opté pour commencer par le plus facile, histoire de me faire la main.

Seul, dans la paix discrète de mon atelier, je me suis constitué une collection de dessins et d'aquarelles de Fortin de diverses époques bien précises. C'était pour me donner un cadre minimal de travail et éviter ainsi l'éparpillement, car la datation des esquisses dans les galeries était des plus fantaisistes. Les divers experts se disputaient, naturellement, presque pour le plaisir de mousser le mythe et de s'enrichir. Comme la documentation sur le peintre était mince, il leur fallait remplir les nombreuses lacunes avec beaucoup de verbiage.

Le support en papier et en carton pour mes œuvres n'a pas été difficile à trouver. La petite imprimerie British Blueprint de la rue Sainte-Catherine, juste à l'ouest de Guy, possédait un stock inépuisable de vieux papiers de toutes sortes, jaunis à point, ainsi que des cartons et des encres qu'ils offraient à rabais, pour s'en débarrasser. J'ai complété mon attirail dans l'arrière-boutique du magasin Gemst, rue Sherbrooke, où l'on m'a offert de très bons prix pour du papier et des toiles. Désormais, j'étais outillé pour remplir tous les musées de la province.

Au fur et à mesure que mon travail avançait, je me divertissais à créer certains des itinéraires du peintre à travers les paysages de la province. Ma collection commençait ainsi à contenir des suites, ce qui me facilitait l'invention des titres, des griffonnages, ainsi que le choix de la qualité du trait. Les aquarelles de la ville de Québec, en particulier, m'ont procuré beaucoup de plaisir. Il me suffisait d'esquisser certaines vieilles maisons de mon voisinage, à Montréal, pour ensuite les déformer comme je l'avais fait avec Caroline ou Marilyn. L'effet expressionniste qui s'en dégageait était tout à fait dans l'esprit de Fortin. Le jeu devenait chaque fois plus facile. Les tableaux en vitrine à la galerie L'Art Français m'offraient aussi une source inépuisable d'inspiration pour des esquisses préparatoires, à toutes les étapes de la finition. Les merveilleux *pentimenti*, les hésitations les plus bizarres, ou les envolées un peu surréalistes que j'exécutais feraient pâlir de plaisir les experts et les collectionneurs les plus avertis. Le plus souvent, cependant, j'inventais des plages et des rives à partir de dépliants touristiques ou de photos anciennes, où je m'amusais à inclure des ciels et des nuages caracolant afin d'accentuer un peu le penchant de Fortin pour les fioritures à la Van Gogh. Les effets ainsi obtenus étaient parfois si magnifiques qu'on aurait dit des rochers des Alpes ou des stylisations à partir de gravures de Doré.

Une fois mes dessins et aquarelles bien finis, soit légèrement cuits au four, lavés à l'eau, maculés de thé ou que je laissais simplement moisir dans ma salle de bains, je me suis attaqué aux peintures. J'ai cru bon de me spécialiser dans les gouaches et les caséines de la dernière période du peintre, surtout à cause des nombreuses œuvres dont on disait qu'elles avaient été jetées à la décharge publique. De plus, les supports de vieux carton ou de *masonite* étaient plus faciles à trouver. Je me méfiais des toiles, qui pouvaient peut-être contenir quelque secret, et qui exigeraient de vieux châssis d'époque. Et puis, ces tableaux disparus constituaient l'essence même du mythe autour de cet artiste, sans quoi Fortin ne serait qu'un paysagiste parmi tant d'autres. Ça faisait romantique ; et d'après le discours des marchands, cette partie tragique de son œuvre était la garantie de son génie. Des années plus tard, maître Guderius formulerait cette vérité dans l'une de ses sentences à la fois lapidaires et cyniques : « Un peintre désespéré, mort dans l'oubli, est la pitance la plus tendre aux mâchoires des charognards des galeries d'art. »

Cette partie de l'œuvre était d'ailleurs la plus facile à exécuter. Il suffisait de déformer le dessin et le coup de pinceau de mes esquisses, en contrôlant le geste de façon maladroite, comme quelqu'un qui voit mal, qui peint presque couché et qui a du mal à bouger. Les effets étaient immédiats. En outre, il me suffisait de signer quelques-uns des tableaux, ou d'y apposer des initiales, d'une main tremblante, avec une date, et le tour était joué. Vieillir ces œuvres était aussi assez facile : mouiller allègrement, les salir ici et là, pour ensuite les sécher sur un radiateur en laissant le hasard achever le travail.

En quelques mois à peine, je possédais une collection sophistiquée du Fortin de la dernière période, les plus rares. Mes esquisses et aquarelles de l'époque allant de 1920 à 1942 — en particulier celles des manières noire et grise de l'artiste — garantissaient tout à fait l'authenticité de l'ensemble puisqu'elles étaient, en grande partie, les études préparatoires pour les tableaux des grandes collections. Comme j'avais au moins tenté de suivre l'itinéraire de l'artiste, mes contrefaçons seraient aussi crédibles, sinon plus, que celles des catalogues de M. Lacroix.

C'était le moment de placer le tout entre bonnes mains. Je me disais qu'il ne fallait pas être trop ambitieux, car je ne disposais d'aucune explication plausible pour justifier la provenance de ces nombreuses œuvres. Mais à une fraction du prix du marché, ma collection me permettrait de vivre des années à New York.

En attendant une occasion, et plutôt pour me libérer de l'obsession qu'était devenue la manière Fortin, je me suis attelé avec discipline à des esquisses de René Richard. J'ai commencé par des œuvres sur papier, même si j'avais la nette impression que cet artiste ne s'encombrait pas d'esquisses préliminaires. Sa façon de peindre était trop spontanée, déliée, et je crois qu'il ne dessinait même pas au fusain avant d'attaquer une toile. Richard est sans doute un grand peintre, dans la meilleure tradition expressionniste. Mais, selon le verbiage des marchands, ses principales caractéristiques étaient la sauvagerie, le primitivisme ancestral avec lequel il avait saisi le paysage, la force de l'homme, et d'autres inepties du genre. Tout ça pour signifier que le gars était une brute ; mais une brute sensible. Pour que ce soient des Richard, il fallait que les couleurs soient éclatantes et qu'on ait l'impression d'un gars costaud, d'une sorte de bûcheron.

Je n'ai pas visé pour les Richard l'excellence que j'avais cherchée à obtenir avec les Fortin. Son œuvre étant plus homogène — et moins connue — il suffisait de m'entraîner à un geste plus impulsif ; les effets étaient alors aussitôt concluants. La difficulté venait cependant de sa pâte épaisse ; si je pouvais exécuter les tableaux en peu de temps, le séchage, par contre, prendrait une éternité. La trouvaille était d'innover par des pochades plus maigres, rehaussées de coups de pinceau et de traînées au vernis qui tiendraient lieu d'effet de pâte. Je sais résoudre ces petits problèmes aujourd'hui, avec beaucoup de facilité ; mais j'en étais alors à mes débuts et je ne disposais d'aucune source fiable pour me renseigner sur la valeur des siccatifs. En Europe, évidemment, mes procédés n'auraient été acceptés par aucun marchand. Au Canada, ça pouvait aller ; la plupart des marchands nord-américains n'ont jamais vu un vrai tableau de leur vie avant d'ouvrir leur propre galerie.

Ces expériences avec les Richard étaient par ailleurs bien plus amusantes. En effet — je l'ai appris plus tard, par la bouche d'excellents professeurs —, inventer une nouvelle manière pour un artiste est plus facile que de simplement copier sa façon propre, comme je l'avais fait pour les Fortin. Les résultats sont plus libres, mélodieux, avec ce je ne sais quoi que les anglais appellent le *arty look*, qui leur donne un cachet spécial. Les marchands et les collectionneurs préfèrent en général ces contrefaçons, qui contiennent un petit grain supplémentaire, aux vrais tableaux du peintre. C'est comme si le collectionneur avait su mieux voir que les responsables des musées, et ce petit surplus est un atout inestimable pour l'amour propre de l'amateur averti. Sa présence dans une œuvre d'art efface aussitôt le moindre doute ou toute question inopportune concernant la provenance de l'œuvre.

J'ai pu très vite constater le bien-fondé de cette vérité. En effet, mes Richard trouvaient facilement preneur, et ce sont eux qui ont fini par ouvrir la voie à mes nombreux Fortin.

Je me consacrais à cette nouvelle passion depuis déjà six mois. Les cours à l'université étaient terminés et mes camarades s'étaient dispersés. Ça m'arrangeait puisque mon travail exigeait de la discrétion. Seules quelques filles venaient encore chez moi, pour des besoins vite satisfaits ; des modèles pour la plupart, qui commençaient par poser, mais qui s'habituaient ensuite à ce qu'on passe immédiatement au matelas, sans les préliminaires artistiques. Elles gagnaient ainsi un peu plus, sans la fatigue musculaire et avec l'impression de participer davantage à la créativité du jeune artiste. Il fallait, certes, en changer assez souvent, car le côté moral de la

chose perturbait parfois leurs consciences en leur donnant le désir de s'incruster :

— Dis, Max, ça ne veut pas dire que je fais la pute,
n'est-ce pas ?

— Mais non, ma chérie. Absolument pas.

— Ah bon… Parce qu'il ne faudrait pas que tu
penses, Max, que c'est comme ça avec tous les autres…
Dis, tu m'aimes un peu ?

Ces petits inconvénients ne me dérangeaient pas
outre mesure. Mon activité principale était captivante,
presque ensorcelante. Et puis, j'étais aussi devenu un
peu méfiant après l'épisode avec Caroline, et je préférais
passer pour un mufle que de me laisser retomber dans la
sentimentalité.

Cette façon de vivre avait ses avantages, mais elle
appauvrissait nettement ma capacité d'entrer en contact
avec les gens. J'ai pu m'en rendre compte en tentant de
vendre mes aquarelles à quelques marchands. Je ne savais
simplement pas quoi leur dire pour vanter ma camelote,
et je crois que je leur donnais l'impression d'être un peu
simple d'esprit. Au moins très naïf, en tout cas.

Ça se passait bien en général ; ce que je leur apportais
éveillait aussitôt un intérêt très cupide, qui s'exprimait
par des regards fuyants et des manières mielleuses. Je
voyais bien, à la façon dont ils manipulaient les planches, qu'ils étaient en train de calculer comment ils pourraient m'avoir. Au moment d'évaluer la marchandise
cependant, ils hésitaient ; ils me demandaient de la laisser en consignation, de repasser pour que nous en discutions, ou ils m'offraient des sommes dérisoires sous
prétexte qu'il s'agissait d'artistes inconnus, trop décoratifs, passés de mode. Les plus courageux osaient me faire
des contre-propositions à caractère discrètement sexuel,
qui me faisaient bien rire. Il est vrai qu'ils étaient tous
très gentils, et qu'ils paraissaient sincères dans leur désir
de gagner mon amitié, sinon pour le lit, au moins pour
obtenir mes précieux Fortin à rabais. Les rares dames qui

tenaient des galeries étaient souvent maternelles et d'apparence plus sincère ; je crois d'ailleurs que j'aurais accepté de coucher avec quelques-unes d'entre elles en tant qu'investissement collatéral. Mais elles avaient, toutes, une incapacité viscérale de prendre des décisions. Il fallait que j'y retourne à diverses reprises en attendant qu'elles consultent un tel ou un autre, elles voulaient des garanties de fidélité, et insistaient pour trouver d'abord des clients intéressés avant de se compromettre, pour ne courir aucun risque. Or, leurs consultants s'avéraient être, chaque fois, des concurrents masculins, capables, eux, de prendre des décisions.

Les ventes allaient trop lentement pour mes besoins. À ce rythme-là, je serais à Montréal encore aujourd'hui en train de placer mes Fortin, et sans doute, je me serais fait pincer.

Il manquait quelque chose de fondamental à mon entreprise, mais je ne savais pas encore quoi. J'avais les œuvres d'art à bas prix, la demande était grande, la discrétion était assurée et, pourtant, ça n'avançait pas. Je commençais à perdre patience et à me dire qu'il valait mieux tout lâcher et partir aussitôt pour New York. Curieusement, c'était le plaisir de faire des faux qui me retenait encore, l'activité elle-même, surtout depuis que j'avais résolu divers problèmes techniques et que j'arrivais à produire de jolis petits Richard en un rien de temps. Il suffisait que je choisisse la saison, le temps qu'il faisait et le genre de paysage : les couleurs s'agençaient toutes seules, les coups de pinceau se mettaient à danser, et la pochade vite finie m'émerveillait comme une découverte.

Étaient-ils de vrais Richard, étaient-ils des œuvres d'art ? Aucune importance. Ces petits tableaux correspondaient tout à fait à ce que les gens s'attendaient à trouver sous la rubrique René Richard, peintre paysagiste de sauvage nature, ayant parcouru le Nord canadien dans la prose de Gabrielle Roy. Les miens étaient alors plus vrais que les authentiques. Voilà l'avantage de travailler rétrospectivement : une fois l'avenir connu, les choses du passé se conforment docilement à ce qu'on veut qu'elles deviennent. N'est-ce pas la façon prêchée par tous les historiens de l'art ? Manipuler le passé pour le rendre conforme à ce qu'on voudrait qu'il ait été est non seulement libre de risques, mais surtout très rassurant pour notre sentiment d'identité. On devient l'aboutissement nécessaire d'un processus, une perfection. Dans ce sens, mes Richard étaient en quelque sorte des plus-que-Richard, c'est-à-dire des Richard arrivés enfin à la perfection, cristallisés et tout à fait post-Gabrielle Roy. Impossible de ne pas les reconnaître.

Aujourd'hui, hélas, je sais très bien ce qu'il me manquait. C'était l'entregent sophistiqué du monde des arts : cette assurance souple, sensuelle et mondaine, qui sent le fric parfumé, et qui unit le marchand et le collectionneur dans une aura aristocratique et spirituelle, de laquelle est exclu l'artiste et, souvent aussi, l'œuvre d'art elle-même. Je me disais, à tort, que mon maquillage avait bel et bien transformé Caroline, et qu'il lui avait ouvert les portes de la haute société. Je confondais les choses en faisant une sorte d'erreur de jugement. En réalité, la relation érotique qui existe entre l'artiste et son œuvre s'arrête là : elle ne se poursuit pas, transitivement, entre l'œuvre et le marchand. Ce dernier se sert d'un sortilège de la marchandise pour entrer dans un rapport érotique avec son client. Mais c'est lui-même, le marchand — avec ses acolytes : le critique, le professeur expert, le conservateur — qui confère le sortilège à sa propre marchandise, qui la transforme en œuvre d'art. Cette vérité, voilée par le talent des maîtres d'autrefois, éclate en plein jour dans nos temps de rupture de l'objet au profit de ses significations essentielles. Tout comme l'or, qui devient papier monnaie, puis marge de crédit, l'œuvre d'art perd ses caractères accidentels pour redevenir ce qu'elle a toujours été : une parure qui ennoblit le pouvoir.

3

La chance, ou la fatalité aveugle — la Némésis ? —, m'a fait alors connaître une créature singulière, Annette Rosenberg. Elle allait jouer un rôle majeur dans ma vie, moins pour sa personne même que pour les occasions qu'elle m'a, bien innocemment, procurées.

Une année entière s'était déjà écoulée ; je me retrouvais avec une large collection d'art, mais toujours captif de Montréal. Ma passion était devenue une sorte de vice et il était temps de rompre. J'avais évité de m'adresser à Borealis par respect envers mon père. Pourquoi donc ne pas lui offrir le tout ? Il se rendrait compte du danger de ses spéculations et, peut-être, pourrait-il placer quelques œuvres auprès de M. Lacroix, lorsqu'il se débarrasserait de sa propre collection. Je n'avais cependant pas décidé comment je lui présenterais mon œuvre ; mais en bon homme d'affaires, il saurait tirer ses propres conclusions.

Je me suis affairé à ranger mes choses, j'ai averti le propriétaire que je quitterais mon studio, et, par un beau matin de l'été 1969, je suis parti pour New York dans le but de préparer mon déménagement. Mon père avait déposé assez d'argent dans mon compte, et je me sentais soulagé de tout laisser derrière.

New York m'a bien dépaysé après ma vie de reclus ; je m'y suis senti très bien dès le premier jour. Ça n'a pas été difficile de dénicher un studio bien sympathique à Soho, dans un énorme complexe commercial désaffecté, recyclé en lofts pour artistes. Mon studio était à un étage occupé par une dame vieillissante, Judy, qui y tenait une sorte d'école consacrée à des activités apparemment hétéroclites : confection de masques et de costumes pour le théâtre, cours de maquillage et de posture, séances de massages orientaux et de méditation, et ateliers libres de poésie. Un jeune Texan très doux et un peu perdu occupait un petit réduit où il fabriquait des bijoux. La femme de ce dernier, une Pakistanaise, cousait des saris et aidait Judy dans les cours de méditation.

Judy sous-louait une partie de son étage à des jeunes artistes comme moi, avec pour seul interdit de ne faire entrer d'enfants sous aucun prétexte. Elle chassait impitoyablement ses sous-locataires enceintes, et refusait d'accepter dans ses cours les mères accompagnées de bébés. À son avis, la fin du monde était proche, et il lui semblait criminel de vouloir encore enfanter.

— Je ne veux pas que ça devienne une crèche, disait-elle.

Son loft était fréquenté par une faune des plus bigarrées mais, curieusement, très tranquille. Une odeur d'encens flottait toujours dans l'air, se mélangeant aux effluves les plus exotiques de haschich et de marijuana, particulièrement pendant les soirées de poésie. Le jour, la place était remplie de filles qui cousaient, qui jouaient à se maquiller ou qui s'exerçaient aux massages. L'atmosphère n'y paraissait cependant pas confuse ni débauchée. Au contraire, Judy organisait la vie de sa commune avec beaucoup de soin et d'autorité, et elle intervenait auprès des filles comme une sorte de mère supérieure. Mais elle n'était pas jalouse si ses protégées s'amusaient avec des hommes.

— C'est ça, amusez-vous. C'est mieux que de s'entre-tuer, disait-elle avec un sourire lubrique.

Le loyer n'était pas élevé et le lieu était amusant. Beaucoup d'artistes, jeunes et moins jeunes, occupaient les autres étages, ce qui donnait à l'ensemble une ambiance de sécurité bohème. Mon studio était très petit, mais ses énormes fenêtres, même très sales, laissaient passer la clarté du jour. Judy m'a procuré un matelas presque propre, un vieux fauteuil, deux chaises et une belle table en bois. J'avais, en outre, le droit de cuisiner sur mon réchaud.

— Surtout, jeune homme, je ne veux pas d'incendie ici. Compris? L'édifice est en brique et en acier, d'accord. Mais je ne veux pas qu'on crève, enfermés comme des rats!

J'ai aussitôt rencontré quelques artistes qui fréquentaient la Arts Student's League, et qui se sont fait un plaisir de me guider. Mais, surtout, j'ai fait la connaissance d'Annette.

Comme Caroline, Annette a fait irruption dans mon atelier aux premières heures du matin. J'avais bêtement oublié de fermer la porte à clé. Sa ressemblance avec Caroline s'arrêtait là.

Le jour venait à peine de se lever, lorsque je me suis réveillé en sentant sa présence.

— Hi! Tu es le gars de Montréal? m'a-t-elle demandé dans un français au lourd accent.

Elle s'était assise sur le bord de mon matelas et examinait l'endroit avec un incroyable sans-gêne.

— Moi, c'est Annette. Je suis canadienne aussi, et de Montréal, Hampstead. Judy m'a parlé de toi. C'est bon que tu sois venu habiter ici, tu verras. Ce sont des gens très bien. Tous des artistes.

— Salut, Annette, ai-je répondu en tentant de sortir du sommeil. Moi, c'est Max.

— Max ?

— Maxime. Mais on m'appelle Max. Max Willem.

— Tu viens pour étudier ? Moi aussi. Ou plutôt, je vis ici. J'aime plus que Montréal.

— Ah !...

Annette était extrovertie en apparence, d'une façon un peu désintéressée des choses. Elle parlait très vite, en regardant de travers, parfois avec des allures de robot, ou de petite fille qui a appris par cœur quoi dire, sans réfléchir ni rien ressentir. Petite, les cheveux très noirs, avec une face qui aurait pu être gracieuse si elle n'était pas extrêmement maigre et pâle : en fait, elle était beaucoup plus décharnée que Twiggy, le mannequin à la mode. Son maquillage foncé autour des yeux lui donnait l'apparence d'une moribonde. Elle était en santé par ailleurs : la peau très lisse, veloutée, avec les bras et les doigts littéralement couverts de bijoux en argent. Comme tous les autres dans ce loft, elle s'habillait en hippie ; avec sa maigreur, les vêtements trop larges lui donnaient la silhouette d'un épouvantail balançant au vent.

— Fais voir, a-t-elle dit en prenant ma main gauche. Je veux savoir si j'avais raison de venir te rencontrer. Je ne fais pas confiance aux apparences.

Elle a examiné ma paume sans rien dire, en suivant les lignes avec la pointe de ses ongles trop longs, les sourcils froncés. Puis, encore dans le doute, elle m'a demandé l'autre main, rien que pour confirmer ses impressions. Ce nouvel examen a paru la rassurer, même si elle a préféré ne rien dire de ce qu'elle y avait découvert.

— On a chacun notre karma, Max. Rien ne sert de vouloir lui échapper. Je sens que nous pouvons être des amis, tu ne le crois pas ?

— Bien sûr... Veux-tu te tourner un peu pour que je sorte d'ici ?

J'étais dans mon sac de couchage et je commençais à trouver la situation inconfortable.

— Si tu veux… Mais il ne faut pas te gêner devant moi. Tu sais, les hommes ne m'impressionnent pas, a-t-elle dit en se tournant à moitié pour que j'enfile mes jeans. Tu vas aimer New York, Max. On est très bien ici. Allez, on sort prendre un café. Ça va te réveiller.

Je n'ai jamais compris pourquoi Annette avait décidé de m'adopter. Bien des années plus tard, dans mes accès de paranoïa, il m'est arrivé d'imaginer qu'elle avait été envoyée expressément, par son père, pour qu'il puisse m'enrôler dans ses combines. Mais c'est faux. Annette se sentait infiniment seule, et elle avait autant peur des hommes qu'elle était attirée par le macabre. J'y reviendrai, car c'est important. Ce jour-là, elle était surtout contente de retrouver un Canadien; et elle m'avait trouvé gentil, pas menaçant.

Annette n'habitait pas le loft ni dans les environs, mais un appartement chic de la 2e Avenue, au coin de la 50e Rue, chez une tante. Elle était d'une famille juive de Montréal, très riche, et son séjour d'études à New York se prolongerait jusqu'à ce qu'on lui trouve un mari convenable, ou une excuse quelconque pour qu'elle puisse rester honorablement vieille fille. D'ailleurs, l'objet de ses études était tellement vague que je n'ai pas réussi, même plus tard, à bien le saisir : maquillages, masques et rites juifs d'enterrement. Si ce n'était pas de la pure fabulation, cela avait quelque chose à voir avec la thanatologie, l'embaumement ou les pompes funèbres. À Montréal, par contre, elle décrivait ses études comme une branche de l'anthropologie reliée aux arts plastiques, avec concentration en dessin de mode et en décors de théâtre. De toute façon, elle n'a jamais pratiqué son étrange métier et, j'en suis persuadé, elle doit être maintenant l'une de ces jeunes matrones juives, grassouillettes et très criardes, comme il y en a tant à New York ou à Westmount. Elle ne se souviendra jamais de ce que nous avons fait ensemble, et c'est tant mieux.

Pour le moment, nous étions devenus des copains. Ce n'était pas du tout désagréable de l'avoir à mes côtés, toujours de bonne humeur et se référant à nous comme «nous autres» ou «les Canadiens»; le reste du monde était simplement «les Américains». Son oncle et sa tante de New York faisaient partie du «nous» puisqu'ils étaient nés à Montréal, même s'ils habitaient New York depuis une éternité.

Curieusement, il importait peu à Annette Rosenberg que je sois juif ou pas. Notre amitié, selon elle, était au delà de ces notions. Nous étions des artistes, et elle avait un «nous deux» spécial pour nous distinguer de sa propre famille. Si elle s'amusait à parler en français avec moi, elle ne pouvait pas supporter les Québécois. Elle trouvait bien, très bien même, que mon père soit belge. Dans sa petite tête vide, elle confondait Belges et Danois, et se réjouissait que ce peuple-là ait porté l'étoile jaune durant la guerre pour protester contre la persécution des Juifs. Elle ne s'encombrait jamais de ce que le commun des mortels appelle les contradictions ou même la réalité. Riche, insouciante, «très artiste» et profondément névrosée; mais aussi, adorable à sa façon.

— Tu verras, Max; mon père, je le déteste, m'a-t-elle dit pour me mettre en garde. C'est un homme d'affaires, pas un artiste comme nous. Il cherchera à être gentil avec toi, comme il le fait avec moi. Mais il ne comprendra jamais rien à rien…

Au bout d'une semaine, j'avais tout arrangé, même mon inscription à l'école d'art; j'étais prêt à rentrer à Montréal pour m'occuper de mon visa d'étudiant et de mon déménagement. Annette a voulu revenir en ma compagnie pour visiter ses parents. Je crois plutôt qu'elle trouvait divertissant de voyager dans ma vieille Volkswagen, qu'elle décrivait comme «une vraie bagnole d'artiste».

Je l'ai oubliée aussitôt après l'avoir déposée devant une maison somptueuse de Hampstead. Deux jours après, cependant, elle frappait à ma porte.

— Max, je mourais de curiosité de voir où tu habitais, s'est-elle exclamée en entrant. C'est beau ici, mais si loin de tout, mon Dieu! Heureusement que le chauffeur de taxi connaissait le coin. Tu seras beaucoup mieux à New York, je t'assure. Ce quartier a l'air tout à fait minable.

Mon studio, déjà désorganisé d'habitude, était complètement à l'envers. Je m'apprêtais à jeter les dessins et les toiles du temps de l'université, pour ne garder que l'essentiel. Annette a trouvé le fatras très intéressant; sous prétexte de m'aider, elle s'est aussitôt mise à fouiller, tout en me racontant des choses insignifiantes sur sa famille et sur ses anciennes copines d'école. Mes dessins avaient l'air de lui plaire, spécialement ceux des parties isolées du corps humain que j'avais faits durant la dernière année.

— Tu peux les emporter, Annette, si tu veux. Je te les donne, tous.

— Max! Tu ne peux pas jeter ainsi tes œuvres, tes choses. C'est ton histoire…

— Je te les donne. Mais il faut que tu les emportes aujourd'hui, sinon je vais les jeter. Il faut que je libère la place.

Pendant que je m'étais tourné pour faire du café, elle s'est exclamée, surprise :

— Ça, par exemple, tu ne vas pas jeter ça! Ça vaut de l'argent, Max…

La garce venait de dénicher ma collection de Fortin et de Richard que j'avais gardée dans une boîte, prête pour le voyage. J'étais bien embêté. Sans trop savoir quoi répondre, j'ai simplement continué à m'occuper du café. Elle était assise par terre, et examinait attentivement chacune des œuvres.

— Tu les connais, ces peintres-là? ai-je fini par demander, d'un ton désintéressé. Ce sont des Québécois. Mon père les collectionnait…

— C'est à ton père, tout ça ?

— Non, c'est à moi… Je les ai, depuis longtemps… Ils valent peut-être de l'argent, mais c'est difficile à vendre, Annette. Je n'ai pas les bons tuyaux, et je ne veux pas me faire avoir. Je vais les donner à mon père, ou tenter de les vendre à New York. J'avais pensé les vendre, pour payer mon voyage ; mais c'est trop long.

— Tu en as beaucoup… Est-ce que tu as aussi d'autres peintres ?

— Non, c'est les seuls que j'aime. J'ai commencé à les acheter il y a longtemps, au début de mes études. J'avais aussi un Tom Thomson, autrefois…

— Thomson ? Je ne savais pas que tu aimais tant les paysages. Est-ce que tu en fais, des paysages ?

— Non, je ne m'intéresse qu'au corps humain. C'est peut-être pour ça que les paysages me fascinent… C'est plus calme, reposant. Il y a là une sorte de sagesse orientale, tu ne trouves pas ?

— Tu devrais les vendre ici, Max.

— Tu crois… que ça vaudrait la peine ? Ce sont des peintres passés de mode.

— Mais, pas du tout ! Je connais quelqu'un qui te les achèterait.

Je me sentais de plus en plus nerveux, et je ne savais pas comment changer de sujet. Le fait qu'elle connaisse Fortin et Richard m'embêtait beaucoup et me causait une sorte d'angoisse.

— Mais si, Max, je t'assure. Et tu as bien besoin d'argent, a-t-elle dit en regardant l'état du studio. Ne sois pas bourgeois, Max.

— Tu crois ?

— Écoute. Tu vois ces trois petits tableaux ? a-t-elle demandé en indiquant trois des Richard. Je t'assure que je peux te les vendre demain matin. Tu me les laisses, et je t'apporte l'argent. Combien est-ce que tu les as payés ?

— Je ne m'en souviens plus… Ça fait si longtemps. Peut-être qu'ils valent quelque chose aujourd'hui, je n'en sais rien. Avant d'aller à New York, j'ai dû vendre quelques-uns des autres, des Fortin, pour pouvoir louer mon studio.

— Celui à qui je pense va bien payer, j'en suis certaine. Tu me laisses essayer, veux-tu ? C'est mon père. Il collectionne ce genre de tableaux. Il y en a plein chez nous. Il va être fou de ces couleurs d'automne. C'est comme ça que je les ai reconnus. Ce sont des tableaux difficiles à trouver, Max.

Nous avons encore bavardé pendant qu'elle m'aidait à ficeler des rouleaux de dessins, à mettre mes vêtements dans des boîtes et à démonter un chevalet que j'avais bricolé. Puis, nous sommes allés manger des saucisses chez Schwartz. Mais elle n'avait pas oublié son offre, et il m'a fallu la laisser emporter les trois petits Richard.

— Tu sais, Annette, tu garderas ça entre nous, hein ? Ici, ce n'est pas sécuritaire, et avec ces tableaux, tu vois ?

— Je te trouve fou de les laisser comme ça, Max, empilés dans une boîte. Si tu ne veux pas les vendre, il faut au moins que tu les gardes en sécurité. Tu es un artiste, Max, comme moi... C'est très artiste, mais ce n'est pas raisonnable. Salut, vieux. À demain.

Il ne me restait qu'à attendre, dans l'espoir qu'elle ne revienne pas, ou qu'elle les garde pour elle en toute discrétion. J'avais, certes, pris soin d'effacer toutes les traces de mon activité, de jeter toutes les photos et notes qui m'avaient inspiré les tableaux et les dessins ; je pourrais toujours dire que je les collectionnais, qu'ils n'étaient pas à vendre...

Le lendemain, comme promis, Annette était de retour. Très fière, elle m'a tendu l'argent :

— Tiens, Max, comme promis. J'ai fait ce que j'ai pu. Le marchandage a été serré.

J'ai pris les billets et je les ai comptés : six cents dollars ! Je n'en croyais pas mes yeux.

— J'ai déjà pris ma commission, a-t-elle ajouté avec le sourire. Dix pour cent, pour la peine que j'ai eue à convaincre l'acheteur de ne pas être trop mesquin. Mieux encore, Max ; il pourrait acheter aussi les autres, tous, si tu veux bien les vendre... Tu es déçu ? Ils valaient plus ?

— Non, Annette, pas du tout. Je suis content...

— Tu as l'air de bouder.

— Non, je ne boude pas... Je ne m'attendais pas à autant. Je suis très content.

— C'est le prix du marché, n'est-ce pas ?

— Je ne sais réellement pas. Je les ai achetés il y a si longtemps, lorsqu'ils ne valaient pas beaucoup ; parce que je les aimais...

— Tu es triste ? Si tu ne veux plus les vendre, c'est O.K.

— Non, au contraire. Ça m'arrangerait d'en vendre encore quelques-uns. Pour pouvoir vivre à New York. Pas tous, mais quelques-uns au moins. Tu crois qu'il en achètera encore ?

— J'en suis sûre. Il meurt d'envie de voir ta collection. Il va tenter de te rouler, naturellement. C'est un marchand d'art, mon père, pas un artiste comme nous. Il faut que je t'accompagne, sinon il va t'avoir.

— Est-ce que ton père a une galerie ?

— Non. Mais il travaille avec plusieurs galeries d'ici et des États-Unis. Il est aussi consultant pour le gouvernement, pour des institutions culturelles. Je ne sais pas très bien ce qu'il fait... Mais il n'a rien d'un vrai artiste, je peux te l'assurer.

❑

Place Ville-Marie, quinzième étage. Sur la porte, une minuscule plaque en laiton indiquait: *G. Postelnik — Chartered Accountant*. La vieille secrétaire, arborant une coiffure blond platiné, nous a indiqué les fauteuils, d'un air nauséeux à la vue de mon gros paquet enveloppé dans des sacs en plastique. J'avais décidé d'apporter presque tous mes faux ; je n'avais conservé que trois aquarelles de Fortin et le plus joli Richard, pour les offrir à mon père.

Postelnik, avec un petit sourire forcé à la vue d'Annette, nous a fait signe d'entrer. Il était l'image parfaite du rond-de-cuir fortuné, pédant pour cacher sa peur et visiblement inquiet de ce visiteur peu habituel. Tout à fait comme Annette me l'avait dit, pour me rassurer au sujet de ce lieu de rendez-vous insolite.

Sammy Rosenberg nous attendait à l'intérieur, en compagnie d'un troisième personnage, *mister* Labrecque, dont l'accent trahissait les origines même s'il s'efforçait de parler anglais. Ce *mister* Labrecque était sans doute l'expert désigné. Sammy Rosenberg, au contraire de ce que m'avait dit sa fille, était le plus sympathique des trois : petit, trapu, aux mains robustes, la chevelure blonde bouclée tournant au gris, je me serais attendu à le voir derrière le comptoir de Schwartz, ou comme garçon de table chez Benn's. Son bronzage intense et le complet bien coupé ne laissaient cependant pas de doute : du gros fric, bien établi et respectable. Il m'a offert un sourire naturel en me tendant la main, même si sa poignée n'était faite qu'avec la pointe des doigts. La poignée de main de *mister* Labrecque, au contraire, était si franche et forte qu'elle frôlait l'enthousiasme.

Nous sommes passés dans une salle attenante, où une très grande table et des fauteuils nous attendaient, comme pour une conférence.

— Annette m'a parlé de votre collection, Max, a commencé Rosenberg. Nous avons hâte de l'examiner.

À aucun moment, il n'a fait mention des trois Richard que sa fille lui avait vendus trois jours auparavant.

— On a rarement l'occasion d'examiner un si grand nombre d'œuvres. Je me suis permis d'inviter *mister* Labrecque à se joindre à nous. C'est un grand amateur de l'art du Canada français. J'espère que vous n'y voyez pas d'inconvénient... Bon, je vois qu'elle est plus nombreuse encore que ce à quoi nous nous attendions. Non, je vous en prie ; nous avons tout le temps...

J'ai défait le paquet et j'ai poussé la pile de dessins vers lui, mais j'avais gardé les tableaux dans le sac, par terre à côté de mon fauteuil.

Rosenberg s'est aussitôt mis à trier les dessins distraitement, en les passant ensuite à *mister* Labrecque. Ce dernier les examinait avec avidité à travers des lunettes spéciales, qu'il portait expressément pour cette opération. Postelnik regardait de loin, attentif aux visages de ses deux associés.

— Je t'avais dit, papa, c'est toute une collection, a dit Annette en remarquant que son père paraissait se désintéresser des œuvres, après avoir poussé le reste de la pile en direction de Labrecque.

— En effet, c'est intéressant, n'est-ce pas, Jean-Paul ? a-t-il répondu en s'adressant à Labrecque, qui paraissait de plus en plus excité.

— Hum ! hum ! a murmuré ce dernier en guise de réponse, sans lever les yeux des dessins et en les regardant maintenant sous tous les angles et contre la lumière.

— Vous m'étonnez, Max, a repris Rosenberg avec un sourire affectueux. Je ne m'attendais pas à rencontrer un amateur de cette qualité chez un homme si jeune.

— Qu'est-ce que tu as contre les jeunes ? s'est exclamée Annette.

— Rien, ma fille. C'est un compliment que je fais à ton camarade. Cette collection est tout à fait unique. Vous avez dû la commencer il y a très longtemps...

— Oui, ai-je répondu avec un sourire, sans savoir quoi ajouter.

— Vous êtes vous-même un artiste, m'a dit Annette...

— Encore étudiant.

— Vous avez un goût certain; sans parler du flair pour dénicher des œuvres... C'est bien rare. Annette m'a parlé aussi de tableaux. En avez-vous apporté? a-t-il demandé en indiquant le sac.

— Oui, ils sont là... Mais je préfère vendre les dessins, ai-je rétorqué en pensant aux failles possibles dans les supports et à tout ce que j'ignorais concernant le vieillissement des pigments. Si je peux obtenir assez d'argent pour continuer mes études, je préférerais conserver les tableaux. J'y suis très attaché.

Annette s'était levée et regardait maintenant les dessins, en les commentant avec Labrecque. Ce dernier ne cachait désormais plus son enthousiasme. Postelnik lui aussi paraissait se détendre, et j'ai eu l'impression qu'il me regardait avec un peu moins de mépris.

— Avez-vous besoin de beaucoup d'argent? a repris Rosenberg en tirant son fauteuil pour se rapprocher de moi.

— Je dois passer deux ans à New York; peut-être trois, je ne sais pas encore.

— Hum! je vois... Annette m'a dit que vous étudiez l'anatomie.

— Le dessin anatomique. C'est la figure humaine, le corps qui m'intéresse. La partie mortelle des créatures...

— Pourtant, vous avez un flair précis pour le paysage... Est-ce que vos parents sont des artistes?

— Non. C'est moi l'artiste de la famille. Mon père est dans les affaires; import-export, aux États-Unis.

— Les affaires, c'est aussi une forme d'art; je le dis souvent à Annette. Mais elle ne semble pas me croire...

— Pas seulement ça, ai-je entendu Labrecque répliquer à Annette. L'intérêt historique est ici un élément majeur. Regardez-moi ça... Ces esquisses étaient perdues, personne ne les connaissait.

Rosenberg m'a souri comme s'il s'amusait de l'exubérance de son expert. Je me sentais déjà plus détendu; une drôle d'impression me faisait penser que Sammy

Rosenberg était parfaitement au courant de mon jeu, surtout après avoir jeté un regard de côté dans la direction de Postelnik. J'avais cru y percevoir un signe discret d'assentiment de la tête.

— Vous me laissez voir les tableaux ? a-t-il demandé. Je suis moi-même collectionneur.

— Vous faites attention, ai-je répondu d'un air très soucieux, en commençant à les déballer. Ils ne sont pas tous en bon état... Les cartons et les bois, ça va ; les toiles, il faut les dérouler doucement, sinon, ça va craquer encore plus.

Labrecque et Postelnik se sont aussitôt levés pour venir regarder à leur tour, respectueusement. Je me suis excusé encore une fois des taches, de la moisissure et des parties craquelées.

Mais nous étions déjà comme en famille ; au fur et à mesure que les œuvres étaient étalées sur la table, ils commentaient avec moins de retenue. Surtout Labrecque, qui devait déjà s'imaginer les nombreux articles qu'il pourrait écrire. Cet examen n'a cependant pas duré plus d'un quart d'heure.

— Vous me permettez de discuter en privé avec mes associés ? a demandé Rosenberg en se levant pour passer dans l'autre pièce. Votre collection est intéressante, mais ce serait peut-être un investissement trop important.

Une fois que nous avons été seuls, Annette tâcha de me préparer au marchandage qui suivrait :

— Là, Max, ils discutent de la façon de te rouler. Je les connais, crois-moi. Tu ne dois pas te laisser faire. Le Canadien français est fou de ta collection, et c'est lui qui conseille mon père. Ne te laisse pas impressionner. Je les ai déjà vu acheter des tableaux. Il va dire qu'il ne les aime pas... Dans les affaires, Max, nous, les artistes, on se fait toujours avoir.

Mais non ; cela s'est passé bien autrement. Leur conversation a été de très courte durée et, de retour, ils ne cachaient toujours pas leur satisfaction.

— Max, votre collection nous intéresse, a commencé Rosenberg en me touchant amicalement le bras. C'est un investissement important, et très risqué, sur des artistes provinciaux; d'un intérêt local, exclusivement. Par ailleurs, vous comprendrez, une telle quantité d'œuvres ne se place pas d'un seul coup sans faire chuter les cotes, évidemment. La rentabilité, dans une situation pareille, se mesure à long terme... Et puis, n'est-ce pas, si vous avez pu découvrir ces œuvres, comment donc pourrait-on être certain que d'autres encore ne verront pas le jour? Demain ou après-demain... Vous comprenez, sans doute, ce que je veux dire? m'a-t-il demandé avec un sourire à peine perceptible.

— Je vois votre souci, monsieur Rosenberg. Peut-être que je ne devrais donc pas, après tout, me départir des tableaux.

— Non, Max, nous sommes aussi très intéressés par les tableaux. Ce n'est pas ça...

— En tout cas, ai-je continué avec l'air de réfléchir, ça fait déjà plus d'un an que je ne trouve plus de dessin ni de tableau. Les gens qui me les vendaient n'en ont plus. Mes recherches n'ont d'ailleurs rien donné... Je crains que ma collection ne soit unique.

— C'est vrai... Mais, comment en être sûr?

— On n'est jamais sûr de rien, monsieur Rosenberg. Moi, je serai à New York, et je ne crois pas que je pourrai continuer mes recherches sur l'art québécois...

— Vous avez certainement gardé de bons contacts?

— Non. Je collectionnais comme ça, sans penser plus loin.

— Tu m'as aussi parlé d'un Tom Thomson, n'est-ce pas Annette? a-t-il demandé tout en me regardant droit dans les yeux.

— Ah! le petit, ai-je répondu en souriant. C'était il y a longtemps. Mais je ne crois pas qu'il était authentique, vous savez... Il n'avait pas beaucoup de qualité, et ce n'était pas signé. C'est moi qui me plaisais à penser que c'était un vrai Thomson.

— On n'est jamais certain de rien, Max, vous venez de le dire... En tout cas, nous sommes prêts à vous faire une offre globale, pour tout le lot, y compris les peintures. Mais nous comptons avoir, de votre part, l'assurance que si jamais vous en obtenez d'autres, je serai le premier consulté. D'accord ?

— D'accord. Il n'y en aura pas d'autres. Je ne compte pas revenir au Canada. Après New York, je crois que j'irai en Europe, pour parfaire mes études.

— Excellent. Vous avez de la suite dans les idées, Max ; et je voudrais garder un contact étroit avec vous. J'espère que ma fille n'y verra pas d'inconvénient... Concernant l'Europe, j'ai de bons amis là-bas, dans le milieu des arts justement. Des gens bien placés, qui se feraient un plaisir de vous accueillir après vos études. Voilà notre offre : vous comprendrez qu'il s'agit d'un achat en gros. Huit mille dollars.

— Huit mille ! s'est écriée Annette. Seulement huit mille dollars ? Pour les trois petits tableaux, tu m'as donné six cents soixante mardi dernier !

— Annette, laisse faire, ai-je interrompu en faisant signe à Rosenberg que j'étais d'accord.

— Mais Max, voyons !

— Écoute, j'en ai besoin pour mes études, tu le sais bien.

— Je sais que ce n'est pas beaucoup, Max, a repris Rosenberg, conciliant. Vous savez bien que ces œuvres vaudront plus, une fois qu'elles seront mises en valeur, cataloguées, exposées, convenablement commentées. La rétrospective René Richard au musée du Québec, il y a deux ans, n'a fait que lancer le peintre. Tout le travail reste à faire... C'est comme ça, le marché de l'art : très risqué.

— Je le sais bien, monsieur Rosenberg. Je suis d'accord avec vous.

— Naturellement, si nous travaillons encore ensemble, on révisera.

— C'est bien, je suis satisfait. J'espère qu'on pourra un jour faire d'autres affaires, avec mes propres œuvres, qui sait?

— Justement, Max, nous garderons le contact de toute façon. Je vous paierai le montant en deux versements : le premier, maintenant ; et le reste, à la même époque dans un an.

— C'est ça, Max, fais-toi avoir, a répliqué Annette avec un regard méprisant envers son père.

— Êtes-vous d'accord? a-t-il demandé avec un sourire cordial.

— De l'argent comptant et sans reçu, ai-je rétorqué, peut-être un peu trop impulsivement. Je ne veux pas avoir à payer d'impôts...

— Évidemment. M. Postelnik vous versera la deuxième partie contre la reconnaissance de dette que nous vous remettrons tout à l'heure.

Postelnik s'est retiré pour revenir ensuite avec quatre mille dollars en coupures de cent. Il avait aussi un document attestant une reconnaissance de dette de sa part, au montant de quatre mille dollars — relative à l'achat d'une automobile usagée de marque Jaguar —, à être payée à Montréal, en juin 1970.

Je me souviens d'avoir pensé, en lisant rapidement le document, qu'ils étaient peut-être mêlés au trafic d'automobiles volées.

❏

Dans l'auto, pendant qu'Annette boudait en regardant droit devant elle, je me sentais infiniment calme, soulagé. Le paquet d'argent qui gonflait la poche de mes jeans paraissait émettre de l'énergie ; une démangeaison agréable me taquinait la cuisse. En repensant à toute la scène que nous venions de vivre, je n'arrivais pas à croire qu'ils avaient vraiment été dupes. Ils savaient la vérité. Même *mister* Labrecque ; ou plutôt, surtout *mister*

Labrecque. Au moment de partir, celui-ci m'avait confié en français, à voix basse, en me glissant sa carte entre les mains : « Venez me voir à Québec, Max. J'aimerais beaucoup vous montrer certains tableaux. On commence à peine à les étudier... »

— Cesse de bouder, petite camarade Annette, ai-je dit en lui touchant les cheveux avec tendresse. Tu ne vois pas que tu viens de m'aider à m'installer à New York ?

— Ils t'ont roulé, Max.

— Mais non...

— Tu avais mis de la passion dans ta collection, depuis toutes ces années. Tu l'aimais... Eux, ils te l'ont prise, par la force de l'argent ; uniquement. Ce n'est pas juste.

— Nous sommes des artistes, camarade, n'est-ce pas ? Alors, pas de préjugés petits-bourgeois. L'argent, ce n'est qu'un moyen. Il me permettra d'étudier sans souci, et de te voir...

Cette dernière remarque lui a soutiré un joli sourire, accompagné d'un soupçon de rougeur sur ses joues maigres.

— Je le déteste, Max...

— Qui ? Ton père ? Je l'ai trouvé plutôt sympathique. Peut-être qu'il veut vraiment m'aider, tu ne penses pas ?

— Lui aussi, il t'a trouvé sympathique. Et quand il trouve un goy sympathique, c'est parce qu'il est convaincu de pouvoir le rouler.

— Tu le détestes parce que tu es sa fille, c'est normal. Ou bien, est-ce que tu méprises aussi les goyim ?

— Oui, et beaucoup d'autres encore... Toi, Max, c'est différent. Tu viens de te faire rouler et ça ne te fait rien. Moi, ça m'enrage ! J'aurais voulu que tu les écrases...

— Donc, tu me détestes ?

— Ne parle pas comme ça... Tu sais bien que non.

— Alors, on pourra se revoir à New York ? Tu viendras me visiter ?

Elle a souri, visiblement confuse.

Nous sommes allés célébrer la vente dans un joli restaurant portugais, boulevard Saint-Laurent, près de mon atelier. Je me disais que, après tout, la baiser ensuite serait bien la moindre des choses. Pour la remercier. Elle avait été si mignonne ; je lui devais au moins ça.

Au restaurant, les choses se sont un peu gâtées. À la vue des sardines, Annette a été prise de spasmes, car elle avait l'impression que les pauvres poissons la regardaient avec de grands yeux pleins de reproche. Elle n'a fait qu'émietter son pain et n'a touché qu'à quelques feuilles de salade. Devant la casserole de fruits de mer, elle s'est bornée à tourner sa chaise dans l'autre direction, « à cause de ces bêtes dégoûtantes, pleines de pattes ». Puis, après avoir à peine mouillé ses lèvres dans le vin, elle a commencé à bâiller et s'est déclarée complètement ivre.

Je l'ai reconduite à Hampstead. Une fois devant la maison, elle n'était plus ivre ni dégoûtée, mais très bavarde. Quand je lui ai pris une main entre les miennes pour la remercier, elle a poussé un soupir. Je me suis alors penché et, en la tenant par les épaules, je l'ai sentie se raidir et se mettre à trembler, exactement comme devant les sardines, les yeux fermés, les lèvres et les poings serrés. Je lui ai déposé le plus tendre des baisers sur la bouche. Elle a aussitôt sursauté.

— Arrête, Max ! Qu'est-ce que tu fais là ? C'est quoi, ça ?

— Un baiser fraternel, à ma camarade artiste, rien d'autre...

— Je n'aime pas ça...

— Entre artistes, Annette... On est des camarades ou pas ? Il n'y a rien de mal. Ou bien...

— Max... Excuse-moi. Ce n'est pas ce que je voulais dire. J'avais mal compris.

— Entre amis, tu vois, parfois on ne peut pas s'empêcher de faire un geste doux... Tu as été si gentille de t'occuper de moi, comme une sœur. Je suis reconnaissant, voilà.

— Max...

Elle a alors paru faire un grand effort et, en fermant les yeux, elle a déposé un baiser rapide sur ma joue avant d'ouvrir la portière et de partir en courant vers la maison. De là, rassurée, elle m'a envoyé un signe d'adieu.

4

Ma première année à New York est passée presque
sans que je m'en aperçoive. Il y avait tant de
nouvelles choses à voir ; l'ambiance était joyeuse,
colorée, et je me sentais libre, insouciant. La guerre du
Viêtnam paraissait n'être qu'un décor de théâtre pour
une pièce farfelue. Il y avait, certes, le décompte journa-
lier des morts et des blessés, mais celui-ci était devenu
presque abstrait aux yeux des gens qui m'entouraient. Je
n'ai connu aucun jeune homme qui ait été personnellement concerné, ni enrôlé dans l'armée. On entendait
vaguement des histoires lointaines de ceux qui avaient
dû s'expatrier au Canada ou en Suède pour se soustraire
à la guerre. Le Viêtnam était plutôt une question pour les
pauvres, pour les ouvriers et les gens de la campagne.
Dans les grandes villes et dans les milieux universitaires,
le conflit était davantage une excuse pour faire la fête.
Chez les artistes, les hippies et les bohèmes de tout

acabit, cette guerre était le symbole d'une Amérique uto-
pique, qui se développerait à l'avenir, sans qu'on sache
trop comment, dans une sorte de vision mystique, égali-
taire, et tout à fait illusoire.

L'Amérique paraissait souffrir d'une curieuse crise
de schizophrénie. L'année précédente, on avait été
témoin à la fois de l'assassinat de Martin Luther King et
de Robert Kennedy, et des émeutes de Chicago. Et
l'ambiance d'euphorie faisait bon ménage avec toutes
sortes de contradictions insolites sans que personne
s'offusque. Ainsi, par exemple, le lendemain de mon
déménagement à New York, tous les habitants de
l'immeuble s'étaient réunis chez Judy, autour d'un
minuscule poste de télévision, pour regarder l'astro-
naute Neil Armstrong débarquer sur la Lune. Le spectacle était d'autant plus surréaliste que chacun était
habillé de la façon la plus bizarre qui soit ; on aurait dit
une tribu primitive contemplant un film de science-
fiction. Plusieurs d'entre eux — qui étaient par ailleurs
des opposants radicaux au gouvernement — ne cachaient pas leurs larmes d'admiration devant cet exploit
de la NASA. D'autres participants évoquaient des dan-
gers d'ordre astrologique devant ce qu'ils percevaient
comme une intrusion dans l'harmonie du monde sidé-
ral. L'atmosphère du grand salon de Judy était lourde de
fumée d'encens et de marijuana, et de puanteur de corps
mal lavés. Tout le long de l'émission, les gens paraissaient excessivement calmes : ils avaient le regard vague,
perdu, ou ils s'échangeaient des sourires béats de
sagesse, ainsi que des assentiments de tête très orientaux. La marche sur la Lune, la piètre qualité de la
retransmission, ou peut-être la bonne qualité du hasch
qui circulait, a cependant eu un effet néfaste sur certains.
Soudain, ça a failli virer à l'émeute. Sans que nous sa-
chions pourquoi, une des filles a commencé à hurler une
sorte de chant bouddhiste ; ne pouvant pas se déplacer
entre les corps couchés par terre, elle s'est mise à trem-

bler sur place. D'autres filles se sont alors levées pour accompagner la chanteuse, et je crois que certains spectateurs ont été piétinés dans la confusion. En pleine bousculade, une espèce de géant barbu à l'accent étranger s'est mis à crier contre l'impérialisme américain ; en moins de deux, il s'est emparé du poste de télévision et l'a lancé violemment contre le mur. Seule l'intervention autoritaire de Judy, aidée par celle, plus musclée, de plusieurs hommes présents, a réussi à venir à bout de l'accès de rage du géant. Des filles criaient, d'autres pouffaient de rire, hystériques, en tentant de se sauver, pendant que la chanteuse continuait à hurler et à tourner sur place.

Plus tard dans l'année, j'allais faire connaissance avec ce géant étranger, Jan Petersen, un Hollandais, sculpteur et soudeur, qui se spécialisait dans ce qu'on appelait alors le *Heavy Junkyard Art*, c'est-à-dire les agglomérats de moteurs, de différentiels et de carcasses d'automobiles soudés, pêle-mêle, en forme d'étranges organismes.

Trois semaines après cette soirée sidérale, je suis allé en compagnie d'autres locataires au festival rock de Woodstock. Annette, partie en voyage directement depuis Montréal, ne serait de retour qu'en septembre. Ses parents l'avaient envoyée dans un kibboutz en Israël, sûrement dans l'espoir qu'elle se mette, sinon à manger, du moins à trouver un peu de sens juif à son existence.

Les gens de chez Judy et ceux d'autres communes environnantes m'avaient accueilli dans leur ruche d'une façon bien cordiale ; sans poser la moindre question, plusieurs d'entre eux me saluaient et s'adressaient à moi pour reprendre des conversations autrefois interrompues, comme s'ils me connaissaient depuis toujours. Parfois, ils m'appelaient aussi par d'autres noms, ou ils commentaient des événements anciens, auxquels j'étais censé avoir participé. Je suis certain que plusieurs

d'entre eux pensaient m'avoir connu dans des vies anté-
rieures, et ces liens immémoriaux suffisaient pour que la
familiarité s'installe. D'autres, au contraire, étaient des
gens assez actifs et suffisamment éveillés, et quelques-
uns poursuivaient même des buts artistiques sérieux. Il
y avait, parmi eux, des peintres, des musiciens et des
acteurs de théâtre.

Le séjour à Woodstock m'a permis de me faire définitivement accepter, en particulier des membres d'une
commune du quatrième étage. Ceux-ci, des étudiants à
la School of Social Research pour la plupart, m'avaient
invité à voyager dans l'un des autobus scolaires qu'ils
avaient convertis pour l'occasion en véhicules de cam-
ping. Ils étaient très nombreux et ils attendaient encore
d'autres amis. Il a fallu aussi décorer les autobus en
pleine rue, avec des canettes de peinture en aérosol,
avant que nous soyons prêts pour le départ. Nous
sommes ainsi arrivés dans la région de Woodstock alors
que le concert était déjà commencé. Impossible de
s'approcher à moins de deux milles du site des spec-
tacles, et je n'y ai pas mis les pieds. D'ailleurs, ceux qui
se sont aventurés à pied, parmi les routes encombrées de
gens et de véhicules, ne sont pas revenus aux autobus.

Nous avons campé en plein champ pendant trois
jours, dans une ambiance très exotique, entre la fête
foraine et le village indien. Les gens étaient sociables et
fraternels, et l'atmosphère avait une légère odeur d'événement religieux, païen, comme s'il s'agissait d'une
saturnale pour garçons et filles de bonnes familles.
L'aide apportée par la population des villages et par la
Garde nationale contribuait à accentuer le caractère de
béatitude devant le drapeau, si propre à la jeunesse américaine.

Trois jours de farniente et d'amour. Deux filles très
gentilles m'avaient aussitôt adopté, pour partager leur
sac de couchage et leur gamelle. Elles n'étaient pas des
plus jolies, ni des plus soignées ; mais elles compensaient

largement en étant aussi des moins pudiques. Drôles, grassouillettes et imaginatives, elles sont vite venues à bout de ma réserve naturelle. Nous avons fait toutes sortes de folies, dont des slaloms dans la boue, des chants pour que cesse la pluie et des ablutions rituelles dans un cours d'eau, rebaptisé l'Indus pour l'occasion. Les célébrations nocturnes étaient saugrenues mais aussi des plus agréables. J'ai d'ailleurs passé la plupart des journées à cuver mon alcool dans notre autobus psyché-délique. Je me souviens, par exemple, d'une étrange et interminable séance de méditation transcendantale, sous les effets du hasch, pendant laquelle j'étais couché sur le dos, nu; une des filles me caressait les cheveux et me massait le visage, en murmurant des mantras, pendant que l'autre, concentrée, me chevauchait sans le moindre mouvement du bassin. J'étais alors censé éprouver l'orgasme interne dont parlent les Népalais. C'est l'unique fois de ma vie que je me suis endormi dans un sexe de femme, et je n'ai pas su — ni demandé — comment cela avait fini. Elles m'avaient pourtant averti que, avec l'alcool, ça marchait moins bien.

Cette balade à Woodstock a bien contribué aux ré-flexions sur l'essence de l'art que je poursuivais depuis mes rencontres avec Marilyn et Caroline. Tous ces jeunes gens déguisés, qui jouaient expressément le rôle d'en-fants innocents d'un paradis perdu, m'avaient laissé une curieuse impression. L'Amérique était par ailleurs bar-bare, cruelle et implacable partout dans le monde, en par-ticulier envers les nations pauvres. À l'intérieur même du pays, dans les ghettos noirs et dans les campagnes iso-lées, la misère, l'obscurantisme religieux et la bêtise la plus absurde écrasaient depuis toujours les consciences. Ignorance, violence et orgueil: le capitalisme dans ses aspects les plus inhumains, avec la conquête pour seul projet de société. Par ailleurs, cette même Amérique non seulement tolérait, mais encourageait les élans romanti-ques les plus passéistes chez sa propre jeunesse dorée. En effet, la solidarité à Woodstock n'avait d'égal que celle des happenings, un peu partout dans les campus universitaires. Les Noirs s'armaient ou se faisaient tuer, la mafia contrôlait la presse et la politique, la CIA utilisait les procédés les plus grossiers pour dominer le monde. Tout cela était sans importance. Les Américains, eux, gardaient toujours le sourire et leur air de bonhomie, particulièrement en voyage à l'étranger ou devant la télévision ; et leurs enfants avaient le droit de tout faire dans la mesure où ils ne s'occupaient sérieusement de rien.

En Californie, une semaine avant Woodstock, les membres de la secte de Charles Manson — déguisés comme ces milliers de jeunes gens qui m'entouraient — avaient sauvagement assassiné une actrice de cinéma au nom, cette fois, du démon. Satan, Dieu, Jésus-Christ, la démocratie, le communisme, Bouddha et le dalaï-lama, Che Guevara et Ho Chi Minh paraissaient n'être que des costumes interchangeables avec ceux de Malcolm X, de Mao Tsé-toung, de Marilyn Monroe ou de John Kennedy, dépendant de l'état d'âme des acteurs.

Ces réflexions me faisaient curieusement penser à Annette et à Sammy Rosenberg, mais je n'arrivais pas encore à bien comprendre pourquoi. J'éprouvais la même sensation, à la fois d'inquiétude et de ravissement, que j'avais ressentie, quelques années auparavant, lorsque j'avais été à Venise pendant le carnaval. J'étais là, entouré de gens portant des masques merveilleux et des costumes diaphanes qui défilaient en plein silence parmi les ruelles et les canaux, pour le simple plaisir de se faire voir en tant qu'autres, de se dissimuler en se montrant.

Ce voyage à Venise avait d'ailleurs commencé et s'était terminé sous le registre du faire-semblant, du faux-fuyant. Je le mentionne, car — je le réalise maintenant — il a été l'occasion de l'une de mes premières rencontres avec les séductions esthétiques, avec le pouvoir du maquillage, des tromperies de l'apparence et des déguisements. Et bien avant la Marilyn de Rosemont.

Je venais d'entrer à l'université. Ma mère était alors mariée à Peter, un haut fonctionnaire du gouvernement fédéral, et ils vivaient à Ottawa. Mes rapports avec elle n'avaient jamais été trop intimes. Depuis le divorce de mes parents, j'avais plutôt été élevé par des gardiennes ; on se voyait donc peu, de façon assez formelle, surtout lorsqu'elle voulait me soutirer des informations au sujet des *bitches* et des affaires de mon père. Or, ma mère, une personne essentiellement parasite — elle parasite en ce moment même un financier de Toronto —, avait réussi à bâtir autour d'elle une aura d'amateur et de mécène. Madame s'est toujours targuée d'avoir le goût esthétique, et je crois que c'est là sa porte d'entrée auprès du pouvoir : Louise a du goût, disent ses amies ; elle est très, mais très artiste dans l'âme, très intellectuelle...

Je pense qu'elle avait poussé son fonctionnaire de mari à visiter Venise pendant le carnaval. Peter paraissait plutôt du genre qui aurait choisi la Floride ou les plages des Antilles. Louise avait dû insister. Ils devaient partir en compagnie d'une des amies de ma mère, Brenda, une dame dans la quarantaine, collaboratrice du Conseil des Arts du Canada, et qui avait autrefois tâté de la scène. Brenda était une belle femme malgré ses airs trop détachés, ses manières trop distinguées, et sa façon anglaise de regarder le monde comme s'il était essentiellement asexué. Voyant que je portais attention à ses cuisses au cours d'une soirée chez ma mère, Brenda avait tout simplement regardé par terre, autour de sa chaise, pour chercher aussi ce qui était tombé et qui avait pu attirer mon regard.

Brenda serait du voyage, car, en plus de tenir compagnie à ma mère, elle s'occuperait de choses culturelles, de façon à se faire rembourser les dépenses par les Affaires étrangères. Peter, lui aussi — c'était son habitude —, se ferait sûrement rembourser son voyage ; il ne distinguait d'ailleurs pas très bien sa propre personne de l'État canadien.

Or, voilà qu'une crise ministérielle de dernière minute avait obligé Peter à rester au pays, pour surveiller les intérêts du Parti libéral. Ma mère, qui était mariée depuis peu de temps, a préféré aussi ne pas partir à ce moment critique, surtout à cause de toutes les *bitches* qui rôdent autour des hommes politiques lorsqu'ils sont seuls. Tout avait déjà été payé d'avance, cependant. J'ai alors été invité à profiter de cette occasion, et je suis parti en compagnie de Brenda et de sa fille adolescente.

Le mari de Brenda, un avocat originaire de Winnipeg, ne voulait rien savoir du voyage, car il détestait les Européens en général et les Italiens en particulier. Il considérait même les Italiens comme l'avant-dernier échelon de l'espèce humaine, tout juste avant d'arriver aux Canadiens français. Je ne crois pas qu'il incluait les Noirs ou les Orientaux dans cette espèce. Ma mère, qui était pourtant une Tremblay, avait cru bon de conserver le nom de famille de mon père ; ces allusions aux Québécois ne la dérangeaient plus depuis qu'elle était devenue ontarienne.

— Willem, c'est belge, disait-elle avec fierté, lorsqu'on lui demandait par quel drôle de mystère une Canadienne parlait si bien le français.

Pendant le vol vers Rome, j'avais entretenu des fantaisies concernant l'occupation des deux chambres qu'on aurait dans tous les hôtels. Ma préférence allait du côté de la jeune fille, naturellement. Priscilla n'avait que quinze ans. Comme Brenda et ma mère avaient toujours fait référence à nous en disant « les enfants », je pensais que ce serait agréable de partager une chambre avec Priscilla, en frère et sœur, pour que sa maman puisse jouir de l'intimité convenant à son âge.

Hélas ! Brenda ne voyait pas les choses de la même façon : à Rome, je suis resté seul dans une immense chambre pendant qu'elles partageaient l'autre, en vraies copines. Les mêmes dispositions ont été prises à Venise, et ensuite à Florence. Sauf que les masques du carnaval de Venise, avec l'ambiance fantasmagorique qui y régnait, ont eu d'étranges effets sur les nuits de Brenda sans, malheureusement, toucher le moindrement au sommeil de sa fille. C'est comme ça que j'ai raté l'occasion de dépuceler Priscilla et ainsi, peut-être, la chance d'entrer dans une famille très fortunée. La jeune fille s'est d'ailleurs mariée le jour de son dix-huitième anniversaire, avec un jeune aspirant au Barreau qui faisait un stage dans le cabinet de son père.

Mon prix de consolation a été la maman. Je ne m'en plains pas, au contraire. Mais, puisque je m'étais décidé pour la fille, et que mes fantaisies étaient très bien dirigées, il m'a fallu un certain effort pour accepter un changement de cible si inattendu. J'ai une nature que je qualifierais non pas de rigide, mais de rigoureuse ; il m'est parfois difficile de m'adapter à des changements brusques, aux circonstances trop mouvantes. Et Brenda m'avait littéralement surpris.

Je crois que la faute en revient aux masques, à l'étrange pouvoir des déguisements. En effet, dès notre retour au Canada, elle est redevenue tout à fait l'ancienne Brenda — Mme Brenda Willey-Ogorsky —, c'est-à-dire la même petite femme anglaise sans imagination, l'épouse de Me Patrick Ogorsky, du cabinet Ogorsky, Brown, McMillan, Willey et associés, avocats à Toronto.

Je n'oublierai jamais notre première nuit à Venise. Nous étions arrivés au début de l'après-midi, en pleine ambiance de carnaval. La ville était décorée d'une façon exquise, sans le bruit ni la fureur qu'on associe d'habitude aux carnavals des tropiques. Des musiciens discrets jouaient des airs anciens sur des instruments à cordes ; les gondoliers étaient drapés de capes noires et portaient des loups. Tout se passait au ralenti, presque en silence, uniquement pour le regard et l'imagination. Dès la tombée du jour, les habitants sont apparus comme des spectres sortis d'opéras romantiques, aux gestes mesurés, parfois entièrement costumés, mais le plus souvent simplement masqués. La beauté de leurs masques était si intense et si simple qu'on avait le frisson en les croisant. Des faciès figés, hiératiques, très pâles, glauques, d'une beauté frôlant le sinistre et qui rappelait le monde sépulcral au delà du Styx. Pas de souffrance, d'horreur ni de lubricité; pas d'humour, pas de bestialité. Des masques simplement diaphanes, délicatement stylisés en forme de maquillages fantastiques qui, pourtant, à cause de leur rigidité même, renversaient le sens du maquillage en celui du *rigor mortis*.

Brenda et Priscilla ne pouvaient pas tolérer de se promener comme elles l'étaient, le visage dénudé, parmi la foule de marionnettes aux orbites creuses, aux bouches immobiles, aux teints livides, qui nous croisaient de toute part. Elles ont acheté des masques. Je me suis contenté d'un loup; celui-ci, étonnamment, m'a aussitôt procuré un sentiment de confort, me soulageant d'un fond d'angoisse que je n'arrivais pas à comprendre. Je me fondais aussi parmi ces visages qu'on aurait dit dépourvus de corps. La mère et la fille paraissaient à leur tour plus détendues, et nous avons pu prolonger nos promenades jusque tard dans la nuit.

De retour à l'hôtel, toujours masqués comme les derniers clients du bar, nous avons alors bu quelques verres. Priscilla était adorable, et je me souviens très bien de mon sentiment de frustration en retournant seul à ma chambre avec ma bouteille de vin. Une demi-heure après, pendant laquelle j'avais bu dans l'espoir de m'endormir, on a frappé à ma porte. C'était Brenda, en longue chemise de nuit et joliment maquillée.

— Priscilla est aussitôt tombée endormie, a-t-elle commencé en entrant. C'était le vin. J'ai pensé que Max pourrait m'offrir encore un dernier verre. Je n'arrive pas à me calmer après toutes ces belles choses qu'on vient de voir. Je peux? a-t-elle demandé en s'asseyant sur le lit.

Le tissu soyeux moulait ses formes rondes et mûres, d'une manière qui me rappelait le glaçage des gâteaux multicolores qu'on nous avait servis au dessert. Elle a rougi lorsque nos regards se sont croisés. En baissant alors la tête, elle a enfilé son masque. Lorsqu'elle m'a regardé de nouveau, ce n'était plus Brenda, ni la maman, mais Priscilla qui s'offrait à moi. Devant ma surprise, elle a répondu par un rire joyeux en écartant les pans de son décolleté.

— J'ai pensé que Max me trouverait mieux avec le masque de ma fille. Ai-je tort ? Mets le tien, toi aussi, mon garçon, et sers-moi à boire. On n'arrivera pas à dormir, de toute façon...

Nos jeux se sont poursuivis les nuits suivantes, puis à Florence. Nous échangions nos masques et nos rôles, en mettant à profit toutes les façons possibles de nous caresser, de nous blesser. C'était comme si nous étions trois spectres. Priscilla dormait, innocente, dans sa chambre ; pendant ce temps, Brenda et moi, avec les trois masques, nous mettions en scène toutes sortes de choses défendues, y compris entre la mère et la fille. Mais, surtout, des scènes torrides entre Brenda et ses propres fantasmes.

Je crois avoir été un acteur passionné et complaisant. Toutefois, la dernière nuit, à Rome, à la veille de notre retour, je l'ai attendue en vain. Brenda n'est pas venue dans ma chambre pour la cérémonie d'adieu. Le lendemain, dans la salle d'attente à Fiumicino, mon actrice masquée, disparue à jamais, je me suis retrouvé en présence d'une mère et d'une fille anxieuses de retrouver le Canada, papa Patrick et leurs choses familières.

❏

Mes craintes d'être envahi par les autres habitants de l'immeuble de Judy se sont vite dissipées. On me laissait mener ma vie tranquillement, même si j'étais bien accueilli les rares fois où le cafard me poussait à chercher la compagnie des autres. Judy veillait d'ailleurs très étroitement au bien-être de ses locataires, pour éviter que la commune ne dégénère. Mes deux copines de Woodstock, Cindy et Mary-Jo, avaient aussi leurs occupations, et si nous nous rencontrions encore pour des séances de méditation — à deux ou à trois —, elles ne démontraient pas de signes de possessivité. Avec le temps, j'ai aussi eu la chance de connaître d'autres de leurs camarades, avec qui je pouvais échanger des faveurs sur le matelas, sans que cela aille plus loin.

Les cours de dessin m'ont entièrement absorbé durant cette première année. J'avais décidé de me consacrer uniquement au dessin anatomique, sans m'encombrer de la peinture ni de la gravure, pour profiter au maximum de mon séjour. Je travaillais chaque jour, de huit heures du matin à midi ; je revenais encore à l'école deux autres fois par semaine, les après-midi, pour des séances libres de modèle vivant.

Le professeur d'anatomie était un vrai cinglé de la musculature et de la charpente osseuse ; à cela s'ajoutait un intérêt quasi pervers pour les muscles peauciers du visage. Chacun de ses cours, d'une durée de quatre heures, était un exercice extrêmement minutieux d'observation et de contrôle moteur du trait, pour rendre, selon ses propres paroles, « la carcasse humaine dans toute sa perfection ». Il complétait les séances de pose par des exposés théoriques très intéressants, pour lesquels il utilisait des modèles, mâles et femelles, qui présentaient tous les états imaginables des formes corporelles : maigres, gros, bossus, jeunes, vieux, femmes enceintes ou qui avaient subi de nombreuses grossesses, drogués squelettiques, culturistes gonflés comme des boudins. Tout était là, étalé devant nos yeux, prêt à être observé et retransmis au mouvement du bras, pour aboutir sur la feuille de papier. Avec cette sorte d'entraînement, le regard acquérait une telle finesse que nous n'avions plus besoin de dessiner, ni d'avoir les corps devant soi. En effet, les yeux gagnaient une sorte de mouvement autonome, et se laissaient envahir par une multitude de détails interconnectés dès qu'ils se posaient sur une surface quelconque. Et alors, aussitôt, les structures cachées des choses apparaissaient d'elles-mêmes, qu'elles soient des visages dans le métro, des bicyclettes, des arbres, des corps habillés dans la rue, ou la rondeur perdue des canettes de soda écrasées dans les poubelles.

Deux autres matins dans la semaine étaient consacrés au dessin des corps en mouvement ; aux gestes, comme ils l'appelaient. Ici, il s'agissait de percevoir l'ensemble redevenu vivant, articulé, fonctionnel. D'autres sortes de modèles se prêtaient à cet exercice qui, en nous donnant des poses de quinze secondes à dix minutes, puis des mouvements au ralenti, nous familiarisaient intimement avec l'harmonie des attitudes et des démarches humaines.

C'était physiquement exténuant pour les élèves ; nous dessinions sans cesse, sur d'énormes feuilles de papier, debout, de façon à entraîner le tracé non pas depuis le poignet, mais davantage depuis le coude et l'épaule. Cela permettait, par une sorte d'empathie corporelle, de capter à distance, et dans notre propre anatomie, ce que le modèle était en train d'exécuter sur le podium.

Je me promenais souvent à cette époque, pour relaxer et pour continuer les exercices visuels. Je lisais un peu et je dormais beaucoup. Il m'arrivait parfois de sortir le soir, surtout les samedis, pour aller dans les bars de jazz bon marché des environs, après mes repas dans les petits restaurants italiens qui servaient de larges portions de pâtes aux artistes affamés. Le restant de la semaine, je me contentais de sandwiches et de frites, que j'arrosais de beaucoup de bière.

Mon budget ainsi bien équilibré, je pourrais de cette façon continuer cette vie pendant au moins une autre année. Mon père serait toujours là, si j'avais besoin d'argent. Mais, au fur et à mesure que le temps passait, je trouvais de plus en plus difficile de lui expliquer la nature exacte de mes intentions. Moi-même, je n'en savais rien. C'était de l'art, certes, ou de l'entraînement pour l'art. Mais, de quel art au juste s'agissait-il ?

Mon père avait été ravi lorsque je lui avais donné le tableau de Richard et les dessins de Fortin, que j'avais gardés à son intention. Lorsqu'il a reçu l'évaluation que Borealis avait faite de mes œuvres, il s'est montré agréablement surpris de découvrir que son fils avait le talent de dénicher des œuvres d'art de valeur. Son enthousiasme a commencé à gonfler d'une façon qui me paraissait dangereuse, et j'ai fini par lui donner quelques petits renseignements, sans trop entrer dans le cœur de la question. Il a compris, et n'a pas posé de questions embarrassantes. Puis, en peu de temps, il s'est suffisamment renseigné auprès de certains de ses vrais associés d'affaires pour prendre une décision. Il a ainsi pu faire un joli profit quand il a vendu sa propre collection. Borealis était encore en pleine ascension à cette époque puisque M. Labrecque avait su attendre le bon moment pour vendre ses trouvailles. Par la suite, naturellement, les choses se sont un peu gâtées ; beaucoup d'autres artisans se sont mis à enrichir les foyers québécois avec un grand nombre d'œuvres de ces paysagistes, ce qui a occasionné quelques pertes chez des investisseurs peu attentifs. Le marché de l'art est très risqué, comme disait Rosenberg.

Mon père était sorti gagnant, mais il était devenu soupçonneux quand il s'agissait d'activités artistiques. Ses questions sur mes projets sont alors devenues un peu trop précises, comme s'il s'inquiétait de mon avenir dans une branche si peu fiable. Autrefois, à Montréal, j'aurais pu lui redonner confiance, car je croyais moi-même suffisamment aux choses de l'art. Désormais, après ma rencontre avec Rosenberg, je me sentais plutôt ébranlé, sceptique, et je préférais ne pas m'attarder à ces questions. En outre, je me sentais pris d'une telle passion pour le dessin, mon regard était devenu si habile pour sonder l'apparence des choses, que cette activité me suffisait, pour elle-même ; je préférais oublier que le dessin n'est qu'un simple moyen. Je me sentais comme les joueurs d'échecs qui passent leurs journées entières à Washington Square, sans tenter de déchiffrer des énigmes sur le sens pratique, ou métaphysique, de leur ivresse.

Dessiner pour dessiner, chaque fois mieux, sans m'attarder à un style précis ni à un thème en particulier. Et toutes sortes de dessins. Seul dans ma chambre, je pouvais passer de longues heures à dessiner des objets disparates, à faire des portraits de tous les hippies de l'immeuble, ou encore à copier des gravures dans les livres, et même des billets de banque. Cette dernière discipline, je m'en suis rendu compte, est un exercice fabuleux pour la précision de la ligne. Lorsqu'il faisait beau, je me dirigeais vers Washington Square pour croquer les joueurs d'échecs et les clochards, avec qui je me sentais une affinité de plus en plus constante.

Je me posais, bien sûr, certaines questions. D'ailleurs, mon budget très serré était la preuve que je me méfiais de ce qui adviendrait après la fin de mes deux années d'études. Mon père hésiterait sans doute à continuer à me faire vivre, si je ne pouvais pas lui offrir au moins une raison valable de poursuivre mon activité de dessinateur. Et j'étais bien trop absorbé pour pouvoir chercher un débouché à cette passion. Mes visites dans les galeries ne venaient que confirmer cette déception ; il était évident que le dessin avait définitivement disparu de l'art de mon siècle. À l'école, également, je ne rencontrais personne pour qui le dessin avait le même sens que pour moi. Mes camarades étaient en général des graphistes, des dessinateurs de bandes dessinées, de trucs pornographiques ; d'autres travaillaient à la police, pour faire des portraits-robots de suspects, ou pour des journaux, dans les cours de justice. À part le professeur d'anatomie, moi seul avais l'air de prendre la chose au sérieux. Annette et moi, c'est bien vrai. Comment l'oublier ?

❏

Annette était revenue fin septembre de son séjour en Israël. Un peu moins maigre, avec de jolies couleurs sur le visage et sur les bras, et aussi un peu moins nerveuse. Elle paraissait contente de me revoir, même si une retenue nouvelle était évidente dans ses manières. Nous sommes allés une ou deux fois au restaurant ; elle a réussi à manger un peu, mais ne s'est pas étendue sur ses expériences en Terre promise. J'avais pensé qu'elle avait peut-être trouvé là-bas un copain, et que cette découverte lui avait fait du bien.

Ses visites chez Judy et chez moi étaient très courtes et espacées au début, comme si, enfin, elle avait trouvé quelque chose de sérieux à faire dans la vie. J'étais cependant certain que son père n'avait pas soufflé mot de notre affaire. Comme j'étais très absorbé par mes cours, je n'ai pas trop prêté attention à elle.

Quoi qu'il en soit, cette nouvelle attitude d'Annette n'a duré que le temps de son bronzage. Assurément, l'Amérique ne lui faisait aucun bien. Ou était-ce peut-être la proximité de sa propre famille ?

Vers la fin de décembre, elle avait déjà retrouvé son apparence habituelle, pâle et rachitique, et l'intermède israélien paraissait tout à fait effacé. Sa bonhomie et son enthousiasme pour l'art étaient aussi revenus à la surface et, peut-être à cause de ça, elle a commencé à me rendre visite plus fréquemment.

Elle était fascinée par les dessins anatomiques très réalistes que j'avais chez moi. Mes cours m'avaient aidé à laisser de côté mes angoisses d'autrefois, et j'avais provisoirement abandonné les monstruosités et les déformations trop fantaisistes. Le réel m'apparaissait désormais d'une richesse infinie, et je m'y attelais avec une sorte d'humilité, ravi uniquement de me perfectionner dans cette voie apaisante, rigoureuse et ascétique du dessin parfait. Il se peut d'ailleurs que ma propre attitude envers la réalité l'ait attirée auprès de moi : cette certitude nouvelle qui, je le reconnais, avait peut-être une légère odeur de détachement oriental. Je me souviens, à ce propos, de lui avoir dit une fois combien j'admirais les moines zen, ceux qui travaillent l'art de l'épée, non pas pour la guerre ni le combat, mais pour atteindre l'illumination intérieure qui vient de la poursuite de la perfection.

— Je les déteste, tous, m'a-t-elle répondu un jour, lorsque je l'ai interrogée sur la vie dans les kibboutz.

Elle était assise sur mon lit et posait très sérieusement pendant que je dessinais son visage, de nouveau émacié. Elle a gardé un long silence avant de s'expliquer.

— Tu ne peux pas t'imaginer, Max. C'est une société fasciste qu'ils bâtissent là-bas, ultra-religieuse, d'un nationalisme suffocant... Aucun respect envers l'intimité de l'individu.

J'ai alors cru qu'elle avait, peut-être, découvert la misère des Palestiniens et l'injustice qu'ils subissaient. Moi-même, j'ignorais entièrement ce qui se passait là-bas ; mais, en Amérique, parmi les étudiants, les Palestiniens étaient investis de l'aura de combattants pour la liberté, de martyrs. En réalité, je me fichais bien du sort des Palestiniens, des Arabes en général et des Israéliens, depuis que j'avais appris que c'étaient des peuples sans images. La seule pensée que la fabrication de simulacres humains leur était interdite dans les textes religieux me suffisait pour les classer parmi les cultures les moins intéressantes, voire hostiles à ce qu'il y a de plus noble chez l'être humain. Ma vie était justement consacrée à créer des images, et ces gens-là ne trouvaient pas de sympathie à mes yeux.

Mais Annette ne se référait pas à un conflit politique, ni religieux. Elle s'insurgeait plutôt contre le monde méridional, contre la chaleur, le soleil aveuglant qui dévoile tout, contre la vivacité au grand jour du désir charnel. Dans son horreur du réel, elle ne distinguait d'ailleurs pas les juifs des musulmans ; si elle avait été en Italie, en Grèce ou en Jamaïque, sa rage aurait été la même. Pour le moment, elle visait les juifs et les musulmans puisque c'est là-bas qu'elle avait été regardée comme une femelle.

— Ils te regardent comme une marchandise, Max, comme une bête. Ils te fouillent des yeux en riant, en se léchant les lèvres. Tu te sens... souillée. C'est ça, salie ! C'est dégoûtant.

— Je ne comprends pas, Annette.

— Tu ne pourrais jamais comprendre ! C'est dégoûtant... Je les déteste, tous. Les Arabes, c'est encore pire. Je ne les regardais que de loin. Ils sont devenus rusés, sournois, après la guerre. Ils te dévisagent de côté, et tu sens qu'ils te veulent du mal. Même leurs femmes me rendaient mal à l'aise.

— Les juifs aussi ?

— Les Israéliens, c'est différent ! a-t-elle rétorqué, empressée de redresser mon incompréhension. Ça n'a rien à voir avec les Arabes, voyons ! C'est évident...

— Ah ! bon !

— Non, Max, ce sont deux mondes différents. Je ne les aime pas, mais cela n'a aucun rapport. Chez les Arabes, c'est la haine que tu ressens. Les Israéliens te reçoivent bien, ils t'intègrent, comme dans une famille.

— Pourquoi les détestes-tu alors ?

— Je ne sais pas... C'est suffocant. C'est pire que dans ma famille. Tout se fait collectivement, pour le bien commun. L'individu, il faut qu'il s'intègre. C'est une vision très religieuse, communautaire. On campe ensemble, on mange ensemble... Même les douches, tu t'imagines ! Elles sont pratiquement ouvertes, Max. Tu ne peux pas fuir. C'est totalitaire !

— Comme chez les scouts, les jeunesses hitlériennes ?

— Pas ça, non ! Bien sûr que non… On dirait pourtant des scouts religieux, fanatiques, avec un seul but : fonder des familles pour combattre. Tu t'imagines ? Ils se marient tôt, et font des enfants comme des lapins. Ils te soupèsent des yeux, ils commentent la largeur de ton bassin. Une horreur ! Avec la chaleur, pas moyen de te couvrir, tu vois ? Il y a continuellement une senteur affreuse de corps humains, partout. Et ils ont la manie de se toucher, de s'embrasser…

— Peut-être que tu étais dans un kibboutz trop fanatique, ai-je dit pour la relancer.

— Peut-être… Mais, à Tel-Aviv non plus, je ne me sentais pas bien. Tu sais, c'est très… comment dire ? Je ne sais pas comment t'expliquer. Ici en Amérique, les juifs sont des intellectuels, des artistes, des gens d'esprit. Là-bas, c'est tout mélangé. Mais on ne peut pas fuir, car tout le monde est juif !

— Trop de proximité.

— C'est ça. Pas de barrières, pas d'intimité. Je me sentais nue… Sans même pouvoir les haïr ni les mépriser. J'étais comme dans une souricière.

Annette cherchait toujours ma compagnie. Elle savait pourtant que je rencontrais des copines, dont quelques-unes bien en chair et qui devaient lui paraître obscènes. Puis il y avait aussi mes dessins qui l'attiraient tant : c'étaient tous des nus, et mon trait plongeait même au delà de la peau, vers l'intimité des muscles, des tendons, de la structure osseuse. Les dessins qui mélangeaient la nudité sensuelle et l'anatomie des écorchés étaient d'ailleurs ceux qu'elle aimait le plus, devant lesquels elle se laissait aller à des commentaires presque osés.

Sans comprendre entièrement ce qui se passait avec Annette, je ne pouvais pas m'empêcher de penser à d'autres expériences, dont celle avec Brenda à Venise. Nous étions certainement dans le domaine des masques, même si le jeu paraissait nouveau. Je commençais à m'amuser avec elle, et je me promettais de ne rien précipiter, car cette sorte de passe-temps avait un côté mystérieux. Mais aussi parce que j'étais un peu attaché à cette fille, d'une curieuse façon. Non, pas amoureux; j'éprouvais à son égard une sorte de tendresse, comme celle qu'ont les gens envers leurs animaux domestiques. Elle était bien en ma compagnie; elle paraissait contente de notre relation, contente de pouvoir parler, venir me voir, jouer à l'artiste avec moi, sans courir aucun risque. Le risque, justement; c'est ça qu'elle craignait le plus. Et c'était à cause du risque qu'elle n'était pas jalouse des autres filles.

— Tu as encore dessiné Cindy... Tu as de drôles de goûts, Max, disait-elle avec dédain en examinant ma pile de dessins d'un regard professionnel.

— Oui, Cindy...

— C'est lourd, et c'est le moins qu'on puisse dire.

— Oui. J'ai eu un modèle à l'école, une femme robuste. Tiens, tu la vois dans ces dessins-ci. Il me fallait travailler davantage les muscles recouverts de masses adipeuses; pour étudier l'architecture des plis en cascades... C'est tout un défi, l'effet de la gravité sur les parties molles du corps. Il faut avoir beaucoup d'entraînement pour prévoir les courbes des muscles lorsqu'ils sont gonflés, déformés par cette sorte de rondeurs, et qu'on n'arrive plus à distinguer la beauté du squelette. Ici, tu vois? Ici aussi, dans ce derrière de torse: remarque comment la tête du fémur, le *Trochanter major* est complètement obstrué par ces fessiers trop ronds, ces *Gluteus maximus* remplis de chair, et par ces *Adductores femoris* galbés. On ne peut distinguer ni le *Sartorius* ni le *Rectus femoris*. Des cuisses comme ça exigent beaucoup de doigté de la part de l'anatomiste, Annette. Sans parler de cette poitrine: regarde bien comment la masse des glandes mammaires et des adiposités trop riches voilent les deltoïdes, les pectoraux, tout! Pas de clavicule, de côtes, ni de sternum ni même de *Rectus abdominis*. Ces seins énormes couvrent tout. Tu t'imagines le travail?

Drôles de conversations. Je pouvais disserter à volonté sur des seins, des fesses, des cuisses magnifiques et aller jusqu'aux détails les plus impudiques des pubis et des organes sexuels. Tant que je parlais anatomie et que je faisais un large emploi de termes latins, Annette n'y voyait pas de mal. Au contraire, cela semblait l'exciter énormément. C'était son masque devant le corps, je l'avais vite compris.

— Tu vois, Annette, c'est tout un boulot que de bien saisir le corps humain. Si tous les corps étaient rigoureux, comme le tien, par exemple, si tout le monde restait dans le domaine essentiel, sans s'encombrer avec tant d'apparences, l'étude de l'anatomie artistique serait très facile, très belle, dépouillée comme la logique. Mais non... La plupart des corps sont très imparfaits, ils cachent d'étranges rondeurs là où l'on ne s'y attend pas, des galbes inusités, des plis, surtout des plis qui mènent on ne sait où. Il faut que l'œil se fasse guider par le cerveau dans ces explorations, par la connaissance théorique. Je t'assure, on est souvent dans l'erreur à cause de ces déguisements charnels trompeurs.

La petite Annette paraissait très bien comprendre mon désarroi, et elle ne pouvait pas s'empêcher de m'encourager:

— Tu es très sérieux, Max. Je ne sais pas si je pourrais travailler avec autant de zèle. Les filles qui posent pour toi... Si elles savaient, hein?

— Si elles savaient!

— Ça doit être parfois gênant, non? Elles ne deviennent pas... Je veux dire, elles ne se laissent pas aller à des familiarités?

— Non, Annette, bien sûr que non... Poser, c'est du travail. Et ce ne sont alors pas des filles, tu t'imagines bien; ce ne sont que des corps, des masses et des lignes de la condition humaine. Quand on pose, il n'y a pas de place pour des familiarités. L'art, c'est du sérieux. Sinon, mieux vaut se consacrer à autre chose...

— Ah!...

Je saisissais ces moments, où elle soupirait presque d'admiration, pour parfaire ses connaissances tout en l'exposant à des choses plus intimes. «L'habitude, me disais-je, il faut qu'elle s'habitue.» Et je sortais alors des dessins que j'avais travaillés expressément pour ces occasions, et des organes sexuels — *Pudenda* — bien impudiques s'entrecroisaient dans son champ de vision. C'étaient des moments où la nomenclature latine permettait d'accomplir des merveilles d'hypocrisie.

— Regarde bien ici, Annette, ce pénil féminin, *Mons pubis*, lui ai-je dit une fois. Observe comment la crête de l'iliaque est entièrement recouverte, dans sa partie anté-rieure, par les prolongements du *Rectus abdominis* et des *Pyramidalis*. Ça, ici, les *Labia majus pudendi* — les grandes lèvres, comme les gens les appellent communément —, il faut en faire abstraction, pour qu'on puisse, bien à l'inté-rieur, aller chercher quatre petits muscles importants. L'œil ne les voit pas; on doit se laisser guider par l'imagi-nation, comme si on avançait à l'aveuglette, avec la pointe des doigts de la main qui frôle la cuisse et qui se dirige vers le périnée. On les appelle les ischio-jambiers. Ce sont eux qui permettent le mouvement latéral de la cuisse, pour l'écarter, comme ça. Ils pénètrent de biais ici; ils passent, en arrière, sous le *Gluteus maximus*, au centre même du périnée. Imagine que tu les touches, par l'espace entre les fesses, de postérieur en antérieur, tu vois? Tes doigts frôlent l'anus et, voilà, lorsque tu sens la cuisse, là, juste avant les *Labia*... Tu vois où ils remontent?

— Ah!... a-t-elle fait en soupirant, les yeux à demi fermés.

J'ai appuyé cette description savante du geste gra-cieux d'un toucher imaginaire qui, chaque fois, attirait son attention et mettait un brin de couleur à ses pom-mettes saillantes.

— Les petits muscles s'appellent le *Pectineus*, l'*Adductor magnus*, le *Longus* et le *Gracilis*. Joli, n'est-ce pas? Regarde maintenant ce pénil masculin. C'est exactement la même chose. La même structure, exactement. Il n'y a pas de différence entre le mâle et la femelle, Annette, lorsqu'on est dans la musculature proprement dite. Aucune. Au lieu de contourner les lèvres de la vulve, tu n'as qu'à contourner délicatement les plis latéraux de la verge, ici; et, en faisant abstraction du scrotum, tu les retrouves là, les petits ischio-jambiers. Vas-y, toi, maintenant, mais dans le sens postérieur à antérieur, avec les yeux fermés... Tu les sens dans ton imagination?

— Ah! oui... Je vois... a-t-elle fait avec une attention démesurée au dessin, sans oser croiser mon regard.

— La seule différence entre le mâle et la femelle est dans la largeur et la forme du bassin. Les femmes l'ont plus large même si leur squelette est plus délicat — *Gracilis* —, d'où la masse plus fournie des fessiers.

— Ah!...

— Tu vois, ma petite camarade artiste. Un corps comme le tien, c'est presque en tous points le corps d'un jeune homme... Je parle du bassin, bien entendu. C'est très élégant, d'autant plus que le reste de l'ossature est du type *Gracilis*, et non pas *Robustus*.

— Tu trouves? a-t-elle demandé en soupirant, les yeux baissés sur les dessins, sans trop savoir s'il s'agissait d'un compliment ou d'une critique.

— Tout à fait. Examine-le un jour, ton bassin, et tu verras comment tes ischio-jambiers sont peu encombrés. Tandis que chez d'autres, hélas! on doit aller à l'aveuglette, et c'est pratiquement impossible de s'y retrouver. Trop de choses dans le chemin de l'anatomiste, trop de masses tendres, de plis; on s'y perd... Regarde celui-ci, par exemple, lui ai-je dit en sortant un autre dessin, magnifique, d'un bassin vu depuis le périnée et exhibant un formidable vagin, travaillé dans le moindre détail. C'est une des copines de Cindy. Remarque ce pubis avancé, plein, prolongé par des lèvres si gonflées qu'on dirait un bulbe prêt à éclore. L'intérieur des cuisses est trop moelleux pour un examen précis; les fesses, on le devine, trop présentes. C'est aussi de l'anatomie, j'en conviens. Mais combien plus difficile à étudier, moins rigoureuse…

Après ce genre d'entretiens, Annette partait pleine d'énergie, silencieuse et conquise, sûrement convaincue du sérieux de mon objet d'études. Peut-être aussi avec plein de petites images qui dérangeraient son sommeil. Quant à moi, j'avoue que je me sentais passablement bouleversé; mes copines du quatrième étage allaient en profiter, réjouies, en se demandant d'où venait un tel appétit.

Mi-mars déjà, Annette acceptait de poser pour un peu plus que de simples portraits. J'avais commencé par faire mention de ses clavicules, en prenant bien soin de ne jamais parler de nuque, de col ni de poitrine, mais uniquement de trapèzes, de sterno-cleido mastoïdiens, de deltoïdes, d'échancrures claviculaires et de grands pectoraux.

— La structure du crâne, je l'ai déjà, ai-je dit après un dessin du visage, dont j'avais soigneusement oublié la peau pour ne garder que les muscles peauciers. Ça va. Maintenant, j'ai une difficulté…

— Quoi… ?

— La clavicule, Annette. J'ai bien capté l'articulation sterno-claviculaire, mais ta blouse voile l'articulation avec l'omoplate. Peux-tu la dégager, cette articulation ? Comme ça, un peu plus, pour mettre aussi en relief le deltoïde et la fosse delto-pectorale. Cette connexion est de grande importance pour l'équilibre de l'ensemble.

Elle se pliait à ce que je lui demandais, un peu maladroitement, mais elle s'y pliait. Nous avions dépassé le point de non-retour. Il fallait simplement que je sois patient, et elle céderait davantage.

Notre intimité augmentait au fur et à mesure que se répétaient nos séances. Annette paraissait gagnée à l'anatomie et elle avait confiance en moi. Nous étions devenus bien plus que de simples copains ; il m'arrivait de l'attendre avec impatience. Par ailleurs, je prenais soin d'être un peu plus discret avec mes dessins, en ne laissant voir que ceux qui étaient vraiment anatomiques.

Après ces exercices de poses, nous allions manger dans des petits restaurants des alentours. Curieusement, Annette avait retrouvé un appétit juvénile devant des hamburgers et des frites ; sans lui donner encore des formes, la nourriture lui donnait au moins un peu de couleur. Et elle riait avec plaisir de nos bavardages.

Ses vagues études avaient bifurqué, je ne sais comment, vers des thèmes anthropologiques, depuis le début du semestre d'hiver. Il était question de scarifications rituelles, de tatouages et d'autres décorations corporelles. Elle paraissait se désintéresser des choses relatives à la mort et aux cadavres, comme si, par un effet cathartique paradoxal, mes leçons sur l'anatomie l'avaient amenée à faire la paix avec le vivant. Il est vrai que, dans son cas, le vivant se limitait à des tribus perdues de la Polynésie, de l'Amazonie ou du cœur de l'Afrique. Elle se sentait d'autant plus à l'aise avec ces sujets qu'elle était persuadée de ne jamais se rendre dans ces contrées sauvages, pleines de bestioles et sans aucun sens moral.

Avec la chaleur du printemps, Annette avait accepté de venir avec moi dans des bars, les fins de semaine, pour écouter de la musique. Elle ne buvait toujours que de l'eau ou du Coca-Cola, mais elle ne faisait plus de grimaces ni de commentaires en me voyant siffler des scotchs.

Fin mai, elle pouvait me donner à voir tout le thorax, même si elle le faisait uniquement les yeux fermés. Ses seins minuscules étaient d'une beauté exquise sur le fond des côtes et du sternum trop saillants. Plus tard, lorsque j'ai entrevu sa mère, j'ai enfin compris par quel étrange miracle l'anorexie d'Annette n'avait pas été en mesure d'empêcher l'efflorescence de ses seins. Mme Rosenberg avait une poitrine gigantesque, qui débordait du décolleté, ainsi que par le bas et les côtés. La fille, par son ascétisme, avait, au contraire, obtenu deux petites coupes rondes, blanches, coiffées presque entièrement par de gros mamelons roses, pointus comme des tétines.

J'étais devenu ensorcelé par l'idée que j'étais en train de posséder son corps, petit à petit, inexorablement. C'était une sorte nouvelle de désir, distincte du désir sexuel, mais partageant avec celui-ci les mêmes rites d'approche et de séduction. Je ne désirais pas la posséder physiquement, ni la toucher. J'étais fasciné simplement parce que je la voyais se dévoiler en confiance, pour se donner en tant qu'objet du dessin, du regard.

Le corps devant moi n'était pas beau, très loin de là. La beauté venait de la tricherie, du mensonge qui soustendait son dévoilement. Je n'avais même pas besoin d'elle pour l'anatomie, car ses muscles étaient trop peu développés, aplatis, se confondant presque avec la peau. Son ossature était d'un aspect cartilagineux et ses formes étaient trop évidentes, entièrement dépourvues de mystère. La beauté du jeu venait du fait de la voir jouer avec moi ce mensonge concernant l'anatomie. Je la soupçonnais chaque jour davantage d'être parfaitement consciente de mes motifs ; et, tout en faisant semblant de respecter les règles, elle se donnait à voir avec de moins en moins d'inhibition, de moins en moins de préambules. La beauté venait aussi de son visage angélique, les yeux baissés, entrouverts, ou des rougeurs soudaines lorsque je l'approchais pour corriger un détail de la pose. Je la touchais alors sans faire semblant de la toucher, comme si elle était un mannequin inanimé. Je crois que, étrangement, elle se plaisait à jouer la poupée sans vie entre mes mains, et qu'elle se délectait à s'imaginer comme un corps inerte entre les mains d'un vivisecteur. Je ne sais pas pourquoi, mais le souvenir de la sculpture de Bernini à Rome — l'extase de sainte Thérèse — me venait souvent à l'esprit. Peut-être à cause de l'hypocrisie dans la sensualité.

C'était un jeu morbide, mais pas entièrement. Plutôt pervers. En fait, Annette renaissait en quelque sorte sous mon regard, elle gagnait une vivacité nouvelle qui s'exprimait jusque dans ses vêtements et ses coiffures. Elle paraissait heureuse, et ses éclats de rire étaient devenus adorables, même si son désir charnel ne se manifestait toujours pas.

Début mai, à une fête pour son anniversaire, je lui ai encore volé un baiser bien innocent, en passant, sous prétexte qu'elle s'en irait à Montréal, et que je ne la verrais pas pendant une semaine. Elle s'est raidie comme la première fois, les bras levés dans un geste de défense, et a aussitôt réagi :

— Max, arrête ! Tu sais que je n'aime pas ça…

— Excuse-moi, ai-je rétorqué un peu surpris. C'était pour te souhaiter bon anniversaire.

— O.K., d'accord… Tu me l'as souhaité. On n'en parle plus. Les anniversaires, tu sais, ça n'a aucune importance.

Elle avait alors vingt-trois ans.

❑

Début juin, je l'ai accompagnée à Montréal pour toucher le deuxième versement de la vente. Postelnik a payé sans sourciller. Je n'ai pas rencontré Rosenberg.

Annette resterait une partie de l'été dans sa famille. Puis, elle irait en voyage ; l'Europe cette fois. Nous nous sommes quittés sans nous embrasser. Elle a simplement pris ma main dans les siennes, très sérieuse, et m'a soufflé le geste d'un baiser.

— Tu vas me manquer, Max… Fais attention à toi.

— Toi aussi, petite camarade. Ça passera vite, ne t'en fais pas. Bientôt on sera de nouveau à New York, tous les deux. Prends soin de toi.

— Ah ! j'oubliais ! Mon père m'a dit de te saluer.

— Allez, Annette, salut !

5

La mort d'un étudiant, tué par la Garde nationale en mai 1970 à Kent, avait déclenché une véritable fièvre dans tout le pays, particulièrement en Californie. Les sit-in, les grass-in, les bed-in et autres happenings contre la guerre du Viêtnam avaient alors gagné un nouvel essor. Soho s'est vidé de sa population bohème durant cet été-là : les gens migraient en masse vers l'ouest pour ne pas rater la fête. Chacun souhaitait un nouveau Woodstock et, faute de mieux, des centaines de rassemblements un peu partout — sous le soleil et au bord de la mer de préférence — tenaient lieu de concert rock permanent. Depuis la dissolution des Beatles, en avril, l'Amérique vivait un foisonnement unique de groupes rock, de western et de blues.

Les gens de notre building avaient suivi le flot, mais j'ai préféré rester en ville. J'avais eu ma dose de foule l'année précédente, à Woodstock, et je voulais lire et dessiner en toute tranquillité. Cette nouvelle année serait peut-être ma dernière à New York, même si je me sentais encore loin d'un but quelconque. En fait, j'avais complètement perdu toute perspective d'avenir ; je me contentais d'apprendre chaque jour davantage, de m'exercer sans trop savoir où cela me mènerait. L'après-New York était trop vague, entièrement ouvert, et la seule certitude était que mon argent ne durerait pas toujours.

Le sculpteur Jan Petersen — celui qui avait démoli le poste de télévision chez Judy — et sa femme étaient aussi restés. Jan profitait de l'été pour refaire son stock hétéroclite de matière première pour ses œuvres : des carcasses d'automobiles et des machines industrielles abandonnées, qu'il dénichait un peu partout, pour ensuite les entasser dans la cour à ferraille de Brooklyn qui lui tenait lieu d'atelier. Il avait des projets grandioses, cet été-là, monumentaux, qui immortaliseraient la décadence de l'Occident. Ce serait quelque chose de très laid, tout en déchets industriels soudés pêle-mêle, d'où ressortiraient des mannequins en plastique, très réalistes, comme des cadavres déchiquetés. Des masses de viscères en résine synthétique multicolore et des gallons de peinture — rouge ketchup et jaune défoliant — compléteraient l'ensemble. Il souhaitait aussi pouvoir utiliser des flashes de lumières mobiles, style explosion de bombes au napalm, et une sonorisation de bruits d'hélicoptère, de chasseurs bombardiers, d'explosions et de cris d'enfants vietnamiens.

Jan avait vu mes dessins anatomiques et il en avait été très impressionné ; non pas par les dessins en tant que tels, mais plutôt par les visions que ceux-ci avaient déclenchées dans son propre cerveau meublé de ferraille. Il avait l'impression de voir des corps, des articulations et des écorchés pour la première fois de sa vie ; par un effet mystérieux, il découvrait aussi une parenté intime entre l'apparence humaine et ce qui l'avait jusqu'alors hanté sous forme de soudure. Il s'était décidé à mettre de la vie dans sa matière inerte. Et cette chair dévitalisée que j'étudiais avec minutie lui paraissait le complément idéal — désormais indispensable — à sa vision de l'impérialisme conquérant.

— Ces montagnes de cadavres décharnés qu'on voit sur les photos des camps de concentration ne m'ont jamais rien inspiré, m'a-t-il confié en examinant mes dessins. Trop maigres, Max, trop jaunes, presque abstraits. Impossible de les utiliser dans mes sculptures. Ces morts étaient les victimes d'une folie mystique, pas de la guerre impérialiste. Et mon thème, tu vois, est justement la catastrophe postindustrielle. C'est à cause de ça que je ne me suis jamais intéressé aux corps humains. À Hiroshima, les corps étaient une matière négligeable, rien que de petites taches noircies sur un paysage lunaire... Tes dessins, au contraire, ça fait très accident industriel, fraîchement arrivé ; bombardement au napalm, boucherie humaine, esclavage moderne, broyage... Tout à fait. C'est génial ! Ils m'ouvrent un champ nouveau. Tu ne peux pas t'imaginer les idées qu'ils me donnent pour utiliser le thème des calamités routières, avec l'automobile comme symbole de l'aliénation, de la sujétion du corps à la machine... D'énormes carambolages en plein brouillard, avec des trucs ferroviaires ici et là, comme de longues carcasses d'usines dans un décor de miasmes. Des familles bourgeoises qui ressortent de la ferraille, un peu partout, déchiquetées comme dans un abattoir fantastique. Superbe ! Tes dessins ajoutent justement la petite touche vitale qui manquait à mes œuvres, le côté humain, tu vois ? La réalité même me paraît différente depuis que j'ai vu tes œuvres, Max. C'est très bien : depuis un certain temps, je commençais à bifurquer dangereusement vers une sorte d'abstraction à la Calder, purement architecturale, décorative. Tes dessins me font voir Dresde à nouveau, Hambourg sous les bombes au phosphore, l'Amérique triomphante comme la bête de l'Apocalypse !

Dans son enthousiasme, Jan déployait la même fureur que durant ses crises de colère. Il m'avait fallu un certain temps pour m'habituer à sa façon d'être; au début, il m'avait laissé un peu perplexe. Son corps formidable se déplaçant à haute vitesse, ses bras qui gesticulaient comme s'ils tenaient des outils de forgeron, et son immense ventre qui menaçait continuellement de renverser son interlocuteur, constituaient le pendant inquiétant de sa voix de basse et de ses yeux exophtalmiques. Sans compter qu'il mesurait presque une tête de plus que moi.

Mais ses moments de grande passion étaient aussi brefs qu'ils étaient exubérants. Jan était par ailleurs un artiste très sérieux et, dans l'intimité, il était la plus douce des créatures. Mary, sa femme, une Hollandaise très petite et tout aussi ronde, se contentait de le regarder en souriant, très amoureuse, pendant ses poussées de fureur créatrice et de révolte politique.

Jan et Mary étaient le seul couple que je fréquentais sporadiquement dans la ruche. Mon propre travail me laissait peu de temps pour les rencontres sociales. J'avais fait quelques croquis de Jan, lorsqu'il soudait dans son atelier ou qu'il manipulait la forge. Son corps immense, ses masses formidables de muscles et de graisse étaient pour moi un objet nouveau, bienvenu, qui me changeait des corps gracieux ou squelettiques des modèles. Quant à Mary, son visage de madone nordique me donnait l'occasion d'essayer des choses plus délicates. Mes premières tentatives de dessiner à la pointe d'argent ont sans doute été inspirées par l'apparence religieuse de son profil, par ses airs d'abandon lorsqu'elle tricotait en silence. Mary, au repos, avait toujours l'air d'être à l'église.

Ces deux-là étaient le couple le plus traditionnel qu'on puisse imaginer. Personne cependant n'osait faire de remarque à ce sujet puisque le Hollandais inspirait un respect craintif. Leur petit appartement était bien tenu, presque bourgeois, sans signe apparent des activités sidérurgiques de l'artiste, et en contraste frappant avec le reste de l'immeuble. Lorsqu'ils sortaient les dimanches, main dans la main, pour aller à la messe, on aurait dit plutôt un couple de paysans européens figés dans leurs habits de fête. Durant la semaine, Jan se couvrait d'une salopette graisseuse comme un simple mécanicien, tandis que Mary arborait, sans ostentation, des tabliers de cuisinière qu'elle avait décorés de broderies.

Depuis le début des vacances, Jan m'invitait parfois à l'accompagner dans ses randonnées de ramassage de ferraille. Ces sorties m'ont permis de voir des endroits très étranges, voire dangereux, que je n'aurais pas connus autrement. Je rencontrais aussi des gens bizarres, dans des quartiers épouvantables, et je découvrais ainsi un visage bien insolite de l'Amérique.

Nous partions tôt le matin dans son vieux pick-up, chaque fois pour une aventure nouvelle, sans rapport avec le milieu bohème où nous vivions. Jan avait des copains un peu partout dans New York, qui lui signalaient la présence de matières premières pour ses sculptures. Des contacts l'attendaient ensuite aux confins de Harlem, dans des immeubles délabrés et habités par des zombis. Ou bien, c'étaient des groupes d'activistes du Bronx qui nous guidaient vers leurs places fortes ; alors, d'autres sculpteurs comme lui — mais noirs, cette fois, du genre Black Panthers —, le recevaient cordialement. Jan leur donnait de précieux conseils pour la construction de toutes sortes de monuments, de cénotaphes ou de parcs d'enfants aux allures de ruines atomiques. Sa propre expérience de soudeur de structures métalliques, acquise sur des chantiers navals en Suède, était aussi mise à profit pour aider les Noirs à renforcer les portes blindées de leurs bunkers et de leurs clubs souterrains. Il soudait ou démolissait lui-même sur place, lorsque le travail lui paraissait trop dangereux ; mais le plus souvent, en bon anarchiste, il se contentait de leur apprendre le métier de façon concrète, en leur prodiguant des conseils sur les matériaux et les techniques. Il dénichait ensuite des carcasses étranges, des engins et des câbles de vieux ascenseurs estropiés, de vieilles bouilloires énormes, des valves et des robinets industriels attachés aux plus incroyables des engrenages, des bielles et des essieux d'un autre temps, des monstruosités mécaniques gonflées de rouille et de vert-de-gris, aux allures toxiques, qui correspondaient à ce qu'il reconnaissait comme appartenant à la décadence de l'Occident. Nous remplissions la camionnette et nous allions vider le tout dans l'immense cour semi-fermée de Brooklyn, où ces choses gonflaient l'amoncellement déjà formidable d'autres décombres du même acabit. Nos randonnées nous conduisaient aussi vers des quartiers rasés de Newark qui ressemblaient à des paysages africains, désertiques, peuplés de gens hagards et immobiles, dans une attente quasi végétale mais aux regards remplis de haine. On poussait vers le sud du New Jersey, à la recherche des immenses cimetières d'automobiles, où les gigantesques entassements de carcasses formaient des murs hauts comme des immeubles. Jan en profitait alors pour faire écraser des morceaux hétéroclites dans les presses hydrauliques; parfois, il obtenait de la sorte des œuvres d'art qu'il considérait, aussitôt, comme entièrement achevées. D'autres fois, c'étaient des morceaux de véhicules militaires, abandonnés dans un dépôt du Delaware, souvent avec des bouts de canons ou de mitrailleuses lourdes très expressives. L'un de ses copains, un sergent unijambiste qui gardait l'endroit, lui fournissait des douilles à canon rongées par l'oxydation, des casques rouillés et d'autres déchets militaires; Jan allait ensuite les faire amalgamer dans les presses hydrauliques, à d'autres objets sinistres, à des tuyaux, à des radios de campagne, ou à des bouts de chenilles de chars. Les pièces ainsi obtenues étaient quelquefois si lourdes et volumineuses qu'il fallait les faire transporter par de gros camions jusqu'à son atelier. Une fois rendue, cette matière première était soit encore soudée pour accentuer l'apparence d'horreur, soit simplement rehaussée de bronzes, polie à l'émeri, bleuie ou brûlée à la torche à acétylène. Et c'est ainsi qu'elles devenaient des sculptures, des œuvres d'art.

Jan vendait ses constructions à des galeries, à des collectionneurs et même à des universités. Il travaillait depuis déjà dix ans à New York, et commençait à jouir d'une renommée assez respectable comme sculpteur.

Je pouvais passer des journées entières dans sa cour, sous une chaleur accablante, à dessiner des amoncellements de ferraille avec une minutie telle que ça devenait de la science-fiction. Pour mettre un peu de vie à l'ensemble, je m'amusais à substituer les articulations des bielles par des articulations animales, les masses métalliques par des gonflements musculaires, en peuplant les engrenages de dents et de doigts humains, et les pare-brise de visages simiesques. J'ajoutais, ici et là, des corps déchiquetés qui sortaient des sculptures, selon des perspectives fantastiques ; ils devenaient des projections, des boursouflures et même des viscosités dégoulinant par terre.

Ces exercices imaginaires étaient exacerbés par la chaleur et par les bouffées d'encouragement de la part de Jan et de ses copains. Mes dessins dépassaient le simple registre de la perversité ; je croyais frôler des visions psychotiques, tératologiques, d'une expressivité tout à fait saisissante. Pourtant, je ne ressentais qu'un plaisir ludique en les faisant, et mon humeur demeurait joyeuse, avec des explosions soudaines d'hilarité. Jan, au contraire, très sérieux, y voyait des révélations d'ordre eschatologique. Il a même réussi à intéresser quelques-uns de ses clients à mes dessins, et c'est ainsi que j'ai pu gagner mon premier — et aussi le seul — argent honnête avec l'art.

Jan et ses copains étaient tous des sculpteurs, des soudeurs au chalumeau, des tailleurs de pierre ou des modeleurs en ciment. Leurs mains énormes étaient bien puissantes, certes, mais aussi définitivement perdues pour tout travail délicat. Aucun d'eux ne savait d'ailleurs dessiner. De toute façon, leur manière de créer de l'art était bien trop moderne pour qu'ils perdent du temps avec des projets mentaux ou des esquisses préliminaires. Chacun procédait par des ajouts successifs, de façon concrète, au hasard de la ferraille ou de l'espace à leur disposition; et ils se guidaient surtout sur l'apparence des accidents se manifestant au fur et à mesure qu'avançait le travail. L'œuvre était considérée comme finie lorsqu'elle avait l'air achevée, ou qu'ils étaient trop fatigués pour continuer. Ça n'avait rien à voir avec une quelconque vision préalable.

— Je travaille comme la nature, disait Jan, en réponse à mes questions. Je ne sais pas comment l'œuvre va finir, puisque ce sont les accidents qui conduisent le sens de l'ensemble. C'est plutôt comme le travail de l'érosion, ou la corruption naturelle du temps sur les choses; dans les meilleurs des cas, comme les effets d'un bombardement. L'œuvre apparaît devant mes yeux par le travail de mes mains et non pas par celui de mon cerveau. C'est la seule façon, pour la matière, de prendre une signification.

Il était ainsi impossible de prédire le temps qu'il faudrait pour réaliser une sculpture. Certaines d'entre elles sortaient déjà prêtes de la presse hydraulique qui écrasait les automobiles. Jan ne daignait même pas polir ni arrondir les lambeaux tranchants qui pendaient dangereusement de la pièce. D'autres — souvent en tous points semblables aux premières —, au contraire, étaient toujours sur des supports, et il les retravaillait des mois et des mois, incapable de se satisfaire ou de prévoir ce qu'elles deviendraient. Dans les coins de la cour, croulant sous la rouille, s'amoncelaient d'ailleurs des masses informes qu'il avait abandonnées en chemin.

— Je ne sais pas, Max. C'est une question d'inspiration, qui me dépasse. C'est comme si Dieu lui-même décidait de la direction de mon travail. C'est en quelque sorte une révélation. Je ne suis que le véhicule d'une volonté supérieure. Voilà pourquoi je n'arrive jamais à expliquer ce que je fais. C'est là, palpable, devant moi, comme le monde a dû paraître aux yeux du Créateur, le septième jour. Je me contente de constater que c'est bien...

Mes propres préoccupations lui étaient entièrement étrangères, et parfois mes questions le plongeaient dans des doutes affreux.

— Dis, Jan, as-tu jamais pensé à modeler quelque chose de neuf? lui ai-je demandé un jour. Je veux dire, commencer avec du neuf, pour le détruire au fur et à mesure, en suivant l'axe du temps, de la dégradation naturelle?

Il a arrêté son travail, interloqué, visiblement confondu par l'absurdité de ma question.

— Je ne sais pas ce que tu veux dire, Max... Tu penses trop.

Tout en continuant à dessiner, l'air un peu absent pour ne pas l'effaroucher, j'ai repris:

— Tu vois, Jan, je me dis qu'il serait peut-être intéressant d'avoir un building bien situé. On te le donnerait, et tu en ferais une immense sculpture urbaine. Ce ne serait pas génial?

— Un vrai building?

— Un vrai, avec des meubles, avec tout pour en faire un vrai building habité. Tu l'attaquerais avec des dégâts d'eau, pour commencer; puis, de petits incendies bien calculés, des charges d'explosifs et même des canons. Tu vois ce que je veux dire?

L'idée avait cessé d'être entièrement absurde à ses yeux; il se voyait à l'œuvre, en imagination. Même ses copains ont cessé leurs bavardages pour s'intéresser à ma proposition.

— Tu veux dire un vrai building, réel?

— Oui, un vrai. Tu pourrais même choisir son emplacement... On ferait sortir les occupants, bien sûr.

Groovy, un Noir spécialisé dans la sculpture avec de vieux pneus, d'habitude silencieux, s'est alors écrié :

— Un immeuble à Wall Street... Je ne ferai même pas sortir les occupants. Ce serait plus réaliste, plus expressif. Les ordures ! Ou alors, un poste de police, hein ?

Cette idée a fait germer d'étranges inspirations dans leurs esprits, et un long silence s'est alors installé, chacun plongé dans ses propres visions.

— Oui, Max, je vois ce que tu veux dire, a fini par soupirer Jan au bout de quelques minutes. Cette idée m'était déjà venue à l'esprit...

— Tu vois, Jan, où je veux en venir ? Ces pilotes, par exemple, qui bombardaient Dresde en 1945 ; est-ce qu'ils faisaient de l'art ?

— Ah, Max ! Voilà où tes idées bizarres t'amènent... Tu perds pied et tu commences à tout confondre. Ces gars-là étaient des criminels à la solde de l'impérialisme yankee, pas des artistes.

— N'empêche que les ruines de Dresde avaient quelque chose d'un monument contre l'impérialisme, Jan, contre la guerre et la bêtise. Tout comme Hiroshima, Harlem, n'est-ce pas ?

— C'est vrai, a-t-il repris avec difficulté, visiblement confus. Mais ils n'avaient pas l'intention de faire de l'art. C'est l'intention qui compte, Max, le désir d'exprimer une signification. L'œuvre d'art est la chose qui sort des mains d'un artiste, pas de celles d'un criminel.

— Et supposons que le criminel avait une intention esthétique ? Pense, par exemple, qu'il était peut-être une sorte d'artiste naïf, plongé dans le plaisir de l'acte pur, transporté, sans trop savoir pourquoi...

— Je ne sais pas... Ces idées peuvent être dangereuses. Il faut une inspiration supérieure, c'est tout ce que je peux te répondre. Sinon, je crois, ce serait de la simple destruction.

Groovy s'était approché de nous et réfléchissait à son tour, visiblement attiré par les pensées dangereuses.

— Les Noirs, pourtant, font de l'art exactement comme ça, a-t-il commencé en forçant expressément son accent. Depuis les émeutes de Watts et de Newark, le paysage de l'Amérique n'est plus le même ; tu seras d'accord, Jan. En Europe, il n'y a pas de ces ghettos rasés, ces espaces vides, incendiés et laissés à l'abandon. Ils font désormais partie de notre identité. Tu ne penses pas que c'est de l'art ? Les graffitis, les immeubles barricadés de Harlem, voilà de l'art urbain ; les gangs de rue sont, en quelque sorte, les troupes de théâtre ou de danse que les Noirs peuvent se permettre. Le médium a changé ; les Noirs ont pris ce qui leur tombait sous la main, et ils ont créé un art nouveau. Je t'assure, Jan, Max a peut-être raison.

— Je ne sais pas, Groovy ; je ne sais pas... J'avoue que j'ai déjà pensé à simplement clôturer un de ces cimetières d'automobiles. Il suffirait de signer sur la porte, et ça deviendrait une sculpture... C'est la peur du ridicule qui m'empêche d'agir. Puis, imaginez-vous, les Allemands pourraient très bien déclarer qu'Auschwitz n'avait été qu'un happening artistique... Il y a quelque chose qui ne va pas dans ton idée, Max. En petites dimensions, ça a l'air intéressant ; mais quand on commence à élargir, cette idée de l'art brut ne marche plus. Trop dangereuse...

Ce genre de discussions déclenchaient souvent des opinions bien insolites, et elles pouvaient avoir un effet paralysant sur les activités créatrices de Jan et de ses copains. Ils devenaient pensifs, peut-être plongés dans des fantaisies de destructions réelles. Et ils finissaient par blaguer, pour éviter d'aller plus loin dans la réflexion. Je devais ainsi continuer seul ma propre quête de sens.

J'avais quand même trouvé un petit débouché pour mes dessins, dans la mesure où je mélangeais l'anatomie et la ferraille, en poussant pas mal fort dans la direction du cadavre déchiqueté. Jan plaçait quelques-unes de mes œuvres, ou il les gardait comme projets de sculptures. Groovy, de son côté, m'avait trouvé des commandes de cartons, en vue de la réalisation de murales dans les quartiers noirs. Des choses du genre «célébration de la race», «l'honneur afro-américain», «je me souviens» ou «la fierté nègre». Il fallait que ce soient des choses faites par des artistes noirs, naturellement. Groovy achetait alors mes cartons, qu'il distribuait un peu partout dans les ghettos, et les artistes locaux s'en servaient pour leurs murales. Je prenais d'ailleurs soin de les préparer grandeur nature, en pièces détachées, avec des schèmes alternatifs, de façon à ce qu'ils servent à plusieurs reprises. Ces commandes sporadiques ne rapportaient pas beaucoup, car les subventions aux organismes noirs étaient minces; et puis, Groovy, en tant qu'intermédiaire et se faisant passer pour l'auteur, gardait une large part du profit.

Ce peu d'argent ne changeait pas ma condition, et je ne voulais pas poursuivre dans cette voie. Je trouvais non seulement que leur art manquait d'étoffe, mais je me demandais aussi si c'était vraiment de l'art. Je considérais que le sérieux du métier, la rigueur de la poursuite des projets imaginaires, et le combat entre les images mentales et le mouvement de la main, étaient les éléments essentiels de la démarche artistique. Leurs accidents, leurs prétendus messages conceptuels, et leurs déchets tout prêts en guise d'œuvres d'art me semblaient relever de la pure et simple fraude. Je me disais alors: «Tant qu'à frauder, autant le faire en grand». Mon expérience auprès de Rosenberg avait laissé des séquelles bien plus profondes que je ne m'imaginais.

— Ton problème, Max, toutes les questions qui t'assaillent, m'avait dit Jan, tout ça vient du fait que tu confonds encore l'art et la beauté. Je ne sais pas t'expliquer, mais tu devrais réfléchir là-dessus. Tes dessins sont trop parfaits… C'est du passé, ça. L'impérialisme a tout détruit, tu vois, tout pollué. L'art de notre temps doit être laid, dur, mal fait, ruiné, violé et sale, s'il veut encore exprimer quoi que ce soit. Ce que tu poursuis, Max, c'est un rêve révolu. À ta place, si tu tiens encore à continuer dans cette voie, je dessinerais seulement des cadavres. Sinon, tu risques soit de t'embourgeoiser, soit de te suicider...

— Tu crois, vraiment ?

— Oui, Max, ta voie est sans issue. Le temps du dessin est fini, comme est fini le temps des réflexions philosophiques. L'artiste doit être comme un boxeur qui cogne, cogne, cogne pour assommer son adversaire ; il n'est pas là pour le faire penser, ni pour l'émerveiller. Trop penser, voilà où ça t'amène, mon vieux : à poser ce genre de questions bizarres, sans queue ni tête. En plus, tu ne crois en rien d'autre que le dessin, et tu fuis la compagnie des gens. C'est de l'orgueil, de la démesure... Tu veux faire mieux que la nature. C'est de la vanité et de la poursuite du vent. La mort seule, la compagnie des cadavres pourra peut-être te ramener aux vivants.

— Repens-toi, mon frère... C'est ça que tu veux me dire, Jan ?

— Je te le dis pour ton bien. L'artiste sans foi et sans humilité n'est qu'un assassin qui s'ignore. Je sens que le meurtre te hante, ou le suicide. Crois-moi, j'ai bien réfléchi à ton genre de questions parce qu'elles me touchent aussi. Mais j'ai la foi, et je crois que l'art est un combat.

❏

Jan voulait sincèrement mon bien. D'une façon naïve, certes, tout en s'accrochant à ses certitudes pour ne pas perdre sa propre voie, mais surtout il voulait que je cesse de me poser des questions. Il aimait profondément mes dessins. Non seulement parce qu'ils ajoutaient de la vie à ses sculptures, mais aussi parce qu'il avait été élevé en Europe, et donc il était sensible à la beauté. Tout en détestant viscéralement l'Amérique, Jan se servait de cette haine comme d'une identification et d'une échappatoire pour ne pas devoir affronter son propre malaise devant les nus de Maillol, les corps disloqués d'un Zadkine ou les visages profondément humains de Rembrandt. Je sais qu'il aimait ces artistes, même s'il n'en parlait que très rarement. L'être humain s'était révélé trop complexe durant la dernière guerre ; comme beaucoup d'autres, Jan avait préféré le fuir plutôt que de reconnaître l'horrible humanité de ses contradictions.

Je ressentais cela d'une façon encore bien confuse, car ma propre quête me paraissait alors une sorte de fuite.

Au début du mois de juillet, avec l'aide d'un compatriote de Jan, j'ai commencé à fréquenter la morgue centrale de New York. Ce copain était un pathologiste d'Amsterdam, en stage de médecine légale aux États-Unis. J'allais le rejoindre chaque fois qu'il prenait le quart de nuit, et je pouvais alors passer huit heures d'affilée à dessiner la moisson macabre de la journée.

Ces exercices nocturnes à la morgue, cette fréquentation du cadavre n'a pas porté sur moi les fruits que Jan avait escomptés. Bien au contraire, curieusement, l'intimité avec la mort m'a ouvert d'étranges portes vers la vie, tout en m'éloignant davantage de l'art de mon temps. Les cadavres m'apprenaient d'ailleurs bien peu, compte tenu de ce que je savais déjà. Cependant, j'y ai fait une intéressante découverte : l'anatomie ne me passionnait véritablement que lorsqu'elle avait trait aux objets vivants, au désir. Cela peut paraître évident aujourd'hui et sans importance ; à l'époque, cependant, cette prise de conscience m'avait bien réjoui, car je me sentais de plus en plus confus face à la nature de mes dessins.

À la morgue, il m'a fallu d'abord m'habituer à l'odeur nauséabonde qui envahissait tout. C'était une odeur étrange, physiologiquement répulsive, avec des relents douceâtres et des picotements dus au formol. Une odeur qui allait d'ailleurs très bien avec les couleurs des cadavres. Elle me paraissait fade, grise, tout en tirant à la fois sur le violet et sur le jaune, avec des teintes verdâtres qu'accentuaient les tubes fluorescents. Impossible de l'ignorer et, ensuite, impossible de m'en débarrasser ; l'odeur des morts me suivait partout, imprégnait mes narines, mon cerveau, mes vêtements. Ma nourriture même se trouvait alors infectée. Seuls les cigares bon marché et les scotchs m'aidaient un peu à la combattre. Cela compliquait les choses puisque je trouvais malaisé de dessiner en fumant et, en sortant de là, tôt le matin, je ne pensais qu'à me saouler.

Le pire était l'apparence des corps. Je les trouvais tous, sans exception, très affaissés, étalés, sans cette énergie interne qui permet aux chairs de s'exprimer en des gonflements complexes et multidimensionnels. C'était extrêmement facile de les dessiner, ces corps sans expression ni vibration, ces visages aplatis, ces ombrages trop prévisibles. Le premier choc passé, même les blessures, les longues cicatrices des autopsies, les démembrements et d'autres caractéristiques sinistres paraissaient aussi dévitalisés que leurs propriétaires. Les sexes étaient devenus de simples excroissances ou des incisions, sans plus. Les mains et les pieds n'étaient que des appendices artificiels, incapables de m'offrir le moindre défi. On aurait dit que les jointures s'étaient arrondies au point de ne plus être que des masses informes, et les corps étaient devenus de simples blocs de chair froide. Les autopsies et les préparations anatomiques manquaient totalement de charme ; les muscles, les tendons et les articulations ainsi exposés devenaient trop simples par rapport à ce que j'étais capable de faire apparaître par mes dessins à partir d'un modèle vivant.

Au bout d'une douzaine de séances, j'en avais assez et je n'y suis plus retourné. Par contre, les dessins que j'avais faits à partir des cadavres — ceux d'un type bien particulier — ont provoqué un singulier intérêt chez Ricky Wallace, le propriétaire de la galerie qui m'avait déjà acheté des dessins avec les sculptures de Jan. En effet, non seulement Ricky a voulu acheter la plupart des esquisses de la morgue, en payant comptant, mais il a même voulu me passer des commandes pour des dessins de corps d'enfants !

— C'est tout à fait des Egon Schiele, Max, m'a-t-il dit avec enthousiasme en commentant mon travail dans son bureau, à l'abri des visiteurs. Peut-être même plus fort encore que les dessins de Schiele, plus abandonnés, soumis. Dommage que tu leur aies laissé les yeux fermés…

— Ils sont morts, Ricky, où veux-tu qu'ils regardent ?

— Je sais… Ils ont un charme indéniable, a-t-il repris avec sa voix mielleuse et ses gestes efféminés. On dirait des anges, les pauvres choux… Je pense que Michel-Ange les aurait dessinés comme ça, tout à fait, ces angelots, ces putti endormis… Très charmant. Je les prends, tous, même si les dessins d'adultes sont moins suggestifs, n'est-ce pas ?

J'avais en effet pris un soin spécial en dessinant les enfants, et l'idée qu'ils pouvaient être des anges endormis m'était vraiment passée par l'esprit. J'avais voulu les traiter délicatement, ces petits êtres si abandonnés parmi les cadavres d'adultes, et qui m'avaient inspiré tant de tendresse et de respect. Or, voilà que l'effet final pouvait être perçu de manière bien différente. Ricky ne cherchait d'ailleurs pas à cacher son excitation.

— Max ! Mon beau Max… Si tu m'ouvres les yeux de ces minets, nous pourrons faire de belles affaires. Tu vois ce que je veux dire ?

— Affaires ?

— Bien sûr ! J'ai beaucoup de clients pour ce genre de dessins ; des gens discrets, qui payent sans discuter. Si tu m'arranges encore un peu les poses, tu vois, en montrant un peu plus, en les faisant plus abandonnées, ce serait comme si Schiele était revenu parmi nous. Egon Schiele avec un trait italien, cette fois. Un vrai délice. Le vieux cochon de Balthus peut aller se coucher !

— Ce sont des enfants, Ricky... On ne peut pas faire du porno avec ça.

— Voilà de grands mots... Voyons donc, Max ! Je respecte ton travail d'artiste et je m'extasie, c'est tout. Je suis quand même marchand, et je ne peux pas oublier le côté commercial, mon cher. Mes clients sont tous des collectionneurs sérieux, des connaisseurs ; et je sais ce qu'ils apprécient dans une œuvre d'art. Tiens, tu ne sembles pas familier avec Egon Schiele... Dommage. Tu devrais au moins y jeter un coup d'œil. Si ton trait était un tantinet plus droit, méchant, on pourrait facilement se tromper. Tu as une main en or, mon beau Max. Si seulement tu voulais te laisser guider...

— Ce n'est pas mes mains qui t'attirent, Ricky. Ne me conte pas d'histoires.

— Ah ! Que les jeunes peuvent être méchants... Mais je te pardonne, mon grand. Ces dessins sont merveilleux. Il m'en faut d'autres, beaucoup d'autres du même genre. Tu n'aurais pas fait, par hasard, des études de dos ? Je veux dire, leurs popotins ?

— Merde ! Tu ne penses qu'au cul...

Je feignais la colère pour me détacher de la situation, pour mieux réfléchir et ne pas accepter son offre. En fait, Ricky me proposait une belle affaire qui me permettrait de rester à New York en toute autonomie. C'était mon ambivalence qui me faisait peur. Je pouvais très bien continuer à dessiner, en toute innocence, sans me soucier de ce qu'il en ferait ; je pourrais même perfectionner la technique, m'ouvrir la voie d'un style, encaisser l'argent et fermer les yeux.

Ricky, de son côté, était tout autant immoral que les autres marchands d'art ; mais Jan avait confiance en lui pour les questions d'argent, ce qui était déjà beaucoup, parce que, bien souvent, c'était l'artiste qui était le premier à se faire rouler. Et puis, il avait un bon flair ; et, sûrement, ses contacts parmi les pédérastes riches seraient très utiles.

Nous nous sommes quittés sans discuter plus à fond. C'était un vrai gentleman lorsqu'il ressentait des réticences morales, des hésitations comme les miennes. Il savait que ces scrupules finissent par passer. Et il était intéressé à rester en bons termes avec moi.

— Sans rancune, hein? mon beau Max. Je voulais uniquement t'aider. Si jamais tu en as d'autres à vendre, n'oublie pas ta vieille tante Ricky, d'accord? Si tu as besoin de quelque chose, viens me voir. Je peux te présenter à des gens bien placés, qui se feraient un plaisir de te donner un coup de pouce. Des femmes, si tu y tiens. Quoique, tu sais, je ne pense pas qu'elles arriveront jamais à percer dans un domaine comme le nôtre, les pauvres. Promets-moi au moins de jeter un coup d'œil sur les œuvres d'Egon Schiele...

❏

Vers la fin d'août, l'immeuble a de nouveau commencé à se remplir. Les gens revenaient du sud, bronzés, habillés comme des Indiens, souvent bien plus sonnés que lorsqu'ils étaient partis. Les ateliers à mon école recommenceraient bientôt, et je profitais de cette période creuse pour réfléchir à mes nouveaux soucis.

Je sentais que quelque chose s'était disloqué après mes expériences de l'été. Pour la première fois, j'éprouvais une sorte d'ennui, un manque d'intérêt face aux événements, comme si les enfants de la morgue avaient en quelque sorte empoisonné mon plaisir de dessiner. Je préférais appeler cela fatigue, plutôt qu'angoisse existentielle comme le voulait la mode, en me disant que cela aussi allait passer. Lorsque j'examinais mes énormes piles de dessins, la même question continuait à me harceler : à quoi bon? Ma petite collection d'aquarelles de Fortin me revenait parfois à l'esprit, comme le souvenir d'une journée joyeuse, perdue à jamais. D'autres fois, au lit avec une fille, pendant que celle-ci parlait sans cesse — la marijuana avait toujours le don de délier la langue et de faire émerger des sottises du genre mystico-écologique —, il m'arrivait aussi de me demander : à quoi bon ? Ou alors, je m'amusais à imaginer la fille en forme de cadavre, couchée dans un tiroir en acier inoxydable, avec une longue cicatrice depuis la gorge jusqu'au pubis... Je crois que j'étais passablement dépressif à cette époque, avec de drôles d'idées qui ne me plaisaient pas du tout, et sans aucune perspective d'avenir. C'est à cause de tout cela que le retour d'Annette m'a fait tant plaisir.

Je comptais reprendre nos jeux interrompus pour la voir s'épanouir un peu, pour l'entendre raconter des histoires banales pendant qu'elle apprenait à se laisser regarder. Mais, surtout, à cause d'Egon Schiele.

Ricky ne m'avait pas oublié ; un jour, j'ai reçu un paquet de sa part. C'étaient deux livres d'art, très luxueux, édités en Autriche, consacrés aux œuvres sur papier de Schiele. Une petite note les accompagnait :

« Cher Max, Otto Kallir et Walter Koschatzky sont les deux grands spécialistes de Egon Schiele. Ils seraient bien surpris, tous les deux, de voir tes petits anges. Pense du mal, si tu veux, mais pense à tata Ricky. »

Je n'avais pas oublié cet artiste, même si Jan disait que Schiele n'était qu'un pervers un peu surfait, attiré par des corps d'une maigreur maladive. Je suis d'ailleurs certain que Jan aurait trouvé décadentes les propositions de Ricky, typiques de l'impérialisme américain. Moi, au contraire, j'ai aussitôt été ébloui par les dessins de Schiele. Je n'avais jamais vu une pareille force d'évocation, ni une si grande économie de moyens au service de l'art. Pour la première fois, je rencontrais un artiste de mon siècle que je pouvais admirer inconditionnellement, qui pouvait m'apprendre quelque chose de nouveau. Je connaissais un peu l'œuvre de quelques expressionnistes allemands, mais leur dessin me laissait insatisfait ; je savais déjà combien on peut tricher en travaillant un tableau à l'huile pour tenter de corriger un trait initial hésitant, voire maladroit. Seul Ludwig Meidner, dans ses portraits à l'encre, m'avait inspiré la même admiration, plus par la vivacité de sa manière que par la perfection de son dessin. Et voilà que je retrouvais, en feuilletant ces livres, la même énergie et la même envie de continuer à dessiner. Le trait de Schiele est, certes, trop simple, droit, presque rigide. Mais quel mordant! Ses personnages sont vivants, lascifs et désirables, provocateurs, voire maladifs. D'une étonnante simplicité qui, par un effet paradoxal, repousse le spectateur vers ses propres fantasmes, pour qu'il revienne enrichir, à sa façon, la surface de la feuille dessinée. Ses angles trop prononcés, ses perspectives inhabituelles, son traitement presque schématique de la peau, tout polarise à la fois le regard direct des personnages et l'exhibition orgueilleuse, méprisante de leur nudité. De rares soupçons de couleur; mais quel métier de coloriste!

J'ai passé toute la nuit à étudier les dessins dans les deux albums, sans me lasser et sans les épuiser. Pendant ce temps, mes angoisses disparaissaient une fois pour toutes, comme par miracle. Mes questions sur l'art perdaient leur raison d'être devant ces planches, car cet art-là se justifiait du simple fait d'exister. Mon propre art m'apparaissait désormais sous un jour nouveau, et des défis originaux se manifestaient d'eux-mêmes. De plus, je n'avais aucune honte en comparant mes dessins à ceux de Schiele; cela me causait un sentiment proche de l'exaltation. J'avais l'impression qu'Egon Schiele en personne aurait su apprécier mes réalisations malgré nos différences dans le trait, dans la présentation des objets. Je pensais aux dessins de la morgue, bien sûr, mais surtout à ceux d'Annette. Le sourire aux lèvres, je me suis alors rendu à l'évidence: si je m'efforçais un tant soit peu de dépouiller mes touches anatomiques et la sensualité de mes lignes, je pourrais produire des Egon Schiele tout à fait acceptables. Et avec beaucoup moins de travail que pour les Fortin et les Richard. Pas besoin de découvrir les mystères du paysage ni les subtilités de la lumière. Cette fois-ci, j'étais dans mon élément : la ligne seule et le corps humain.

Les livres mentionnaient les innombrables dessins perdus de l'artiste, ceux qui avaient motivé son emprisonnement et, plus tard, ceux que les amateurs de Vienne achetaient pour les contempler en cachette. Sûrement qu'ils étaient nombreux, qu'ils sont nombreux. Schiele est l'un des rares artistes dont les dessins exigent la solitude pour qu'ils soient vraiment appréciés. Je ne parle pas de la solitude de l'esthète, mais bien de celle de l'homme qui désire et qui ne craint pas les méandres de sa propre imagination. Et c'était justement à ces dessins-là que je pensais, ceux qui sont enfouis dans des collections très discrètes, probablement cachés, enfermés à double tour dans des placards ; ou qui sont passés d'un amateur à l'autre, sans jamais apparaître sur les murs des galeries. La simple vision de ceux qui étaient reproduits dans les albums déclenchait en moi une féerie d'autres dessins, et ce avec une clarté telle qu'ils devenaient nécessaires. Je savais que je pouvais les réussir, et je me réjouissais à l'idée que mes jeux avec Annette allaient prendre une direction délicieuse.

6

Annette est revenue en septembre, très bavarde et, cette fois, ouvertement contente de me retrouver. Elle avait passé l'été chez des parents, à Paris et à Londres, où elle s'était gavée de merveilles dans les musées. Si, auparavant, son identité d'artiste n'avait été qu'une excuse pour détester sa famille, cette bouffée d'art européen lui avait ouvert les portes de l'imagination. Elle paraissait désormais plus encline à accepter diverses contraintes concrètes reliées au commerce avec l'artiste.

Nous avons aussitôt repris nos séances de dessin. Je m'étais promis d'être patient, cauteleux dans mes avances pour ne pas l'effaroucher, tout au moins jusqu'à ce que nous retrouvions le même degré d'intimité qu'au mois de mai. À ma grande surprise cependant — Annette avait, entre-temps, sûrement rêvé de nos rencontres — elle s'est laissé guider avec un léger empressement, sans que j'aie besoin d'abuser de périphrases ou d'érudition anatomique. J'ai vite fait de dénuder son thorax. Comme je m'y arrêtais un peu trop longuement, son impatience et sa nervosité sont devenues évidentes ; ses propres fantaisies étaient bien au delà du simple torse, et elle paraissait décidée à les satisfaire cette fois.

Les copines du quatrième étage étaient revenues bronzées et grassouillettes de leur migration en Californie, avec plein de nouvelles idées concernant le plaisir sexuel. Nos rencontres me permettaient de ne pas m'affoler devant le petit corps maigre et pâlot d'Annette Rosenberg. J'avançais au même rythme qu'autrefois malgré sa nervosité nouvelle, ses yeux qu'elle ne baissait plus et la permission tacite qu'elle m'accordait de toucher ses seins en arrangeant la pose. En outre, Annette avait pris l'habitude, en arrivant et en partant, de m'offrir ses lèvres fermées pour un petit baiser bien aride ; elle ne protestait pas, non plus, si mes mains l'attiraient alors par le bas des hanches, chaleureusement. C'était à mon tour de faire durer le plaisir. Je voulais être certain d'obtenir mes poses à la Egon Schiele, et j'avais toute l'année devant moi.

Mes récits sur la morgue ont servi, comme je l'avais escompté, à une poussée plus sérieuse vers la fin d'octobre. Annette a été ravie, presque transportée, en examinant les quelques dessins de cadavres très romantiques que j'avais séparés des autres à son intention.

— La morgue, Max ? Des vrais morts ? Raconte !

Ses intérêts morbides étaient encore là, bien présents, et sa curiosité des détails n'avait pas de bornes. Elle est allée jusqu'à se promener devant l'immeuble de la morgue, pour mieux se mettre dans l'ambiance. J'embellissais la chose, naturellement, d'autant plus que je craignais que nos conversations ne dévient du versant érotique pour aller dans je ne sais quelle direction bizarre qu'elle pouvait avoir dans sa tête d'oiseau. Je maintenais la pression à ma manière, en la détournant des autopsies et des blessures par balle, vers les corps des fillettes innocentes. J'inventais des Ophélias et des Juliettes aux couleurs préraphaélites, mais toujours avec un souci délicat d'exposer leurs intimités juvéniles, virginales et combien innocentes, dans une atmosphère de cadavres adultes, de préposés peu respectueux, de pathologistes aux doigts poilus et inquisiteurs. Par un coup de hasard — une inspiration encore une fois inconsciente —, j'avais eu le bonheur de décrire le médecin qui m'accompagnait dans mes séances nocturnes sous les traits de Sammy Rosenberg. En percevant son frémissement, j'ai ajouté aussi quelques détails des examens que celui-ci faisait subir à certains corps très jeunes.

Ces récits, mes dessins et l'imagination d'Annette nous ont fait avancer au pas de course.

— Les meilleurs moments, ai-je dit, c'était quand tous les autres se retiraient dans leurs laboratoires, tard dans la nuit. Je pouvais alors me trouver seul en présence de ces malheureux petits corps. Rien pour déranger, aucune remarque désobligeante, le monde entier endormi. Seul, devant la mort. C'était d'une tendresse si innocente, Annette, que je sortais de là comme purifié, en contact avec quelque chose de plus grand, de plus serein...

Un soir, alors qu'elle posait couchée sur mon lit, elle m'a soudain demandé :

— Est-ce que ma pose ressemble à celle d'une fille, je veux dire, de la fille morte, comme dans ton dessin ?

— Attends un peu, laisse-moi le retrouver. Voilà. Non... Pas de cette façon-là. Permets-moi de replacer ton corps. Ne bouge pas. Ferme tes yeux. Je vais recréer la scène.

Je l'ai alors touchée de la tête au ventre, d'un contact bien rude, comme pour aplatir sa chair.

— Ne bouge pas, laisse-moi faire. Je dégage la hanche, en te levant un peu, comme ça...

J'ai alors dégrafé son jeans, j'ai baissé la fermeture à glissière et je l'ai tiré le long de ses cuisses maigres. Son slip trempé était si odorant que j'ai failli perdre le contrôle en l'ôtant. Annette gardait les yeux et les poings fermés, rigide comme un bâton, et son corps réagissait par un tremblement spasmodique. Son sexe, sans les adiposités habituelles du ventre, était dessiné avec une curieuse netteté, les lèvres protubérantes au beau milieu du large espace entre les cuisses, à peine ombragé par un duvet épars, humide, de forme rectangulaire.

Je l'ai examinée longuement, en silence, jusqu'à ce que son ventre se mette à monter et à descendre amplement, sous une respiration plus tranquille. Elle faisait la morte.

— C'est bien comme ça, Annette. Ne bouge surtout pas. C'est très émouvant... Si la position est confortable, je vais te dessiner.

Il fallait que je dessine, comme à la morgue, sinon elle risquait de se refermer à jamais. Il fallait que je me concentre, que je l'oublie, qu'elle ne soit qu'un corps inerte, des masses et des lignes; il fallait que sa tension et son désir s'effacent, il fallait surtout que nous en restions là.

L'esprit de Schiele m'est peut-être venu en aide, et j'ai pu commencer à travailler en me concentrant sur son coup de crayon. Devant un corps inconnu, seuls les premiers moments sont difficiles. Dès que la pulsion esthétique s'installe par la coordination entre les yeux et la main, le monde perd ses autres significations, les tensions dans le bas-ventre et derrière les couilles s'estompent, les sensations disparaissent d'elles-mêmes, et le travail nous accapare.

Cette première séance a duré presque toute la nuit. Je tenais à assurer mes acquis en tirant profit de sa surprise et de sa fatigue. Les yeux fermés, elle paraissait incapable de changer quoi que ce soit à la situation, et préférait jouer la morte.

En lui racontant des choses sur les cadavres, du *rigor mortis* à la *facies hypocratica*, je gagnais lentement du terrain en manipulant son corps d'une façon précise. Je la réarrangeais à ma manière. Je sentais qu'elle s'abandonnait davantage, que son tonus diminuait à mesure que le travail avançait. La peur ancestrale du viol surmontée, et sentant que je continuais à simplement dessiner, Annette se soumettait, docile, comme si ce corps-là n'était pas le sien. Les poses sont alors devenues plus osées, avec les genoux pliés, le bassin en torsion pour mieux révéler le sexe et les plis des fesses, et ses mains que je déplaçais à ma guise, un peu partout. Même ses doigts, à mesure qu'elle s'assoupissait. Elle se laissait faire, complice malgré ses yeux fermés, et je commençais enfin à voir apparaître les Egon Schiele disparus.

À l'aube, fatigué et repu de ce corps devenu entre-temps un simple objet dans l'espace, je me suis contenté de la border sous les couvertures. Elle paraissait endormie. Assis dans le noir, les fusains et les aquarelles défilaient dans mon esprit, peuplés de fillettes maigres sur des couvertures rayées, de femmes névrotiques, de corps enlacés, de membres anguleux cernés de blanc, de sexes s'exhibant avec des rougeurs provocantes, de mains avides et de regards surpris.

❏

Je sais bien que j'aurais dû la posséder, cette nuit-là ou l'une des suivantes. Je lui devais ça, avant qu'elle se pervertisse définitivement. J'aurais pu la forcer un peu, quitte à faire semblant de la violer. Je sais tout ça aujourd'hui. Elle s'attendait à ce que je le fasse, la pauvre Annette, pour ne pas être obligée de s'enfermer dans le monde amer des mensonges. Hélas! Je ne l'ai pas fait. Il m'arrive de ressentir une pointe de remords au souvenir de son attente passive, frémissante. Aujourd'hui, sans doute, je l'aurais possédée; par tendresse, par gratitude envers sa confiance, par solidarité. Ou rien que pour lui donner l'impression que j'étais vraiment son copain artiste, pour humaniser un peu son rôle de corps dans l'espace. Mais j'étais alors trop passionné par mes propres chimères pour me souvenir d'Annette, de ses sentiments, du fait qu'elle trichait à sa façon en tentant d'être belle entre mes mains.

Je me suis contenté de tricher avec elle pour atteindre mon but. La prendre, à ce moment-là, signifiait la perte de mes Egon Schiele; j'aurais simplement brisé le jeu pour retomber dans la réalité fade des corps satisfaits. Et j'anticipais, avide, tout ce qui allait suivre; je dégustais d'avance le théâtre de son désir, tel qu'il allait se déployer sous la forme de délicieuses perversités. Ce n'était qu'une question de temps. Une fois passé le moment crucial où elle craignait ma pénétration, Annette allait se figer en pur modèle, mannequin docile et poupée obscène, car au théâtre il n'y a jamais de danger réel. La condition figée, le désir voilé par les jeux de scène, les rôles définis par un texte qui écarte la responsabilité individuelle, et voilà que les acteurs peuvent s'oublier confortablement derrière le masque de leurs personnages.

C'est un monde fascinant, en effet, que celui des masques et des physionomies figées, et qu'on appelle le monde de l'art. Le portrait, le simulacre de l'être humain qui se donne à voir, est d'une nature extrêmement ambivalente : il contient dans sa matière inerte — geste, personnage, peinture, maquillage ou déguisement — à la fois la personne vivante et l'idéal mythique de cette même personne, telle qu'elle voudrait qu'on la perçoive. Un portrait accepté par le sujet qui pose n'est jamais son portrait réel. Un portrait qui plaît est nécessairement le portrait de ce que le sujet voudrait être, son projet figé, son masque pour le public, ce qu'il simule pour mieux se dissimuler. Donc, c'est le portrait de ce qu'il n'est pas. Ce portrait ne donne que le visage menteur du personnage, l'identité contrefaite qu'il persiste à proclamer, sa vaine tentative de rompre avec celui-là même qui l'empêche d'être ce qu'il souhaiterait devenir. C'est son masque, qu'il offre volontiers pour séduire et convaincre, et ainsi pour commander le regard d'autrui. Masque et mensonge : tous deux des artifices bien humains pour se protéger des indiscrétions derrière la sécurité des visages fermés, des identités établies et des récits bien achevés. Mystifications.

Ce corps-acteur est en fait le champ de nos artifices pour entraîner l'autre, celui qui nous regarde, dans l'espoir qu'il confirme notre propre désir. Dans ce jeu de cache-cache, cependant, le dissimulé ne peut s'empêcher de réapparaître en surface, de se trahir, car le simulé est justement le pendant de ce qu'on cherche à dissimuler, son contraire ou son complément. D'où ce penchant irrésistible à se montrer de la part de celui qui cherche à se cacher, à montrer qu'il est en fait masqué. Cacher-montrer, et montrer en s'exhibant, pour qu'autrui ne se rappelle pas que l'intention première était celle de passer inaperçu. C'est un piège cruel puisqu'il fige la vie, il emprisonne celui-là même qui cherchait à tricher pour se libérer de ses prisons. Le masque qui me dissimule, en simulant un je qui n'est pas moi, me condamne alors à être l'esclave de ses propres artifices, à me perdre en lui par peur de me retrouver.

Voilà le jeu de reflets aveuglants qui est si facile à voir lorsqu'on n'est pas au centre de la lumière. Je savais très bien qu'il s'agissait d'un jeu macabre, car la mort seule fige définitivement les visages et les existences. Sauf que je croyais que c'était de la mort d'Annette qu'il était question, et que cette mort-là ne me concernait point. Au contraire, j'avais hâte d'explorer plus à fond son petit théâtre pour me délecter de ses artifices, à la manière d'un véritable maître de la vivisection, passionné par sa proie. Je m'amusais de la voir ainsi plier sa pudeur sans humiliation, presque fière de se montrer et de se dévoiler telle qu'elle n'était pas. En la violant du regard, je ne faisais pas attention à l'autre face de son jeu de mensonges, qui pourtant était si évidente. Annette faisait apparaître à la surface de son masque l'ombre d'un être blessé qui tentait, désespérément, de se dérober à mon regard, à son propre regard. En effet, tel était le vain dessein de cette pauvre fille : figer le présent et l'avenir à travers la mise en scène d'un passé qu'elle voulait inexistant, nul et non avenu. Le masque de dévergondage qu'elle acceptait d'enfiler sous le prétexte de faire de l'art la coupait définitivement de la liberté qu'elle avait tant souhaitée.

Je ne savais rien de la petite poupée qu'elle avait un jour été, celle qui, effarouchée par des doigts adultes trop impudiques, par des caresses intrusives et séduisantes, s'était exclue de la féminité adulte. Entre mes mains d'artiste, se croyant enfin protégée de l'agresseur par son copain Max, elle s'essayait à un singulier jeu de rôles : son personnage était celui de la fillette qui peut enfin s'exhiber, car le regard masculin n'était ni vrai ni dangereux. Elle cherchait ainsi à exorciser un autre regard que le mien, d'autres touchers que les miens, et la fillette effrayée qu'elle avait fuie. Et j'ai été complice de son échec.

Si j'avais au moins su... Je l'aurais possédée pour tenter de mettre fin à sa peur, en me substituant à cet autre qui la coupait de la féminité. Au contraire, en acceptant de jouer le jeu des regards innocents, le jeu de l'art, je l'ai condamnée à s'enfoncer davantage dans son monde de simulacres.

Pauvre Annette Rosenberg. Tout s'est déroulé comme une mécanique bien huilée, au delà de mes prévisions les plus osées. Et par mon péché contre nature, celui de préférer le simulacre de l'art à son jeune corps insatisfait, je m'embourbais à mon tour dans le marécage enivrant qu'est le monde des faux-semblants, des contrefaçons et des tromperies. Ce monde d'illusions qui me fascinait depuis si longtemps.

❑

Aux séances suivantes, plus question de revenir en arrière, de parler, ni de laisser une place pour les sentiments. En l'absence du viol qui la faisait frémir, elle a vite épousé son rôle d'actrice, en innovant de façon dévergondée sans même que j'aie besoin de le lui ordonner. Rapidement, elle a ritualisé son déshabillage, et souvent les poses se suivaient, nombreuses, avant que nous en arrivions au corps entièrement dénudé. Elle commençait par m'offrir ses minijupes relevées, d'un air taquin ; puis, sans slip mais toujours habillée, le sexe mis en relief par la pose, son visage prenait des rictus de surprise, d'hésitation ou de frayeur. Aux sourires innocents succédaient les ricanements lascifs ou les grimaces d'extase.

Une fois entièrement nue, elle n'abandonnait pourtant pas le jeu de scène. Ses jambes écartées, en de complexes contorsions, à l'aide des bras et des mains, Annette devenait entièrement une offrande centrée sur son sexe. C'était un crescendo de poses obscènes, jusqu'à ce que, épuisé, je doive esquisser à la hâte son vagin en premier plan, étiré comme pour une planche de gynécologie. Elle n'hésitait d'ailleurs pas à se fouiller des doigts, bien au delà de ce qu'avaient osé les modèles de Schiele.

Annette l'a fait spontanément, en l'espace d'à peine quelques semaines, comme une possédée. Je ne l'ai presque pas guidée dans cette mise en scène ; mon rôle s'est limité aux ordres d'interrompre le mouvement pour figer la pose, de façon à ce que je puisse la dessiner. Dès que je changeais la feuille de papier, elle reprenait ses gestes ralentis, à la recherche de ce qui me plaisait, jusqu'à ce que je lui dise d'arrêter. Elle s'entraînait de la sorte, toute seule, par la simple reconnaissance des poses qui inspiraient mon regard et ma main ; et elle apprenait vite. Avec un tel zèle et un sens de l'art acquis inconsciemment enfant, elle dépassait ainsi mes propres fantasmes, à la recherche des Egon Schiele disparus.

Nous avons, certes, discuté beaucoup des planches de Schiele; c'étaient nos principales sources d'inspiration. Annette les trouvait très attirantes, et son rapport avec les dessins ressemblait à celui d'une femme devant un miroir. Sauf que le miroir en question était mon regard, où elle ne cessait de comparer son corps à ceux des modèles de l'artiste, en étudiant les poses parfois de façon compulsive. Souvent, mécontente de ses performances, elle étudiait ensuite mes propres dessins à la recherche d'innovations bizarres, de nouvelles dislocations pour mieux encadrer son sexe, son cul, les mettre en relief et choquer davantage.

Si je devais me forcer pour prendre toujours au sérieux ces exercices, Annette, au contraire, gardait une attitude circonspecte, concentrée, sans jamais trahir ce qui lui passait à l'esprit. Pour elle, il fallait que ce soit de l'art, que ce soit lourd d'un sens austère, presque solennel, sans quoi son théâtre serait devenu tragiquement grotesque. Mes accès de rire devant certaines de ses acrobaties se frappaient irrémédiablement à sa mine boudeuse et, quelquefois, à son regard de haine.

— Voyons, Max! murmurait-elle d'une voix irritée, lorsque je m'arrêtais soudain à cause de ses exagérations. Attends! Tu vois bien que je cherche la pose, pour ne pas trop répéter…

En fait, au bout de quelques semaines, c'était devenu impossible de ne pas répéter; cela paraissait la navrer. Je ne suis pas arrivé à savoir si elle cherchait à me tenir en éveil par ses variations, ou si cela faisait partie de sa mise en scène. Nous avions quand même fait le tour de son corps et de nos jeux solitaires. Impossible d'aller plus loin sans, soit lui offrir un partenaire, soit passer aux jeux sadiques pour que la souffrance imprime une expression nouvelle à sa chair. J'avais déjà des centaines de dessins; et je connaissais si bien ses artifices, ses expressions, la flexibilité de ses articulations et les détails de son sexe, que j'aurais pu continuer à la dessiner en son absence. Et elle le savait. Ses efforts pour innover paraissaient de plus en plus désespérés.

— Je ne sais plus, Max ! Fais quelque chose...

— Quoi ? Ça va comme ça, détends-toi. Laisse-moi maintenant étudier ton visage ou dessiner ton corps au repos. Ça va nous changer du long travail de ces mois passés.

Annette n'était pas prête à interrompre, et elle souffrait de voir son plaisir s'estomper dans le miroir de mon regard. Heureusement, elle n'avait pas le courage de me demander davantage, et se contentait de simples insinuations :

— Ici, Max, dans ces poses à deux corps... Il y a là quelque chose, ces jambes qui se croisent, tu ne trouves pas ? Ça fait de drôles de perspectives.

— Bien sûr, et je les ai très bien captées, ces perspectives. Regarde.

Je ressortais alors diverses esquisses dans lesquelles j'avais dessiné des Annette entrelacées, mâles et femelles, avec des sexes, des bouches et des fesses interpénétrés, suggérant des étreintes à peine voilées. Ou encore d'autres, où les Annette jouaient des jeux délicats, entre garçons et entre filles, qui feraient gémir de plaisir tante Ricky. Je n'avais évidemment pas besoin d'un autre modèle pour mes poses de couples, et surtout, mon intérêt envers son corps était tari. Voulait-elle un compagnon pour que le viol se réalise, voulait-elle s'avilir devant un témoin, ou cherchait-elle simplement à rallumer ma flamme par la présence d'un désir nouveau ?

— Je ne sais pas, Max... Je le dis comme ça.

— Non, Annette, ce n'est pas nécessaire. Tu es une chic fille de me l'offrir, et je sais que tu accepterais que je fasse venir quelqu'un pour rendre les poses plus complexes. Tu es une vraie artiste... Ce genre d'exercice n'est pas fait pour tout le monde, et je préfère que cela reste entre nous, entre gens vraiment sérieux.

❏

Noël approchait. J'ai dû être ferme pour qu'elle accepte qu'on arrête les séances. Je savais qu'elle vivait très mal cette interruption, mais désormais sa présence ne faisait que m'irriter. J'avais besoin d'être seul pour digérer l'expérience de ces derniers mois, pour me reposer. Je voulais que cesse la mascarade. J'avais mes Egon Schiele et je n'avais plus besoin d'Annette, voilà tout. Même que la seule évocation de la sexualité suffisait à me donner une sensation de dégoût qui frôlait la nausée. Mes sentiments étaient aussi passablement confus, et je ne savais pas comment l'aider pour qu'elle revienne en arrière, pour qu'elle oublie tout, et qu'elle disparaisse de ma vie une fois pour toutes.

— Mon père est malade, Annette... Je dois aller le voir. Je ne sais pas combien de temps ça va prendre. Peut-être après les fêtes, en janvier ou en février, on pourra se voir de nouveau. Et puis, je suis trop fatigué pour continuer à travailler. Tu es bien gentille de vouloir rester, mais le voyage chez toi va te faire du bien. Tu verras. Nous, les artistes, il nous faut du temps pour réfléchir ; on a besoin de solitude, pour que le cerveau reprenne la créativité. Sinon, ça devient répétitif.

Je l'ai mise à la porte, et elle est partie, bien penaude, à Montréal. Pour être certain d'avoir la paix, je suis parti, moi aussi, à Bar Harbor ; mon père et sa nouvelle copine allaient passer le restant de l'hiver au Mexique, et j'aurais toute la solitude dont j'avais besoin.

❏

Bar Harbor est située sur une presqu'île du Maine, la Mount Desert Island. C'est une région peu peuplée, assez sauvage et dont la plus grande partie est protégée par les Parcs nationaux. En été, malheureusement, l'endroit est rempli de touristes. La paix revient en automne, mais je préfère vraiment l'atmosphère sinistre de l'île en hiver, lorsque tout est désert, les commerces pour la plupart fermés. Tout est alors plongé dans les brouillards, et la pluie tombe sans arrêt, jour après jour, avec un ciel très bas, gris de plomb, et une mer vert sale et laiteuse, menaçante. Les routes glacées et mal entretenues contribuent à la sensation de solitude.

Mon père était ravi que j'accepte de garder la maison pendant son voyage et, dans sa bonne humeur, il m'avait laissé suffisamment d'argent pour passer confortablement l'hiver. Sa nouvelle copine, une dentiste de Portland, encore jeune et bien en chair, m'avait fait de l'œil, ce qui a rendu le vieux encore plus content.

— Ça va être des vacances du tonnerre, Max, m'a-t-il dit en partant. Elles sont chaudes et prêtes à tout avant la ménopause... Ma dentiste est juste à point. Essaie de ne pas trop t'ennuyer, ni de trop boire.

— Toi, le vieux, essaie de ne pas revenir marié.

— Ne t'inquiète pas. J'ai passé l'âge des folies destructrices. De toute façon, ma doctoresse a plus de pognon que moi. Tu devrais voir sa fille ; un bijou de petite. Sans blague, ça te ferait un beau mariage. Penses-y. Elle est aussi dentiste, de celles qui mettent des broches dans la bouche des mômes riches. À mon retour, si tout se passe bien, on va te la présenter. Salut.

J'ai passé les premières semaines à me reposer, incapable d'entamer aucune sorte de travail sérieux. La relation avec Annette m'avait littéralement vidé de mon énergie créatrice. En outre, nos séances de dessin, ajoutées aux ateliers de l'école, avaient été si exigeantes du point de vue physique que je me sentais dégoûté de tout effort. Mes journées étaient consacrées à des promenades solitaires, à des lectures, mais aussi, bien souvent, à boire devant la télévision. Je mangeais dans un petit restaurant des alentours et je ne cuisinais que très rarement. Mais je ne m'ennuyais pas. Je me sentais comme si je venais de me réveiller d'un rêve étrange, confus, insolite même s'il n'avait pas ce qu'il faut pour devenir cauchemar. Je regardais en arrière, soulagé de m'en être sorti.

La maison en pierre, massive comme plusieurs dans la région, est isolée des voisins par un bosquet. L'agréable sensation d'être coupé du reste du monde m'envahissait à la vue du feu de cheminée. Mon père avait réuni là un curieux bric-à-brac de meubles, de livres, de tableaux, de souvenirs de voyages, de potiches et de sculptures exotiques. C'est davantage un ramasseur qu'un collectionneur ; chez lui règne un singulier désordre. Ne sachant que faire de toutes ses choses, il s'est contenté d'en acquérir d'autres encore, et il semble avoir oublié de jeter celles qui ne l'intéressaient plus. Des livres à n'en plus finir, beaucoup plus qu'il ne sera jamais capable d'en lire, la plupart encore rangés dans les caisses qu'il avait reçues de Belgique, après la mort de sa mère. Sans compter les vestiges oubliés de toutes ses lubies, depuis les gravures et les livres anciens, jusqu'aux meubles de style, aux plumes, aux clarinettes et aux saxophones de diverses formes et dimensions qui, comme les tableaux québécois, ont fait, l'espace d'un temps, l'objet de sa convoitise commerciale. D'ailleurs, de toute sa collection de tableaux, seuls ceux que je lui avais donnés étaient encore là, en compagnie d'étranges croûtes américaines et belges, genre dix-huitième siècle, très mauvaises, mais dont il croyait encore qu'elles valaient quelque chose. Ses « modernes canadiens », comme disait son courtier, avaient tous été vendus sur mes sages conseils.

Début janvier, déjà bien reposé et ayant suffisamment réfléchi à l'affaire, j'étais prêt pour entreprendre mon coup. L'idée géniale m'était venue lorsque, par oisiveté, je fouillais dans ses boîtes de livres anciens. Rien de très intéressant là-dedans, sinon beaucoup de vieux papiers en très bonne condition, dont l'âge était bel et bien certifié par les dates d'édition. Les gros livres anciens avaient souvent de nombreuses pages blanches ; ou encore, des cartables de beau papier fait main, contenant des gravures d'époque. Ceux-ci, de grandes dimensions, jaunis aux extrémités, avec d'adorables taches de moisissure, n'attendaient que mes dessins pour devenir des œuvres d'art originales. Je ne pouvais tout simplement pas rester insensible à cette quantité de beau papier vierge, si près des vieilles plumes Pelikan du début du siècle et des encriers contenant encore de l'encre séchée. En effet, lorsque j'avais travaillé mes Fortin et mes Richard, ma seule crainte venait de la qualité des supports et des matières. Le dessin n'avait posé aucune difficulté. Mais je me souvenais clairement de l'examen minutieux auquel *mister* Labrecque avait soumis le papier de mes œuvres. Dorénavant, voilà que j'avais à ma disposition tout ce qu'il fallait, en plus du calme et de la solitude pour bien travailler. Comment résister ? J'avais même des boîtes d'aquarelle anciennes — antiquités anglaises de grand style —, rouillées, mais avec suffisamment de restes de pigments oxydés pour que je puisse, en les trafiquant avec du neuf, obtenir de jolies teintes vieillies.

J'ai commencé mes expériences un peu au hasard, en tentant de raviver les résidus écaillés d'encre séchée, dans le fond des divers encriers anciens qui accompagnaient une collection de plumes. De l'encre noire d'écriture, mais aussi de l'encre de Chine et du vieux sépia. L'essence à briquet s'est avérée peu fiable comme solvant, sauf dans le cas de certaines encres vraiment orientales. L'alcool, par contre, pouvait dissoudre partiellement la vieille colle qui servait de liant aux pigments de la plupart des encres européennes. En ajoutant de l'eau, j'obtenais une solution quelque peu affaiblie, pâle, couleur rouille tirant sur le bitume, sans les accents violets de l'encre d'écriture contemporaine. Sur papier, par ses cernes jaunâtres, ce liquide ressemblait à s'y méprendre aux encres gallo-tanniques d'autrefois, lorsqu'elles avaient été trop exposées à la lumière. Par ailleurs, la solution des résidus d'encre de Chine mélangée au sépia, avec un soupçon de rouille noire provenant du suintement des vieux calorifères, produisait des noirs d'une intensité convenable, sans aucune trace des plages brillantes si désagréables qu'on retrouve dans les dessins à l'encre de Chine fraîche. J'ai ajouté à ces mélanges un peu d'encre nouvelle diluée dans de l'eau, bien liée par quelques gouttes de gomme arabique, et je me suis trouvé en possession d'une quantité de matériel suffisante pour une bonne centaine de petits dessins de maître.

Il m'a fallu toute une semaine pour la préparation du papier. J'ai choisi d'abord, avec soin, les livres et les cartables de gravures imprimés entre 1890 et 1918, pour être certain de rester dans l'époque de Schiele. Cela n'avait pas beaucoup d'importance lorsque je découpais les feuilles de garde blanches, les larges enveloppes ou les cartables servant à protéger les gravures. Mais, la vue de plusieurs vieux livres allemands m'avait donné l'idée de recréer quelques-uns des bouquins que ce bon vieux Egon avait possédés lorsqu'il était soldat.

Mon père avait des livres extrêmement hétéroclites : des manuels de pharmacie, des livres de botanique, des récits de voyage, mais surtout des vieux traités de droit, des cahiers de comptes d'entreprises et des ouvrages ayant trait à l'administration coloniale en Afrique. De gros livres, reliés en cuir, et imprimés sur un papier luxueux qui les destinait à survivre pendant des siècles ; en effet, depuis toujours, la bureaucratie a un sens très rigoureux de la durée historique. Les cartables de gravures contenaient des scènes bucoliques sans aucun intérêt artistique ; mais les feuilles de protection et les contenants exhibaient fièrement des filigranes prestigieux.

J'ai découpé les papiers de façon à avoir divers formats. À l'aide de la vapeur d'une bouilloire, j'ai aussi détaché les grandes feuilles de la face interne de plusieurs reliures ; je les ai ensuite recollées sur des cartons anciens, non sans avoir, au préalable, abîmé leurs rebords, en les pliant ou en les déchirant par endroits, pour leur donner une apparence de restauration artisanale.

Le dessin proprement dit a été le plus divertissant. J'ai attaqué l'exécution des œuvres avec le sentiment très agréable de me consacrer à un simple jeu. C'est incroyable comme le trait de Schiele est simple, dépouillé ; c'est là, justement, que réside sa principale force d'évocation. Le gros du travail revenait à simplifier mon propre tracé à partir de mes dessins d'Annette. J'ai appris que, en travaillant debout, j'arrivais à garder la stabilité de la main tout en obtenant un trait plus droit, nerveux. Il m'arrivait d'en faire plusieurs par jour.

Il suffisait, ensuite, de les maltraiter un peu avec des éclaboussures diverses, dont le thé et des points de graisse, ou de manipuler les rebords du papier avec la main enduite de poussières ou de sable fin.

Les livres que m'avait prêtés Ricky contenaient aussi des reproductions de dessins de Gustav Klimt, et de ceux de la première phase d'Oskar Kokoschka. Il est évident que Schiele s'était inspiré de ces deux artistes, surtout de Klimt, son maître spirituel. Mais il avait été beaucoup plus loin que ces deux-là. Tard dans la nuit, légèrement ivre et fatigué du travail de la journée, il m'est arrivé à quelques reprises d'obtenir des mauvais Egon Schiele. S'ils étaient trop droits, stéréotypés, avec des têtes exagérées, je les attribuais à Kokoschka. Ou bien, si ma main tremblait trop et s'ils manquaient de vie, ils devenaient des Klimt. Ces quelques mauvais dessins de nus, de pair avec les livres illustrés par Schiele, ajouteraient une teneur extraordinairement réaliste à ma collection lorsque viendrait le moment de m'en départir.

Contrefaire les diverses manières des signatures m'a pris beaucoup plus de temps que l'exécution des dessins. Malheureusement, je ne disposais pas de suffisamment d'échantillons d'écriture pour créer des annotations dans les marges ; de toute façon, mon allemand n'était pas à la hauteur d'une telle entreprise. J'ai ainsi choisi d'illustrer trois livres avec de simples dessins, en me contentant de signer, ici et là, et de souligner certains passages. Le premier était une édition du *Zarathoustra* de Nietzsche, in-octavo, publié à Leipzig au début du siècle. Je l'ai choisi à cause de Nietzsche, bien sûr ; mais aussi parce qu'il était particulièrement usé, sale, avec tout à fait l'air d'avoir traîné dans les tranchées, et il portait une dédicace d'un père à un fils. Ce livre aurait fort bien pu tomber entre les mains d'Egon Schiele lorsque celui-ci soignait des soldats blessés en tant qu'infirmier d'armée. Le deuxième livre était un exemplaire de la Bible, publié aussi en Allemagne, mais durant la guerre, sur un mauvais papier, avec la mention « papier de guerre ». Le troisième était une réimpression de *Morgue et autres poèmes*, de Gottfried Benn, datant de 1914. J'ai failli ne pas illustrer ce dernier, tant les poésies de Benn me plaisaient et provoquaient en moi des idées originales pour mes propres dessins. Tant pis. J'y ai placé une belle dédicace à Egon lui-même.

Je me suis beaucoup amusé à illustrer ces trois livres avec des vignettes au graphite et à l'encre d'écriture, en pensant aux moments de détente et d'ennui que Schiele avait pu vivre dans son hôpital militaire. Le vieux Zarathoustra a été abordé avec respect, même s'il était représenté comme très maigre, avec des couilles pendantes et un énorme pénis en forme de serpent. Pour Gottfried Benn, j'ai réservé un traitement tout à fait spécial, inspiré par mes propres expériences à la morgue de New York. Les petits dessins auraient fait frémir la pauvre Annette. Mon meilleur travail a été celui des minuscules vignettes qui accompagnaient les scènes de l'Ancien Testament. Dans celles-ci, j'avais décidé que Schiele s'était vraiment bidonné avec Adam, Ève et le serpent, Abraham et Sarah, Sodome, Loth et ses filles, et Noé se dénudant. Voilà des histoires en tout point faites pour un artiste comme lui, me disais-je, et il ne faudrait pas que la postérité lui reproche d'avoir été inhibé par la parole de Dieu. La lutte entre Jacob et l'ange, en particulier, a gagné entre mes mains des accents si érotiques, que même tante Ricky les aurait approuvés avec des battements de sourcils. Tout ce que je n'avais pas pu faire subir à l'ange de Sodome a alors été repris dans ce combat de toute une nuit et de plusieurs dessins. J'ai poursuivi dans la même veine avec Judith, Rachel, Joseph, Putiphar, le pharaon, Job, David et Saul, Salomon et ses milliers de femmes, Suzanne et les vieux, les vieux entre eux et Daniel... Je ne crois pas qu'il y ait jamais eu une Bible illustrée de la sorte, caricaturale et obscène à la fois, mais combien plus réaliste. Je suis persuadé qu'Egon et ses copains de l'hôpital n'auraient rien trouvé à redire à mes dessins.

❏

Je suis revenu à New York début mars, sans avoir été présenté à la fille de la dentiste. Les vacances au Mexique n'avaient pas l'air de s'être passées comme mon père l'avait escompté. Je n'ai pas revu la dentiste, non plus. Pour toute réponse, le vieux s'est borné à rétorquer distraitement :

— Si, ç'a été... Fatigant, très fatigant pour des vacances. On n'est jamais aussi bien que chez soi... Un peu trop minutieuses, à mon goût, les dentistes.

Il était bronzé, plus maigre et d'excellente humeur. Peut-être qu'il était trop tard pour qu'il s'attache, ou qu'il se faisait trop vieux pour ce genre d'escapades avec des divorcées en santé ; je n'en sais rien. Mais il était content de retrouver ses choses en ordre, et il a même insisté pour que j'accepte de l'argent.

Ce n'était donc pas le besoin qui m'a fait reprendre contact avec Ricky Wallace. J'étais content de mon coup et je voulais lui montrer mon travail, pour qu'il m'ouvre les bonnes portes. Il fallait l'appâter en quelque sorte, pour qu'il m'aide à placer mes faux. Fortin et Richard à Montréal, c'était plausible; mais toute une collection d'originaux de l'école de Vienne à New York, ce serait plus que suspect. Le moindre faux pas, et je perdais à la fois mon travail et ma liberté. L'idée de passer dix années dans une prison américaine me remplissait de scrupules.

Ça n'a pas été difficile. À la vue des dessins d'Annette en jeune garçon, Ricky est devenu presque incontrôlable d'euphorie. J'avais choisi parmi mes propres dessins ceux dont je ne m'étais pas servi pour contrefaire des Schiele. Et il a mordu avec ténacité en croyant que j'allais devenir son fournisseur en art pour pédérastes. Sans lui dévoiler l'étendue de mon coup, je lui ai fait comprendre que j'avais suivi ses conseils au sujet de Schiele; et que, un peu sans l'avoir voulu, je me trouvais en possession de deux petits dessins qui ressemblaient à s'y méprendre à ceux de Schiele.

— Tu vois, Ricky, je n'essaie pas de frauder; pas du tout. Ce sont des dessins, à la manière d'Egon Schiele, que j'ai faits pour ma propre jouissance… Je voudrais uniquement que tu m'orientes. Si le spécialiste reconnaît là des Schiele originaux, ce sera son problème… Tu m'arranges le contact en disant qu'un inconnu, un étranger, t'a approché; tu as flairé la bonne affaire, mais tu demandes une expertise. S'ils achètent, ils te donneront une commission, et tu resteras hors du coup. Quant à moi, je ne cherche pas à vendre; je veux uniquement savoir ce que valent ces dessins. Si tu m'aides, tu auras d'autres angelots…

— C'est trop risqué, mon beau Max, a-t-il rétorqué en tournant les yeux de façon exagérée, visiblement nerveux.

Mais l'idée lui plaisait, et il voulait marchander :

— C'est dangereux, Max, nous sommes à New York. Et puis, qu'est-ce que je gagne d'autre ?

— Tu gagnes vingt dessins. Le plus obscènes possible, exactement comme tu voulais.

— Je veux les voir, d'abord.

— Après, Ricky… Ils sont à toi, promis. Si ça marche, je te fais un autre Schiele ; tu le garderas pour placer plus tard, en disant qu'il venait de la même source, mais que tu l'avais gardé par passion.

— Je ne sais pas. Pourquoi tu ne me laisses pas les placer chez des collectionneurs privés ? Ce sont des gens discrets, qui ne s'encombrent pas d'expertises.

C'était sans doute le plus sage, mais aussi le moins payant. Et je ne voulais pas qu'il sache combien j'en avais au juste. Je préférais travailler seul, car je pressentais que les experts en question, devant l'appât du lucre, allaient réagir exactement comme Rosenberg l'avait fait. Puis, sans me l'avouer, j'étais tiraillé par l'envie de me mesurer à ces experts, pour tester la qualité de mon travail et revivre la tension que j'avais ressentie au moment de la vente à Montréal.

Lorsque je lui ai enfin montré les deux dessins en question, il s'est aussitôt décidé.

— Max, mon Dieu… On dirait que tu les as volés ! La signature… Comment as-tu fait ?

— Pas de secrets au préalable. On les place d'abord et je te raconte ensuite, tout.

Le reste s'est passé bien rapidement. Le rendez-vous avec le responsable d'une galerie prestigieuse a été obtenu sans difficulté, pour un jeudi soir, après la fermeture. C'était au troisième étage d'un immeuble commercial, en haut d'une banque, tout ce qu'il y a de plus discret. À part la petite plaque semblable à celles des avocats et des entreprises, rien ne pouvait laisser croire qu'il y avait là une galerie d'art. Sauf que c'était impossible d'y arriver sans rendez-vous : la porte de l'ascenseur ne s'ouvrait que de l'extérieur. Impressionnant.

— Monsieur Max Willem ? Je suis Adam Nagy. Veuillez me suivre, s'il vous plaît.

Le vieux monsieur très élégant à l'accent étranger m'a alors conduit depuis le vestibule jusqu'à une salle d'exposition vide. Deux autres hommes nous y attendaient déjà ; selon leur apparence, ce n'étaient pas des experts mais bien des gardes du corps.

— Asseyez-vous, monsieur Willem, a dit le patron en m'indiquant l'un des fauteuils autour d'une table basse. M. Richard Wallace m'a parlé des dessins que vous avez soumis à son appréciation. Êtes-vous de New York ?

— Non, ai-je répondu avec le plus naïf des sourires. Je suis Canadien.

— Ah !... Canadien français ?

— Si vous voulez. Mon père était Suisse.

— Vous vivez à New York, je suppose ?

— Non, mais j'ai beaucoup d'amis ici. J'y viens chaque fois que je peux.

— Êtes-vous dans le commerce de l'art, monsieur Willem ?

— Non, monsieur Nagy. Je suis encore étudiant, à Montréal. Biologie. C'est mon père qui s'intéressait aux œuvres d'art... Il en collectionnait.

— M. Wallace m'a parlé de son décès. J'en suis désolé.

— Il est mort depuis déjà presque un an.

— Ah !... Et vous cherchez à faire évaluer ses œuvres d'art, je suppose...

— Pas vraiment. Juste quelques dessins. Après sa mort, un de ses associés à l'université avait attiré mon attention sur des documents personnels que mon père avait déposés dans une banque, à Toronto. C'était en fait une collection de dessins... Mon père ne m'en avait jamais parlé et, comme il est mort soudainement, je l'ai découverte plus tard.

— Curieux...

— Ce sont des dessins, comment le dire... D'un style particulier... Érotiques, si vous voulez. Je connais peu de choses à l'art. On m'a dit qu'il s'agit d'œuvres d'un artiste autrichien, Egon Schiele ; et qu'ils pourraient avoir une certaine valeur. C'est ainsi qu'un ami commun m'a mis en contact avec M. Wallace ; il serait, pour ainsi dire, dans le circuit de ce... ce genre d'art.

— Bien, bien sûr. Et les avez-vous apportés, les dessins ?

— Pas tous. Seulement deux, ai-je fait en fouillant dans ma serviette pour sortir le sac en plastique bien quelconque où j'avais mis les dessins. Voilà. Mais, ai-je ajouté avec hésitation, il faudra d'abord que je sache combien coûtera votre opinion. M. Wallace ne m'a pas précisé vos honoraires.

— Voyons d'abord les dessins. Je vous dirai si cela vaut la peine d'entamer un processus d'expertise. Je suis plutôt curieux...

Plus que curieux ; il était en fait impatient de voir ce que contenait le sac en plastique. Ricky avait bien fait son travail, et ce M. Nagy, tout aristocrate qu'il paraissait être, ne pouvait pas cacher la tension de son visage à mes yeux avertis. Et je me rendais compte tout d'un coup que mon jeu était infiniment plus facile que le sien, car je n'avais rien à perdre. J'étais étonnamment calme, ce qui me permettait de prendre facilement la position du naïf qui s'apprête à se faire avoir par un rusé. Quand je l'ai vu cligner les yeux, comme s'il cherchait à focaliser quelque chose, à la mention du dépôt dans une banque, j'ai tout de suite compris que ce M. Nagy chercherait à se montrer très protecteur envers moi. Il ne serait pas question non plus de police ; au contraire, comme la suite de la transaction l'a démontré, il préférait que toute l'affaire reste entre nous, bien discrètement. Désormais, c'était lui le fraudeur et moi la victime, puisque, de toute évidence, j'ignorais la valeur de mon bien.

— Intéressant, a-t-il fini par dire au bout d'un long examen du papier et de l'encre, après avoir fait mine de ne pas s'intéresser au dessin proprement dit. Très intéressant, insolite. Curieux... Ce n'est pas une œuvre répertoriée, ni une œuvre connue. C'est mineur, plutôt une curiosité... Je ne suis pas certain que ce soit vraiment un Schiele, auquel cas une expertise ne serait peut-être pas rentable. Qu'est-ce qui vous fait penser que c'est un original?

D'abord étonné, je me suis contenté de répondre par un haussement d'épaules. Puis:

— Je ne sais pas... Ce n'est pas sa signature, ce petit carré avec son nom? Du moins, c'est ce qu'on m'avait dit à Toronto. Il y a aussi quelque chose d'autre qui me fait penser que c'est bien de cet artiste, ce Egon Schiele. Dans les documents de mon père, qui étaient à la banque, en plus des dessins, j'ai aussi trouvé trois livres. Voici l'un d'eux, ai-je dit en sortant le petit exemplaire de Benn de ma serviette. Regardez, il y a une dédicace. Il est illustré par des esquisses...

Je n'ai pas eu besoin de finir ma phrase. M. Nagy s'est aussitôt emparé du livre et, après un rapide coup d'œil sur la dédicace et sur la date de publication, il s'est mis à le feuilleter comme s'il cherchait quelque chose d'autre. La vue des vignettes a eu un effet accélérateur sur sa respiration, et ses mains se sont mises à trembler. Il a ensuite poursuivi, d'un air plus détaché, par l'examen des tranches et de la reliure.

— « À mon ami Egon Schiele, Mathias Weiss, Vienne, 1915 », a-t-il lu à voix basse en observant la dédicace. Mathias Weiss, c'était un de vos parents?

— Pas que je sache. Les autres livres n'ont pas de dédicace, mais ils contiennent le même type de dessins, dont quelques-uns signés avec le même petit carré.

— Les avez-vous apportés?

— Non, ils sont toujours à la banque. Je n'ai apporté que trois dessins et ce livre. Pensez-vous que cela vaut la peine d'être expertisé?

— Écoutez, Max. Je peux vous appeler Max? Appelez-moi simplement Nagy. Écoutez, ce sont peut-être des choses de la main d'Egon Schiele, quoiqu'il faudra encore les étudier de près. Mais ce sont des curiosités, vous voyez, des souvenirs, plutôt que des œuvres d'art. Cela pourrait avoir une certaine valeur, peut-être, pour certains collectionneurs d'autographes… Combien de dessins, en tout?

— Trente-quatre, en plus des trois livres… Monsieur Nagy, avant d'aller plus loin, il faut que je sois certain que cela en vaut la peine… Je veux dire, de payer une expertise. Je ne suis pas en mesure de dépenser de l'argent sans savoir au juste où je me situe. Depuis la mort de mon père, ma situation n'est pas facile. Je suis encore aux études et, l'an prochain, je compte entreprendre mon doctorat. Alors…

— Je vous comprends.

— Si ce sont là des choses qui peuvent me rapporter de l'argent, d'accord. Je pourrais demander un prêt pour financer l'expertise. Mais quelles sont mes garanties?

— Je vous comprends… Pour donner une opinion, il me faudra voir toute la collection, avec les autres livres. À propos, quelle sorte de livres?

— La Bible et un livre de philosophie; Nietzsche, *Ainsi parla Zarathoustra*.

— Illustrés comme celui-ci?

— Bien plus illustrés, mais…

— Mais…

— C'est que… Ce sont des esquisses plutôt… grivoises. Vous voyez ce que je veux dire? Surtout celles de la Bible. Cela me pose un problème.

— Comment ça?

— Monsieur Nagy, comprenez-moi bien. Je ne suis pas prude, pas du tout; même si beaucoup de ces dessins sont passablement pervers. Je sais, ce n'est pas à moi de juger, et je ne juge pas. Ce ne sont pas mes affaires. Sauf que, ç'a été un choc pour moi de trouver ce genre de collection parmi les choses de mon père. Le professeur Jacob Willem, feu mon père, était un homme très… disons: conservateur. Il était très respecté dans les cercles universitaires. Vous voyez? Voilà pourquoi il n'a pas jugé bon d'en parler.

— Et vous voudriez qu'on ne le mentionne pas?

— C'est ça. Il faut qu'on soit discret à son sujet. S'il a voulu garder le silence là-dessus, je veux respecter son désir. Je ne voudrais surtout pas qu'on mette ça dans un musée avec la mention « Collection Jacob Willem ».

— Bien entendu, ça va de soi. Mais, soyez rassuré, jeune homme, je ne crois pas qu'un musée soit intéressé à acheter ces souvenirs, a-t-il ajouté avec un sourire condescendant. Quelques amateurs, peut-être, à la rigueur... Vous avez dit, tout à l'heure : trois dessins. Où est le troisième ?

Avec une moue d'impuissance, j'ai fait mine d'avouer :

— M. Wallace me l'a demandé... Il le voulait pour lui.

— Il vous a fait une offre ?

— Non, il l'a acheté, ai-je répondu avec l'air de m'excuser.

— Ricky Wallace l'a acheté ?

— Oui, que voulez-vous ? Il l'aimait, et comme il me fallait payer le voyage...

— Peut-on savoir, si ce n'est pas indiscret, combien a-t-il payé ?

— Trois cents dollars.

— Mais c'est inconcevable ! Ces dessins, qui sait ce qu'ils peuvent valoir ? Il ne faut pas aborder une affaire comme ça, à la légère. Attendez, je fais venir mon associé, voulez-vous ?

J'essayais de garder mon air gêné, comme si je m'excusais de ma maladresse et de ma naïveté dans les affaires. Mais cela n'était plus nécessaire. Nagy et Paul Lemberg, son associé, ont aussitôt pris sur eux de me rassurer, de me convaincre qu'ils se sentaient dans l'obligation de me venir en aide dans ce moment difficile : que je devais leur faire confiance, que toute la transaction resterait entre nous, qu'il ne faudrait pas disperser les dessins et les documents, et, surtout, que je devais me méfier de Ricky comme de la peste.

— Voyez-vous, Max, a repris Nagy sous le regard concerné de Lemberg, vous courez un danger en vous mettant sous l'emprise de pseudo-experts... Je peux vous assurer que cette vente à M. Wallace a déjà commencé à entamer la valeur du bien que feu votre père avait pris tant de soin à constituer.

— Ah bon!

— Bien sûr! Car nous sommes prêts à vous offrir immédiatement quatre cents dollars pour chacun de ces dessins, n'est-ce pas, Paul?

Paul Lemberg et les deux gardes du corps ont approuvé du chef, en souriant avec enthousiasme, comme pour m'assurer que nous étions tous des copains, et que la seule ordure était Ricky.

— Sérieux, je vous assure, Max, a aussitôt repris le vieux Nagy d'un air paternel. Et autant aussi pour le petit livre.

— Bien, ai-je répondu un peu surpris, après un court moment d'hésitation. D'accord. Mais, comment savoir au juste la valeur des dessins? Ce n'est pas que je me méfie, croyez-moi, mais ce n'est pas mon domaine, l'art...

— Vous avez raison, jeune homme, a rétorqué Nagy, le visage approbateur. Il faut laisser l'affaire entre nos mains. Nous considérons que ceci n'est qu'un acompte. S'il s'avère que les dessins valent davantage, nous réviserons les prix, bien entendu. L'important, c'est d'évaluer la totalité de la collection, pour en apprécier la signification. Car il s'agit d'un ensemble, et d'un ensemble plutôt insolite, qui se doit, pour cette raison, d'être évalué comme tel. Si les autres dessins correspondent bien à la description que vous faites, cela pourrait avoir un impact sur les œuvres de Schiele déjà reconnues. Ce sera une question pour les historiens de l'art. De toute façon, nous allons travailler ensemble dorénavant, comme des associés... Mon camarade Paul Lemberg et moi, nous sommes les seuls experts de l'école de Vienne en Amérique. Donc, les seuls qui peuvent mettre en valeur une collection d'une telle ampleur. Et nous détenons les contacts nécessaires pour le faire. Encore une fois, Max, ce ne sont pas des œuvres importantes, et Egon Schiele, vous le savez certainement, est loin d'être un représentant majeur de ce mouvement. Mais, tout de même... Notre offre vise à vous aider, à vous encourager à mettre entre nos mains ces œuvres, puisqu'elles correspondent à une période qui nous intéresse. Et nous tenons à garder ce champ d'expertise.

— Vous pouvez m'aider à les vendre, je veux dire, si les autres dessins vous intéressent ?

— Mais bien sûr, nous sommes preneurs et, j'espère que nous avons gagné votre confiance.

— Je sais bien, monsieur Nagy, ai-je dit après un moment de réflexion. Je vous fais confiance. Vous reconnaîtrez qu'un novice se sent vite désemparé dans ce domaine. C'est que l'art n'est pas ma première préoccupation en ce moment. Je préférerais retourner au plus vite à mon doctorat, et avec les moyens financiers nécessaires pour le mener à terme. D'un autre côté, je ne voudrais pas perdre la moitié du gain en payant des impôts, sans compter que je devrai sortir ces dessins du Canada en toute discrétion... Alors, si vous pensez pouvoir vous occuper de tout, je vous serai très reconnaissant.

— Naturellement, Max, je vous comprends très bien. Entre nous, le marché de l'art n'est pas ce que je voudrais pour mon propre fils. Non... Je vous comprends et je vous approuve. Apportez les autres dessins et, si vous voulez, nous vous ferons une offre globale... C'est bien cela ? Mais, nous voulons l'exclusivité. Si la collection commence à se disperser, non seulement elle perd de la valeur comme événement artistique, mais elle risque aussi de mettre en danger la cote des Schiele sur le marché.

Lemberg est revenu avec douze billets de cent dollars tout neufs. Nous nous sommes donné rendez-vous trois semaines plus tard, et nous nous sommes quittés très chaleureusement.

Dès le lendemain, j'ai apporté à Ricky un autre Schiele et une vingtaine de dessins pornographiques. Il voulait connaître les détails de l'entrevue, mais je lui ai seulement dit que Nagy et Lemberg se méfiaient, qu'ils n'avaient pas voulu acheter sans expertise, et que l'affaire serait bouclée dans deux mois.

— Tu les lui a laissés, les dessins ?

— Oui, contre un reçu en bonne et due forme.

— Tu es fou, Max ! Et s'ils ne passent pas l'expertise ?

— Mais non, Ricky, ça va marcher. Ils croient que tu m'en as acheté un pour trois cents dollars, et ils veulent être sûrs que tu m'as eu. Aucun problème. Mais attends au moins six mois avant de le leur offrir, pour être certain que ce n'est pas un piège.

— Pourquoi le leur offrir ? J'adore ce Schiele ! Il s'en va tout droit dans ma collection privée... À propos, mon beau Max, tu ne voudrais pas qu'on se rencontre chez moi pour prendre un verre et célébrer l'affaire ? Je te montrerai ma collection privée...

— Tu ne penses rien qu'au cul, Ricky !

7

Par la vertu de ma crânerie, je venais d'apprendre la première grande leçon de la fraude : toujours s'adresser au plus intéressé, à l'expert, à celui qui s'attend à être reconnu comme tel, au plus vaniteux ; ensuite, se mettre humblement sous sa protection, pour que celui-ci puisse avoir l'enivrante impression de tirer profit de sa propre sagacité. L'arrogance et la fatuité des experts en art sont les atouts majeurs du maître maquilleur, de celui qui cherche à séduire pour mieux exploiter son prochain. C'est un jeu fascinant puisque la victime y est toujours le premier coupable.

Ce qui m'a le plus impressionné dans cette transaction, c'est la facilité avec laquelle tout s'est accompli. Mes dessins étaient de qualité, bien entendu, et j'avais pris les précautions nécessaires concernant les supports et les pigments. Mon histoire par contre était faible, et j'étais trop jeune. Mais j'avais eu la chance d'arriver au bon moment. Surtout, j'avais su choisir ce qui fascinait le plus chez Egon Schiele. Sans en être tout à fait conscient, j'avais créé le genre de pornographie tant apprécié des gens riches, celle qui est ennoblie par l'histoire de l'art et par les prix faramineux. Et puis, c'est bien vrai, l'Amérique est pauvre en art et trop riche en argent; naturellement, elle veut se donner du prestige. Depuis leur galerie, Nagy et Lemberg étaient des agents européens de ce prestige, des fraudeurs bien plus expérimentés que moi, même s'ils croyaient avoir vraiment déniché des œuvres originales. Le nombre limité d'œuvres qu'un artiste peut exécuter de son vivant est un inconvénient majeur dès le moment où il devient célèbre. Alors, pourquoi ne pas rêver de trésors cachés, de trouvailles insolites? Du rêve à la croyance, il n'y a souvent qu'un petit pas à franchir. Mes dessins ressemblaient à des Schiele, ils pouvaient passer pour des Schiele, pourquoi donc s'encombrer de questions inutiles si le portefeuille des collectionneurs brûlait d'envie de s'ouvrir?

Chacune de mes expériences ultérieures auprès des marchands et des experts a été accompagnée de la même insouciance, et mes œuvres ont toujours été reçues avec le même enthousiasme. Quoique l'opinion courante tende à démontrer le contraire, j'ai constamment eu l'impression que, dans leur for intérieur, ceux qui s'occupent du commerce de l'art préfèrent ne pas faire de distinction entre le travail de l'artiste et celui du faussaire. Ils semblent même plus à l'aise avec le faussaire qu'avec l'artiste, peut-être parce que le premier est un homme de bien, qui transige avec des valeurs sûres, respectables; tandis que chaque artiste qui cherche à se faire reconnaître est un tricheur qui s'ignore, un emmerdeur, un va-nu-pieds demandant le gîte dans la maison du pouvoir.

Nagy et Lemberg m'ont reçu très cordialement à ma deuxième visite, autour d'une excellente bouteille de vin et sans la présence encombrante des deux gardes du corps. Ils étaient déçus que je n'aie apporté que seize des trente et un dessins promis ; mais le Nietzsche et la Bible les ont comblés d'une joie si juvénile que mes excuses ont été acceptées sans plus d'analyse ou de méfiance. La vue de tous les dessins étalés sur la table les faisait frémir ; ils avaient là, devant eux, suffisamment de matériel pour reconnaître la main du même artiste qui, soit dit en passant, se confondait avec celle des reproductions contenues dans les catalogues officiels. Et, vu ma jeunesse, je ne pouvais visiblement pas être l'auteur de toutes ces choses. Mon acceptation de leur offre d'ensemble — quatre cents dollars l'unité, comme pour les premiers dessins — a semblé ajouter une touche finale de crédibilité à ma personne, d'autant plus que j'avais inclus dans le lot trois essais ratés, deux signés Klimt et l'autre simplement OK. Je m'étais d'ailleurs empressé de m'excuser maladroitement de la présence de ces trois derniers dessins.

— Voyons, Max ! a rétorqué Nagy d'un air concentré en examinant les dessins à la loupe. Nous les prenons ceux-là aussi, comme nous vous l'avions promis. Évidemment, ce ne sont pas des Schiele, mais ils peuvent avoir une valeur historique si jamais on arrive à identifier les auteurs. Non, l'offre est globale, nous n'allons pas revenir sur notre parole. Quand pensez-vous pouvoir apporter ceux qui restent ?

— Je n'ai pas osé tout apporter d'un seul coup. Si je me fais prendre à la douane… La prochaine fois, je viendrai en avion, et j'apporterai les quinze autres. J'ai même acheté un beau cartable, où je pourrai les mêler à mes textes de biologie moléculaire ; les planches des acides aminés sont très grandes et les dessins seront bien protégés. Par avion, c'est plus discret. En auto, les douaniers fouillent pour chercher de la drogue, et je ne veux pas courir de risque.

— Bien, mais faites attention. Voulez-vous qu'on vous envoie un chauffeur à La Guardia ?

— Ce n'est pas la peine, monsieur Nagy. Avec mes travaux de laboratoire à l'uni, je ne saurai qu'à la dernière minute quand je pourrai revenir. Mais ce sera la semaine prochaine, au plus tard. Je vous téléphone en arrivant.

— Dites, Max, votre père collectionnait des œuvres, n'est-ce pas ? Que faites-vous du restant de sa collection ?

— Ah !... Ce ne sont que des paysages, de peintres canadiens-français. Rien de semblable à ces dessins. Je pourrai en disposer là-bas, à Montréal. Ils n'ont d'ailleurs pas beaucoup de valeur...

— N'oubliez quand même pas de vous adresser à des experts dans le domaine, avant de les vendre. On ne sait jamais...

Ils ont encore payé comptant : soixante-douze billets de cent dollars, tout neufs. J'ai refusé leur invitation à souper sous prétexte qu'un camarade m'attendait pour que nous retournions à Montréal. Nous nous sommes quittés avec de grands sourires et des accolades.

❏

Non, je n'oublie pas Annette. Comment pourrais-je l'oublier, si elle est au centre des événements, à la source de mon exil ?

Dès mon retour de Bar Harbor, et avant même que je puisse prendre contact avec Ricky, Annette était déjà là, à m'attendre, avide de recommencer sa déchéance. Il n'a pas été facile de m'esquiver. J'ai dû consentir à quelques séances de poses dans l'espoir de l'apaiser ; des séances qui ont d'ailleurs tourné en des exercices ouverts de dévergondage. Elle était devenue une créature obscène, obsédée par l'exhibition de son corps dans le moindre détail, sans plus aucune trace de pudeur ni de fierté personnelle. Sentant que ma propre passion était éteinte, elle tentait maladroitement de m'exciter par des poses grotesques, par l'étalage de ses chairs tristes jusqu'au tréfonds des muqueuses. De toute façon, c'était trop tard, même pour un viol.

Elles étaient, en effet, devenues très tristes, ses chairs, en deux mois à peine. Éveillée de façon maladive par la révélation du dévergondage, et ne sachant pas comment apaiser le feu qui la consumait — sa crainte du mâle restant trop primordiale, et moi, son Max, refusant de la violer —, Annette s'était mise à manger. Je ne sais pas comment cela avait commencé, sûrement à Montréal, dans la solitude de sa famille ; mais les effets étaient impressionnants sur ce corps aux muscles atrophiés qui présentait, désormais, un peu partout, des poches flasques d'adiposités jaunâtres, en particulier autour de la taille et à la face intérieure des bras et des cuisses. Ces formes nouvelles pendaient comme des excroissances sans vie, plaquées sur sa maigreur d'une étrange façon, pendant que son ventre avait l'air ballonné, comme si elle était enceinte. Sa peau blême avait perdu sa surface mate et veloutée d'autrefois, pour gagner une sorte de viscosité huileuse aux transpirations abondantes, accompagnée de boutons d'acné sur la poitrine et le visage. On aurait dit la floraison d'une puberté monstrueuse, où les formes féminines, jusqu'alors refusées par ses glandes, se seraient vengées en provoquant une faim colossale pour éclore malgré tout.

Annette mangeait avec un appétit vorace toutes sortes de sucreries et, curieusement, beaucoup de pots Gerber pour bébés. Rien de salé cependant, ni même les pizzas ou les frites qu'elle avait auparavant accepté de grignoter d'un air distant. Maintenant elle avait la passion des produits laitiers, de la crème, des glaces crémeuses, du lait et du chocolat. Et elle mangeait à tout moment, insatiable, comme si, d'un seul coup, elle s'était décidée à rattraper le temps perdu par les moyens les plus directs. Ainsi elle avait toujours des tartines en grande quantité dans son sac, mais elle ne s'encombrait pas du pain : elle se contentait de lécher le miel, le chocolat fondant ou le beurre saupoudré de sucre. Au contraire de la fille boulimique que j'avais autrefois connue à Montréal, Annette ne vomissait pas ce qu'elle avait ingurgité.

Nue, les cuisses grand ouvertes et s'empiffrant de la sorte, les lèvres brillantes de graisse, elle offrait alors un spectacle singulièrement saisissant. Les dessins que j'ai obtenus au cours de ces quelques séances dépassaient le sens même du scabreux, et ils ont fait grand plaisir à Ricky. Les nombreux autres dessins, ceux très beaux du début, lorsqu'elle se dévoilait pudiquement, je les avais gardés pour moi. Je ne pouvais pas m'imaginer que la fatalité allait les destiner à un amateur autrement plus sophistiqué.

En me servant de sa nouvelle passion, j'ai réussi malgré tout à mettre un certain frein aux intrusions d'Annette. Lorsqu'il était impossible de me dérober, surtout quand elle m'attendait patiemment chez Judy, je l'emmenais manger. Nos séances de pose se sont ainsi transformées en rendez-vous au restaurant; pendant qu'elle s'empiffrait, je m'amusais à écouter son bavardage qui, au contraire de son apparence physique, ne s'était pas du tout détérioré. En fait, elle était même devenue encore plus drôle, et ses descriptions des gens avaient gagné une causticité nouvelle. C'était comme si son esprit, aidé par l'abandon définitif des désirs corporels, s'était libéré pour se moquer ouvertement des êtres humains. Et j'avais bien besoin de ces moments de détente. Même si je crânais, l'affaire des Egon Schiele m'avait rendu très nerveux. Je le ressentais dans ma façon automatique de dessiner durant les cours, dans ma perte d'intérêt pour l'anatomie. Je me forçais à dessiner uniquement parce que je voulais me dépenser physiquement, pour que la fatigue produise un effet transitoire de calme. Le reste du temps, je me consolais à la pensée que j'allais bientôt quitter New York et m'établir en Europe. Il fallait attendre encore un peu, boucler la transaction et ensuite partir discrètement pour Bar

Harbor, où j'entreposerais mes choses. Nagy, Lemberg et Ricky allaient financer mon départ.

❑

Annette avait sans doute parlé d'Egon Schiele à son père, ou c'était peut-être parce que j'avais mentionné les peintres canadiens-français à Nagy. De toute façon, Sammy Rosenberg était beaucoup plus mêlé au monde de l'art que je ne l'avais cru. Mon expérience m'a appris par la suite que les contacts entre les grandes galeries, entre les investisseurs et les experts en art, sont aussi étroits que ceux de la mafia. Ils ne connaissent pas de frontières lorsqu'il s'agit de transactions délicates. Et, dans les coulisses, ma vente des Schiele s'était avérée d'une importance qui dépassait ma naïveté de débutant.

Rosenberg avait donc eu vent de ma possible participation à l'affaire des Schiele, et il s'était mobilisé pour tirer l'affaire au clair.

Une semaine après ma deuxième visite chez Nagy, au moment où je m'apprêtais à livrer les derniers dessins, j'ai reçu la visite impromptue de Rosenberg en personne. Il était là, un soir, et bavardait jovialement avec Judy quand je suis arrivé à la maison.

— Je passais, Max, et je pensais qu'on pourrait aller manger ensemble, a-t-il dit en guise de salutations. Annette a dû aller à Montréal, et elle m'a demandé de vous avertir. Ça tombe bien, car j'ai quelques affaires à vous proposer.

J'étais très surpris, méfiant. Mais il avait l'air vraiment content de me retrouver, et j'ai accepté l'invitation.

Rosenberg connaissait bien New York ; il conduisait l'auto de façon détendue tout en bavardant, sans avoir besoin de chercher son chemin. Moi, j'étais perdu dès qu'on avait traversé le pont de Manhattan, en direction de Brooklyn. Il disait des choses sans importance, et même les questions qu'il me posait sur mes études paraissaient n'avoir d'autre but que de meubler la conversation. C'était évident qu'il avait quelque autre idée à l'esprit... Si c'était juste pour la compagnie, pourquoi aller si loin ?

— C'est un beau petit restaurant italien que je fréquente chaque fois que je viens ici, a-t-il dit comme s'il avait deviné ma question. Vous verrez, Max. Un endroit charmant, et où on mange bien. Nous y serons à l'aise pour parler affaires. Car je suis ici pour des affaires, même si un copain à moi a préféré ne pas me mettre dans le coup, a-t-il ajouté en souriant. Mais, je l'approuve, vous savez ? Avec mon aide, il n'aurait pas mieux fait. Et c'est un peu ma faute : je l'ai laissé à lui-même, sans conseils, sans lui refiler mes contacts. Que voulez-vous ? On juge parfois les gens à la légère, on ne les croit pas assez, et ensuite on doit s'en mordre les doigts.

— Vous avez raté des affaires... ?

— Oui et non, Max. En fait, je n'ai rien raté du tout ; mon jeune ami s'est adressé directement aux gens qu'il fallait. De toute façon, Egon Schiele n'est pas ma spécialité...

Surpris, je ne savais que dire ; et je me suis contenté de regarder droit devant, avec l'impression désagréable d'être pris dans une sorte de piège. Mais Rosenberg était bel et bien de bonne humeur, et il m'a aussitôt rassuré :

— Un joli coup, Max. Je trouve seulement dommage de ne pas avoir été informé au préalable. C'est ma responsabilité, je le sais bien. J'avais sous-estimé vos talents ; et vous avez dû travailler seul... Mais, quel risque énorme vous avez couru ! Vous ne dites rien ?

— Dire quoi ?

— D'abord, laissez-moi vous féliciter. Les paysages, à Montréal, j'avais même cru que vous les aviez achetés, en toute naïveté. Mais quand Nagy m'a montré les Egon Schiele qu'il venait d'acquérir, et qu'il m'a parlé du jeune Canadien français, j'ai dû me rendre à l'évidence :

j'avais été idiot. Pour me racheter, je vous dois au moins un bon souper. Peut-être que je pourrai encore me rattraper en vous proposant une sorte d'association. Je gagnerai dans cette affaire, c'est évident. J'espère vous convaincre que vous gagnerez aussi ; beaucoup, et pendant longtemps.

Le restaurant ne payait pas de mine, et la salle du fond où notre table était mise me faisait penser à un repaire de mafiosi. Le patron et les garçons connaissaient bien Rosenberg, ce qui a accentué désagréablement mon impression d'être tombé dans une souricière. Mais que faire d'autre s'il était au courant ? S'il appelait la police, j'étais cuit. Il ne me restait qu'à attendre pour connaître ses intentions. J'étais surtout curieux d'en savoir plus long ; je tentais de me rassurer avec l'idée qu'il avait acheté les paysages en sachant pertinemment que c'étaient mes propres faux. Cette certitude me fascinait et me remplissait de fierté.

— Nagy est-il au courant ? ai-je demandé avec hésitation, après le départ du garçon.

— Justement, non, Max. Si c'est cela que vous voulez savoir, les dessins sont impeccables. Je le connais bien, Nagy. S'il avait soupçonné quoi que ce soit, il ne vous en aurait pas donné autant. Lemberg et lui sont très contents ; leur seule crainte est que vous n'apportiez pas le reste. Il faut ajouter, Max, n'en déplaise à votre fierté, qu'ils vous ont roulé comme un enfant. J'ai examiné les dessins. Du très beau travail ! Avec mon aide, nous aurions pu les faire passer en Europe. D'un autre côté, n'est-ce pas, pourquoi courir le risque, si votre naïveté même a joué un rôle majeur dans la conclusion de l'affaire ? Un si grand nombre d'œuvres venant de la part de quelqu'un du milieu aurait aussitôt provoqué un tollé de méfiance. Donc, en fait, ils ne vous ont pas roulé… Mais, à l'avenir, il faudra compter avec plus que la simple chance.

— Alors, la raison de votre visite…

— Je suis là par hasard, et c'est peut-être tant mieux. Je peux vous donner un coup de main. Après tout, que je sache, je suis votre premier client. Sauf que je croyais avoir l'exclusivité... N'est-ce pas ce qu'on avait convenu?

— Vous n'avez pas été clair à Montréal, monsieur Rosenberg. Comment aurais-je pu le deviner? Je croyais que ça ne concernait que les paysages québécois.

— Bien sûr, c'est de ma faute. Mais cela ne se reproduira plus. Dans le commerce de l'art, vous le savez bien, les contacts, la provenance des œuvres et l'opinion des experts comptent plus que la qualité des œuvres en question. Vous avez été inspiré cette fois-ci; à l'avenir, il serait idiot de courir des risques avec le talent que vous possédez.

Je commençais enfin à déguster la saveur de mon spaghetti *al pesto genovese*. Une sensation agréable de soulagement s'emparait de tout mon corps à mesure que Rosenberg décrivait son projet; même le garçon me paraissait plus sympathique. Le vin blanc frappé à point a cédé la place à un rouge délicieux dès l'arrivée du *vitello calabrese* sur lit de tomates gratinées. Et, pour finir la bouteille, un *gorgonzola* moelleux. Nous étions au café et à la *grappa* lorsqu'il a conclu son plan d'association; c'était en réalité une offre impossible à refuser. Il m'enverrait en Europe pour que j'apprenne à perfectionner mes techniques auprès de l'un de ses lointains associés, et j'aurais un pourcentage des commandes qu'ils m'offriraient. On réviserait l'accord dans un an ou deux, dépendant de ce que j'étais capable d'accomplir.

— De toute façon, Max, vous aviez l'intention d'aller en Europe, n'est-ce pas? Alors, allez-y à nos frais. Je vous offre d'apprendre la restauration d'œuvres d'art auprès d'un vrai maître en la matière, sans courir de risques inutiles. Vous vous y ferez la main et vous vous familiariserez avec le domaine. C'est une chance unique. Et vous n'avez pas le choix... En restant ici, vous finirez par mettre en danger des réputations établies, dont la mienne. Vous savez, vos Egon Schiele entreront dans un catalogue raisonné ; ce n'est qu'une question de temps. Mais votre argent ne durera pas éternellement... Vous seriez obligé de tenter d'autres petits coups, chaque fois plus risqués, car vous serez repéré. Le monde de l'art est très select. Alors, pourquoi ne pas vous associer à nous et faire les choses comme il faut ?

— Je ne comptais pas produire d'autres faux. Ce n'était qu'un moyen, en attendant de finir mes études...

Tous les deux nous savions que je protestais de mon innocence pour la forme uniquement. Le jeu à deux, tout en dégustant la *grappa* avec du café, était d'ailleurs bien agréable.

— Bien sûr, Max. Vous avez une carrière artistique devant vous, et il faut du temps avant d'aboutir. Je vous offre d'exercer un métier parallèle, histoire de tenir jusqu'à ce que votre propre réputation d'artiste soit établie. Ensuite, d'autres jeunes talentueux feront alors des faux Max Willem... Ainsi va la vie. Moi-même, j'ai des intérêts dans le domaine des arts, depuis longtemps, tant ici qu'à Londres, à Zurich... Mais, comme vous pouvez le constater, je dois parfois fermer l'œil lorsque je suis en face d'œuvres de qualité, comme les Marc-Aurèle Fortin. Il faudra vous y habituer ; ça fait partie de l'univers des arts. Il s'agit d'un monde fermé, discret ; si les jeunes amateurs peuvent s'en tirer parce qu'ils ont toujours de la chance au début, à long terme, ou ils joignent les maisons sérieuses ou ils disparaissent. Et vous êtes là pour rester, n'est-ce pas ?

Pendant qu'il discourait, je cherchais à estimer mes chances ; son offre me paraissait trop soudaine, et je me méfiais de sa générosité. J'ai fini par décider que la meilleure façon de m'en tirer était encore de jouer le naïf. Cela m'avait bien aidé jusqu'alors.

— Monsieur Rosenberg, je ne comprends pas très bien, ai-je commencé, en feignant la fatigue et le sommeil. Votre offre est merveilleuse, elle me comble tout à fait. Mais, pourquoi moi ? Qu'est-ce que vous gagnez d'autre à part protéger les quelques Fortin et les Richard que vous avez achetés il y a plus de deux ans ?

— Max, Max... Pourquoi cette méfiance ? Vous êtes allé voir ce salaud, Ricky Wallace. Je suis au courant ; la source d'une vente est la première chose qu'on a intérêt à investiguer. Lorsque je pense à la qualité de vos dessins et au gaspillage qu'un Wallace aurait pu en faire... Heureusement que vous avez agi avec sagesse. Mais, tôt ou tard, un gars comme Wallace va tout bousiller. Voici ce que je gagne : l'occasion de gagner de l'argent, de mettre en valeur des dessins de qualité. Les Fortin ne courent aucun risque. Personne ne vous croirait si vous tentiez de prouver que vous en êtes l'auteur, car ils sont déjà catalogués, avec des études à l'appui et des provenances à toute épreuve. Non, Max. Le seul risque que je cours aujourd'hui est celui de ne pas obtenir quelques beaux Egon Schiele avant que Nagy s'empare du lot. Ce n'est pas un grand risque, j'en conviens, puisque vous n'allez pas nier cette faveur à un vieil associé, n'est-ce pas ? a-t-il conclu avec un clin d'œil et le sourire.

— Ce séjour en Europe... Qu'est-ce que vous attendez en retour ?

— Une part de votre travail, une association, je vous l'ai déjà dit. Votre dessin est très bon, mais il faut aussi connaître le reste. Mes associés et moi, nous pouvons utiliser votre talent pour le dessin. Si vous voulez, on peut considérer cela comme une offre d'emploi. Lorsque vous en aurez assez, vous partirez, et on restera de bons amis. Une offre d'emploi en Europe, voilà. Vous êtes jeune, inconnu, et bien avant que vous commenciez à vous répéter, j'aurai déjà été payé. Puis, si jamais vous décidez de travailler avec nous, à long terme, je suis certain que vous ne le regretterez pas. Et ce n'est pas uniquement pour le dessin ; votre façon d'opérer peut aussi nous être précieuse. Nous avons besoin, là-bas, de courriers fiables, discrets et, pourquoi pas, un peu innocents. Une fois sur place, vous comprendrez ce que je veux dire.

C'était d'autant plus tentant qu'il ne voulait pas de réponse immédiate.

— Vous prendrez calmement votre décision après la conclusion de la vente chez Nagy. Il faudra cependant quitter New York le plus vite possible ; sinon, notre rencontre d'aujourd'hui n'aura jamais eu lieu. Vous voyez ce que je veux dire, quand je parle de risques ? Vous avez fait un bon coup, mais vous êtes brûlé pour toujours sur le marché de New York. Et c'est dommage... Vous auriez été bien plus précieux ici qu'en Europe. Mais ce qui est fait est fait. À l'avenir, on tentera de tirer un meilleur parti de votre travail. Quand comptez-vous apporter le reste de la collection à Nagy ?

— Je ne sais pas. Demain, après-demain ?

— Disons après-demain. Ça me donnera le temps d'en choisir quelques-uns pour moi. Ne vous inquiétez pas ; je paye le prix convenu avec Nagy.

— Un an après ?

— Voyons, Max... C'était ma façon d'être certain que vous ne continueriez pas à inonder la province de Québec avec vos dessins. Non, je peux même les payer maintenant. Tenez, j'en prends quatre ; mais je veux les choisir. Vous direz à Nagy et à Lemberg que vous les avez gardés pour vous, en souvenir de votre père ; que c'était sentimental. Mais vous leur enverrez ensuite les photos et la description que je ferai préparer. De cette façon, ils seront aussi dans le nouveau catalogue, sous la rubrique «collection privée, Montréal». Authentifiés sans même qu'ils les aient vus. Vous apprendrez des trucs du métier qui vous faciliteront énormément la vie.

Tout en parlant, il a sorti un paquet de billets de sa poche, et me l'a donné.

— Voilà. Vous l'avez bien gagné et je suis content de m'associer à votre réussite. Vous m'avez rendu un grand service, a-t-il dit en devenant pensif, les yeux fermés, comme si soudain il se sentait assommé par une très grande fatigue.

Le garçon a encore apporté du café, et une boîte de cigares. Rosenberg s'en est choisi un, dont il a coupé avec soin l'extrémité, et qu'il a léché longuement avant de l'allumer.

— Un grand service, en effet, Max, même s'il m'est arrivé de vous détester à cause de cela. C'est fini, maintenant. Je n'avais pas raison de vous en vouloir. Vous avez fait un grand bien à Annette; même jaloux, je vous en suis reconnaissant.

— Annette... ?

— Oui, Annette; on peut en parler. C'est ma fille après tout. Au début, sa relation avec vous me répugnait. Je suis un homme attaché à la tradition... Votre présence auprès d'elle sentait la mésalliance. Mais j'avais tort. Vous avez su la faire fleurir, elle que je croyais renfermée à jamais. Il est bien curieux qu'elle ait dû passer entre vos mains avant de me revenir, ma fille que j'avais perdue depuis si longtemps... Je suis jaloux, comment peut-il en être autrement? Elle était si farouche, si distante; et moi... si maladroit. J'avoue que j'ai eu un choc en la reconnaissant dans quelques-uns des dessins, lorsque Nagy me les a montrés. Tout à fait la petite fille qu'elle était autrefois, le même corps adorable, la même petite face nerveuse... Ça vous dérangerait de m'en parler?

— Je ne sais pas ce que vous voulez que je dise...

— Rien de spécial. C'est un père amoureux qui vous le demande. Je veux entendre ce que vous avez à me dire; n'importe quoi, tout me sera précieux. Ce que vous voudrez... Je cherche à comprendre, à savoir ce que vous avez fait pour réussir à la sauver. Je me sentais si mal; elle a dû vous raconter... Elle me méprisait; elle a d'abord eu peur, puis elle m'a détesté.

Cette dernière phrase a eu sur moi l'effet d'une douche froide. D'un seul coup, je comprenais ce qu'il voulait dire, ce qu'Annette avait voulu me dire. Et cette certitude a rallumé ma méfiance. L'homme devant moi s'apprêtait à me faire une confidence dangereuse. Mon instinct naturel me disait qu'il valait mieux que je l'en empêche. C'étaient des eaux troubles.

— C'est vrai qu'elle était farouche, monsieur Rosenberg. Mais surtout à la maison, je suppose. Une sorte de crise d'adolescence. Maintenant, c'est passé. Elle ne m'a jamais parlé de ses relations familiales ; ce ne sont pas des sujets dont on parle entre nous.

— Ah !... a-t-il fait soulagé, en s'appuyant de nouveau sur le dossier de sa chaise. Une longue crise d'adolescence, en effet. Elle refusait tellement sa féminité que j'en étais venu à croire que... qu'elle préférait les femmes. Imaginez-vous ! Lorsqu'on ne comprend plus ses enfants, toutes sortes d'idées bizarres nous viennent à l'esprit. Et si timide, refusant de manger, avec des manies... Puis, à cause de vous, elle s'est mise à reprendre goût à la vie. Une sorte de miracle. Comment avez-vous fait ? Est-ce qu'il a fallu lui faire du mal, la forcer... ? Oh ! Je ne sais pas ce que je dis !

Le visage de mon interlocuteur a pris une telle expression de souffrance que j'ai cru qu'il allait exploser.

— Écoutez, monsieur Rosenberg, je n'ai fait aucun miracle. Annette a vieilli, voilà tout. Peut-être que mon amitié l'a aidée à passer au travers de la crise, sans plus.

— Amitié... Voyons donc, Max ! Vous l'aviez, Annette, entièrement pour vous. Les dessins, elle m'a parlé de vos séances de dessin ; mais lorsque j'ai vu les dessins chez Nagy ! Mon Dieu ! elle était à vous, tout entière, là, soumise. Son corps d'enfant, si douce. Et vous, vous l'avez prise de force, vous l'avez déchirée. Cette pensée m'accable... J'en suis devenu obsédé après avoir vu les dessins ; ils ne me sortent plus de l'esprit.

Des eaux très troubles. L'alcool avait levé d'étranges barrières et je n'avais plus le choix. Il fallait maquiller, sinon Rosenberg deviendrait dangereux. Tôt ou tard, il chercherait à se venger de ce qu'il croyait que j'avais obtenu à sa place. Il fallait tricher : il ne pouvait pas se regarder dans le miroir, et c'était à moi de lui trouver un déguisement. Il payerait n'importe quel prix pour une excuse, pour n'importe quelle guenille qui puisse draper sa nudité. La vérité ne ferait qu'aggraver son désarroi. Seule une fiction apaiserait son esprit, en lui permettant de continuer à rêver, à contrefaire la vie.

— Votre imagination vous égare, monsieur Rosenberg. Annette et moi, nous ne sommes que des amis. Vous l'aimez trop, votre fille... C'est votre prérogative de père. Si vous devez malgré tout remercier quelqu'un, allumez donc un cierge pour l'âme du vieux Egon Schiele. C'est lui qui l'a libérée, pas moi.

— Comment donc ? a-t-il fait avec surprise.

— Je ne sais pas au juste. Elle a découvert Schiele et m'en a fait profiter. Peut-être à cause de la ressemblance avec ses modèles. Annette était bien maigrichonne, elle ne se trouvait pas belle ; Schiele a, en quelque sorte, modifié la conscience qu'elle avait d'elle-même. Il l'a fait rêver. Qui sait, à la vue de ses dessins, elle s'est peut-être sentie aimée d'une façon spéciale, regardée par des yeux amoureux qu'elle s'imaginait de toutes pièces. Ou encore, elle a fait la paix avec un regard masculin qu'elle... Je n'en sais rien. J'étais bien étonné, au début, de la voir se transformer, s'épanouir et qu'elle veuille montrer son corps. C'était comme une puberté tardive... Mais nos rapports sont toujours restés amicaux, purement artistiques.

— Voyons, Max ! a-t-il rétorqué déjà apaisé. Vous n'allez pas me dire que... que vous ne l'avez pas prise ?

— Prise ?

— Vous avez couché avec elle...

— Non. Non, monsieur Rosenberg. Nous sommes des amis, uniquement. Je n'ai jamais désiré votre fille de cette façon-là. Excusez-moi de vous décevoir.

— Mais, si belle, elle vous respecte tant ; comment avez-vous fait pour vous contrôler devant ce petit corps si tendre ?

— Parce que je ne la désire pas ; elle non plus, elle ne me désire pas. C'était pour un autre qu'elle se donnait à voir, un autre qu'elle aime dans sa tête de fille. Un autre qui vous ressemble, sûrement, je suppose. Quant à moi, je lui ai offert tout au plus un lieu où elle se sentait en sécurité, ou l'excuse de l'art. Elle me respecte parce que je suis un artiste sérieux, voilà tout. Et dans cet espace de respect, elle a joué pour Egon Schiele ou pour quelqu'un d'autre. Pas pour Max Willem. D'ailleurs, elle sait très bien que j'ai des copines, et elle ne s'est jamais montrée jalouse. Non, vous vous trompez. Que je sache, votre fille est encore vierge.

Son regard d'incrédulité avait quelque chose de forcé, car mon histoire faisait déjà du chemin dans son esprit. Et elle semblait lui être si agréable qu'il n'a pas pu s'empêcher de commander encore d'autres *grappa*, histoire de délier la langue du jeune homme pendant que lui, il suçait son cigare avec appétit.

— Vous croyez vraiment, qu'elle… ? a-t-il demandé avec un sourire ironique et un regard rêveur.

— Elle m'a l'air d'attendre l'homme de ses rêves. En tout cas, ce ne sera pas un goy, vous le savez bien.

— Max, qu'est-ce que vous allez chercher là ? Goy… C'est des vieilleries, tout ça. Les temps ont changé, les jeunes gens ne font plus ce genre de distinctions. Elle est très attachée à vous.

— C'est une amie, je vous l'ai déjà dit. Mais, pour ce qui est du goy, j'en suis certain. Regardez : si j'avais été juif, vous ne feriez pas tant de cas, et nous ne serions pas ici en train de discuter de la virginité de votre fille, n'est-ce pas ? Vous auriez renoncé à votre amour, et j'aurais pris votre place, sans problèmes.

— Donc, vous aussi, vous mettez une barrière ! s'est-il exclamé, triomphant.

— Pas moi. Si je la désirais, je l'aurais... prise, comme vous le dites. Je l'ai d'ailleurs possédée, selon mon désir, qui était celui de la dessiner ; et selon son propre désir à elle, qui était celui de se donner à voir sous l'apparence des modèles de Schiele. Dans ce sens, notre intimité a été très profonde. Vous ne pouvez pas me croire parce que vous l'aimez trop et, à ma place, vous auriez... beaucoup souffert. Mais c'est purement hypothétique, car elle est votre fille, et elle ne pouvait pas se montrer à vous dans la réalité. Mais à travers l'art, si, à travers mon désir, elle arrivait à le faire. D'où son enthousiasme depuis décembre. Vous n'avez pas remarqué le changement ?

— Bien sûr, et comment ! Elle est joyeuse depuis que son appétit est revenu, que ses manies ont disparu. Plus belle aussi, avec des formes féminines. Nos rapports se sont entièrement transformés, nous nous sommes rapprochés l'un de l'autre. Elle ne fuit plus lorsque je l'embrasse...

Le vieux satyre avait mordu à l'appât ; et je m'apprêtais à faire une autre sorte de vente, d'une autre sorte de faux, qu'il chérirait toute sa vie durant, passionnément.

— Bien sûr qu'Annette est transformée, avec de jolies rondeurs qui promettent beaucoup... Et vous, Sammy Rosenberg, malgré toute votre expérience, vous vous êtes laissé berner par l'idée que ce changement avait été causé par la bite d'un goy ? Voyons donc ! Vous vous égarez. Votre fille est un être beaucoup trop raffiné pour ça. C'est une artiste ; elle se relie à l'imaginaire, aux souvenirs d'enfance... La réalité compte pour si peu, et vous savez très bien qu'une bite n'a pas ce pouvoir-là. Sinon, les mariages seraient des lieux de rêve. Non. Son changement en a été un de nature esthétique, une sorte de dévoilement plutôt que de nudité. Elle est maintenant prête pour le seul homme qui compte en tant qu'homme dans son imaginaire, l'homme de ses rêves, celui qui la fait vibrer dans son corps de vierge. Et, cet homme n'est pas moi. D'ailleurs, si je l'avais désirée, votre Annette, j'aurais été très jaloux de ce regard-là, qu'elle a dans son esprit, imprimé dans sa sensualité de fille. C'est lui qui l'a conduite à s'offrir avec tant d'innocence impudique.

Rosenberg soupirait, les yeux fermés, le visage crispé, ses mains et ses doigts avaient perdu leur couleur tellement il s'agrippait avec force à la table. Tout cela trahissait un état bien éloigné de la fatigue. J'étais fier de ma performance, soulagé aussi du fait que ma propre nervosité avait contré les dangereux glissements dus à la *grappa*.

— Peut-être, a-t-il murmuré au bout d'un long moment.

— Pas peut-être ; j'en suis certain. J'ai été le témoin de cette transformation. Mes dessins en sont pénétrés... Pas les Schiele, qui sont des contrefaçons trop travaillées. Les vrais dessins que je faisais, soir après soir, pour documenter mon émerveillement. Ceux-là, ce ne sont pas des faux.

— Vous les avez encore ? a-t-il demandé en sursautant. Tous ?

— Oui, je les ai. C'est mon art, ma passion à moi. C'est pour faire cette sorte de dessins que j'ai besoin d'argent.

— Je les achète ! Combien voulez-vous ?

— Excusez-moi, monsieur Rosenberg, mais ils ne sont pas à vendre. De toute façon, vous n'auriez pas assez pour les acheter. Il y en a trop, plus d'une centaine ; soir après soir, comme une narration de ce qu'Annette a vécu pour l'homme de son imagination. C'est trop intime, aussi ; je n'ai peut-être pas le droit de les vendre. Sauf à votre fille... Hélas ! Je ne crois pas que la vue de ces dessins lui ferait du bien.

— Sait-elle que vous les avez ?

— Non. Elle croit que je les ai détruits au fur et à mesure. Mais, je n'aurais pas pu les détruire. Je les ai gardés pour moi, en souvenir d'un amour.

Rosenberg m'a alors regardé intensément et, tendant sa main, il a serré très fort mon bras avant de parler, d'une voix douce :

— Eh bien, Max, ce n'était pas seulement esthétique, n'est-ce pas ?

— Si, malheureusement...

— Vous l'aimez, ma fille ?

— Non. L'amour dont je parle est celui que j'ai vu, là, se déployant devant mes yeux, entre une fille amoureuse et l'homme de ses rêves. J'étais un simple témoin. Si j'ai ressenti de la tristesse, c'était bien devant l'intensité de cet amour, de cette sensualité, car je sais que ces choses n'arrivent que très rarement. J'étais plutôt ému. Pour l'artiste, c'est un ferment formidable ; il rend vivante la trace du crayon.

Rosenberg a dû beaucoup insister avant que j'accepte de me départir des dessins d'Annette. Deux mille dollars pour une centaine de dessins n'est pas beaucoup, mais il ne s'agissait pas d'une véritable vente. J'ai accepté de les lui donner, pour qu'ils les conserve en toute discrétion. L'argent n'était qu'un petit cadeau qu'il me faisait, en attendant de me payer le voyage en Europe.

Je lui ai promis de les apporter à mon studio le lendemain, avec les Schiele, prétextant qu'ils étaient dans mon casier à l'école. Mensonge nécessaire, car il était si excité qu'il voulait monter tout de suite pour les prendre, les dessins de sa petite fille chérie. Or, j'aurais encore à trier ceux que j'allais lui donner ; et j'en avais tellement !

J'ai passé presque le restant de la nuit à choisir sa collection de dessins. Il fallait que l'ensemble crée une sorte de suite cohérente du processus de séduction et de dévoilement, tel que je le lui avais raconté ; quelque chose du genre strip-tease pour vieux papa pervers. Avec les plus jolis dessins, pour ne pas le choquer, tout en lui en donnant assez pour nourrir son imagination. Rien de grossier qui puisse raviver dans son esprit le sale goy devant qui sa petite Annette s'était dévergondée. D'ailleurs, les dessins les plus incisifs — dont ceux de sa phase gloutonne — feraient le bonheur des clients de Ricky.

Le lendemain, il a été ravi de la pile de dessins que je lui ai offerte. En payant comme il l'avait promis, il a réclamé aussi les trois autres que j'avais épinglés sur le mur, la veille. C'étaient trois petits portraits dont je lui avais dit qu'ils étaient très personnels, mais que j'ai accepté, d'un air triste, d'inclure dans le lot.

— Vous me laissez sans aucun souvenir, monsieur Rosenberg…

— Max, on avait dit tous. Tous, c'est tous. C'est comme ça, en affaires. Et désormais on est des associés. Si jamais vous voulez revoir les dessins, il me fera plaisir de vous les montrer, naturellement. Annette nous a liés, mon vieux Max, intimement.

Il a choisi aussi les quatre plus beaux Egon Schiele, qu'il avait déjà payés, et il est reparti heureux avec son butin.

❏

L'affaire avec Nagy et Lemberg s'est déroulée aussi facilement que les deux rencontres précédentes. Ils ont trouvé bien normal que je garde quelques dessins en souvenir, comme Rosenberg m'avait dit de le faire, et ils se sont même mis à ma disposition si jamais je décidais de m'en défaire.

Avec Ricky, au contraire, il m'a fallu négocier de manière plus serrée. Il était content des dessins que je lui offrais, mais il insistait pour obtenir au moins une dizaine de signatures de Schiele. J'ai refusé, et j'ai réussi à lui faire peur en racontant que la transaction avait mal tourné avec Nagy, et que les deux associés étaient au courant de sa participation. Heureusement que son nouveau copain, Marcelo — un jeune peintre du Venezuela qu'il était en train de lancer à New York —, s'est senti tellement inspiré par mes dessins qu'il a décidé de les signer de son propre nom, pour ensuite les vendre en Californie. L'idée avait plu à Ricky, mais il n'a accepté de payer que mille cinq cents dollars pour la collection de plus de cent dessins.

Début juin, j'ai liquidé mon bail avec Judy et j'ai quitté New York. Jan Petersen a hérité de la plupart des autres travaux que j'avais réalisés durant les deux années de mon séjour ; je n'ai conservé que les études reliées à l'anatomie.

J'ai passé l'été seul dans la maison de Bar Harbor ; puis, fin août, je suis allé à Montréal pour mon rendez-vous avec Sammy Rosenberg.

8

Pourquoi ai-je accepté l'offre de Rosenberg ? N'avais-je pas déjà assez d'argent pour aller vivre en Europe pendant des années par mes propres moyens ? De toute façon, mon père approuvait ce projet et il m'aurait soutenu financièrement si le besoin s'en était fait sentir. Non, l'argent était seulement une excuse.

Il est vrai que j'étais dans une impasse en ce qui concerne la qualité de mes dessins. Mes deux années à New York n'avaient fait qu'accentuer le contraste entre ma façon de travailler et ce que le monde artistique considérait comme étant de l'art. Arrivé à un certain point de perfection, il était impossible de revenir en arrière. D'ailleurs, même l'anatomie à la Art Student's League était déjà une fuite en avant. Ensuite, la seule façon de gagner ma vie aurait été soit la publicité, soit la bande dessinée. J'avais donc besoin d'un exutoire, d'une sorte de vengeance si je voulais continuer à faire de l'art. Mais j'aurais pu, tout aussi bien, tenter de continuer mon propre travail d'artiste en Europe, jusqu'à ce qu'un échec me pousse vers autre chose.

J'ai bien réfléchi à mon état d'esprit d'alors. Les visions étranges qui m'habitaient commençaient à devenir trop obsédantes, et elles ont contribué à ma fuite. Je me dépensais physiquement en dessinant comme un forcené, mais ça ne suffisait plus à m'apaiser. Le travail à la morgue, les bizarreries que j'avais entreprises sous l'influence de Jan Petersen, et surtout les expériences avec Annette m'avaient passablement dérangé ; beaucoup plus que je ne voulais me l'avouer. Il était devenu impossible de dessiner sans que tout se mélange d'une étrange façon, les corps, les écorchés et les squelettes, les cadavres et les machines, la sensualité et la torture. Et j'avais la frousse. Je ne ressentais plus le besoin de passer à l'acte et je n'éprouvais aucune sensation érotique pour le moment, mais je craignais que ce ne soit qu'une question de temps avant que les choses se mettent à chavirer. Les visions d'Annette Rosenberg gonflée comme une outre et qui éclate, percée par son squelette trop pointu, alternaient avec celles de son sexe devenu gigantesque, telle une formidable ventouse qui, en inversant son pouvoir d'aspiration, avalait littéralement son corps maigre, comme un habit qu'on retourne. L'obscénité de ses gestes commençait à se mêler à celle de la nourriture, et le grotesque dans mes dessins menaçait de glisser vers le scabreux, le scatologique. J'étais pourtant incapable de ne pas dessiner ces visions diaboliques. Toute beauté extérieure m'apparaissait comme un voile trompeur, un masque, un maquillage que je me devais de dépasser vers une quelconque vérité secrète. Mes efforts n'aboutissaient qu'à l'anatomie, qu'aux entrailles, et ils se perdaient dans la mécanique cadavérique d'où je ne pouvais émerger que par l'horreur. C'était peut-être ma façon personnelle de payer pour la démesure que j'avais commise envers Annette. Némésis se vengeait de celui qui avait préféré l'art à la vie. Je le sais très bien, car elle continue de hanter mes gestes et de me priver de la beauté. Fuir était une solution, et la proposition de Rosenberg m'apparaissait bel et bien comme une occasion de fuite.

Mais ce n'est pas tout, ce n'est pas l'essentiel. Ma passion de l'anatomie et l'intérêt avec lequel j'avais exploré la mort se réduisent à un désir bien plus ancien, plus fondamental. C'est un thème que je n'arrive pas à exprimer autrement qu'en parlant de l'envers des choses, de ce qui nous guette sous les apparences. J'étais charmé par ce que cachent les réalités matérielles, par ce qui est voilé et qui se dérobe, par la face concave des masques que l'on enfile. Cet objet-là, caché, je ne l'ai jamais trouvé ; mais la seule pensée qu'il existe m'obsède et me pousse à le traquer. Et ce penchant — ou ce vice — m'empêche de jouir du réel tel qu'il se présente dans sa banalité quotidienne. En fin de compte, ce que j'obtiens n'est certes pas beau, mais c'est infiniment plus rassurant. Je sais qu'il est là, et il sait que je ne suis pas dupe.

Autrefois, je croyais que le dessin de l'apparence des choses me permettrait d'approfondir leur connaissance par une appréhension d'éléments qui se dérobent à l'œil non averti. Toutefois, de glissement en glissement, j'en étais venu à détruire l'objet même de mon regard...

Je sais cependant que cette obsession de la dyade endroit-envers, que ce penchant morbide pour les déguisements a largement contribué à ce que j'accepte avec plaisir l'offre de Rosenberg. Ça n'a pas été une décision intellectuelle, prise dans le but d'explorer une quelconque abstraction philosophique. Ce qui me poussait alors était une attirance physique et ludique pour les situations artificielles de tricherie, de fausseté, de mystification et d'hypocrisie. Plus que le gain, je cherchais le risque, la ruse pour la ruse, le faux pour le vrai, le jeu de cache-cache. Mais pas avec n'importe qui ; je voulais désormais le jouer avec les grands, les meilleurs.

L'excitation durant ce jeu me semblait suffisante pour m'empêcher de penser au suicide. Voilà. L'idée de m'envisager moi-même au delà de la vie gagnait déjà du terrain depuis un certain temps ; j'avais l'impression de ne savoir rien faire d'autre que jouer à être vivant. Même le sexe et la boisson ne m'intéressaient que par leurs vertus narcotiques. Or, ce nouveau jeu de la contrefaçon valait la peine d'être joué, puisque, pendant qu'il se déroulait, j'avais la nette impression d'être vivant. Et cela n'était pas peu de chose.

❑

Mon association avec Rosenberg a été scellée au mois de septembre à Montréal, par l'exécution de quatre grandes aquarelles d'Egon Schiele. Il avait voulu que les personnages ressemblent ouvertement à Annette, et je ne l'ai pas déçu. La note sinistre était que les quatre dessins devaient représenter une fille dévergondée s'étiolant maladivement d'un dessin à l'autre, pour culminer, au quatrième, en une sorte de petit cadavre chétif avec un aster accroché aux lèvres. Tout à fait comme dans l'un des poèmes de Gottfried Benn. Cette ressemblance avec sa fille n'avait d'ailleurs plus d'importance, car Annette était devenue un monstre obèse, sans aucun rapport avec la fillette de mes esquisses. Un des amis de Rosenberg, un restaurateur de tableaux attaché à un musée prestigieux, m'avait procuré le papier et les couleurs. Ce dernier avait insisté pour m'observer durant l'exécution des dessins, et il a paru à son tour satisfait de ma façon de créer.

Rosenberg a organisé mon départ sans me donner d'informations détaillées sur mes fonctions ni sur l'identité des gens avec qui j'allais travailler. J'avais seulement un contact à Londres, un dénommé Irving Gett, qui me recevrait et qui m'orienterait vers mes futurs patrons. Je ne devrais cependant, sous aucun prétexte, chercher à entrer en contact direct avec Rosenberg. Je me souviens très bien de notre dernière rencontre, chez lui à Montréal, la veille de mon départ.

— Je prendrai souvent des nouvelles de vous, m'a-t-il dit. Irving Gett est mon homme à Londres. Il vous dira quoi faire.

Puis, d'un ton sec, presque agressif que je ne lui connaissais pas, il a enchaîné en guise d'adieu :

— Méfiez-vous, Max, et n'oubliez pas notre pacte. Je vous dois le retour de ma fille, et je vais vous aider à vous placer dans le monde des arts. Toutefois, je tiens à ma juste part. Si vous travaillez loyalement, vous ne le regretterez pas. Si, au contraire, vous songez à faire des bêtises, dites-vous bien que vous vous attaquez à quelque chose de trop puissant pour que vous puissiez vous en tirer impunément.

❏

Irving Gett, Esq., un homme svelte dans la quarantaine, habillé avec une élégance discrète mais évidente, était de cette sorte d'experts en art qui travaillent en solitaire tout en ayant ses entrées chez les marchands les plus sophistiqués de Londres. Il m'a reçu dans son bureau de Old Bond Street, au centre même des affaires snobs, à quelques pas des maisons réputées pour l'achat et la vente d'œuvres d'art : P. & D. Colnaghi, Sotheby's, Christie's, Leger Galleries, Arthur Tooth & Sons, Roland, Browse & Delbanco.

Il s'est borné à me demander si mon hôtel sur Cromwell Road était adéquat, et m'a dit qu'il serait à ma disposition les après-midi suivants, pour me faire visiter quelques collections avant mon départ pour la Suisse. Il n'avait pas d'autre consigne, si ce n'est de me transmettre une lettre de recommandation et l'argent pour la poursuite du voyage. Un dénommé Aloïs Stompf, marchand d'art à Berne, serait plus en mesure de m'informer de la nature exacte de mes fonctions. Lui-même, Irving Gett, serait mon contact à Londres lorsque j'y viendrais pour apporter de la marchandise ; Rosenberg, le cas échéant, m'enverrait des nouvelles par son intermédiaire. Il a ajouté qu'il serait préférable que je vienne le voir uniquement pendant mes séjours convenus d'avance.

Son ton réservé, plus propre à un avocat ou à un comptable, de pair avec cette nouvelle du voyage en Suisse, m'ont mis de très bonne humeur. L'aventure paraissait plus secrète, excitante, et j'ai préféré attendre la suite sans rien demander d'autre.

De toute évidence, ce M. Gett n'était pas à l'aise en ma présence. Ses manières un peu trop brusques, chez un homme aux gestes par ailleurs délicats, trahissaient soit de la méfiance, soit le désir de donner une apparence qui n'était pas la sienne. À cette époque je n'avais pas encore l'expérience suffisante pour tirer des conclusions, et je me contentais de n'enregistrer que mon propre malaise devant certains individus devait signifier quelque chose. L'habitude d'observer la surface des objets et des visages que j'avais développée n'était pas très fiable lorsqu'il s'agissait d'individus cohérents ou de grands acteurs. Mais ceux qui éprouvaient un inconfort devant une faille quelconque de leur existence se trahissaient aussitôt, même si je n'étais pas toujours capable d'en connaître la raison.

Gett me donnait rendez-vous aux stations de métro plutôt qu'à son bureau ; nous allions ensuite visiter les collections privées des grands marchands. Il ne m'a jamais expliqué le motif de ces excursions, mais, de toute évidence, il s'agissait de visites spéciales, soigneusement programmées selon un scénario précis. Nous étions attendus par un employé supérieur de la maison, qui nous conduisait dans des cabinets privés ; nous avions alors tout le loisir d'examiner des dessins de maîtres. Chez Colnaghi et chez Christie's, j'ai d'abord été mis en présence de dessins italiens du XVIIIe et du XIXe siècles ;

vers la fin de la visite seulement, on nous a montré quelques œuvres du XXe. Chez d'autres marchands, c'était plutôt des dessins de l'époque de l'expressionnisme allemand, du postimpressionnisme français et, plus rarement, du cubisme.

Je ne savais pas ce qu'on attendait de moi, et je m'affairais à examiner les différentes sortes de papier ou les effets que le temps produisait sur les encres au long des années. Gett et l'employé qui nous accompagnait manipulaient toujours les œuvres munis de gants de tissu ou de petites mitaines de graveur; moi, au contraire, j'étais invité à les manipuler à mains nues, après un simple lavage comme unique précaution. Des loupes binoculaires et des lampes à lumière ultraviolette étaient toujours à ma disposition pour que je puisse compléter les examens.

J'ai d'abord été déçu par la piètre qualité des papiers utilisés par les peintres de la première moitié du siècle, particulièrement chez les expressionnistes. Les dessins les plus précieux d'artistes comme Kokoschka, Otto Dix, Schiele, Meidner ou Kirschner étaient souvent exécutés sur des papiers très bon marché, littéralement brunis et qui parfois se défaisaient avec le temps. Les Lautrec, Modigliani, Gauguin ou Braque avaient aussi la même apparence d'usure, si différente de celle des dessins exposés dans les musées. C'était peut-être ce qu'ils voulaient me faire réaliser par ces manipulations. Les rares papiers de meilleure qualité étaient ceux des dessins d'artistes qui avaient possédé une fortune personnelle, comme Degas ou Ensor, mais surtout, d'artistes mineurs ou tombés dans l'oubli. Le contraste avec les papiers d'avant 1800 était si frappant que j'ai eu honte au souvenir des supports presque luxueux sur lesquels j'avais exécuté mes Schiele. Il était évident que je pourrais facilement produire des centaines de dessins de maître sans avoir à me soucier outre mesure des papiers; il suffirait de les vieillir sous la lumière ultraviolette et avec des bains d'acide.

Les œuvres qu'ils mettaient devant moi ne répondaient apparemment à aucun ordre ou à aucune intention préalable. Chacune de ces grandes maisons avait sa propre collection du moment, qu'elle offrait sur le marché selon les modes ou les besoins des musées nord-américains. Beaucoup de dessins n'étaient que des esquisses à peine ébauchées, aussitôt abandonnées par les artistes, et parfois leur sujet n'était pas tout à fait reconnaissable. Pourtant elles étaient là, cataloguées et si bien signées que je ne pouvais pas m'empêcher de penser que c'étaient tous des faux. Aucun artiste n'aurait signé des choses si peu travaillées. D'autres, au contraire, étaient trop achevées pour être des esquisses, avec une abondance telle de détails et de notes qu'on aurait dit soit que l'auteur était un obsessionnel, soit que les œuvres avaient été exécutées *a posteriori*, d'après des tableaux finis.

Naturellement, je gardais pour moi ces pensées insolites tout en me disant que, en somme, Nagy et Lemberg n'avaient pas fait une mauvaise affaire. Et peut-être même que Ricky réussirait aussi à placer plusieurs de ses dessins comme des vrais Schiele, auquel cas la proportion d'œuvres obscènes dans la production globale du pauvre Egon se trouverait radicalement transformée. Par ailleurs, ces visites aux cabinets de marchands prestigieux m'ont laissé l'impression que les dessins érotiques constituent une partie très substantielle des œuvres que l'on trouve sur le marché. Est-ce que les artistes modernes avaient réellement été à ce point attirés par le cul, ou bien était-ce que les collectionneurs achetaient de préférence des œuvres salaces ? Une chose est certaine, les œuvres libertines sont gardées dans les collections privées d'amateurs avertis, loin du regard public et donc des expertises inopportunes. Je me réjouissais alors d'avoir su choisir Annette comme modèle.

Au Courtauld Institute et au Prints & Drawings du British Museum, j'ai pu voir des choses fabuleuses, parfois juste à côté de contrefaçons reconnues qui me paraissaient tout aussi spectaculaires. Impossible de voir la différence dans plusieurs cas, ce que même les plus grands experts reconnaissaient avec humilité.

Gett ne paraissait pas s'intéresser au détail des dessins ; il attendait patiemment que je me lasse de les examiner sans cependant jamais donner l'impression de s'ennuyer. Il ne disait rien. Peut-être que le but de ces visites était de me laisser découvrir par moi-même les bonnes questions, ou encore, il croyait que je cherchais quelque chose de précis. Je ne l'ai jamais su. Je sortais de ces longues visites les yeux fatigués et rêvant à la bonne bière des pubs. Gett s'animait alors d'une hâte soudaine, car, chaque fois, il avait quelque chose de très urgent à faire dès que nous nous trouvions dans la rue. Il partait aussitôt, et ne m'a donc jamais donné l'occasion de l'inviter dans un pub pour que je m'informe davantage. Très énigmatique. Il savait peut-être aussi des choses sur moi, ou plutôt il préférait que je ne sache rien sur lui.

Un jour, alors que nous sortions de chez Christie's, presque à la fin de deux semaines de la même routine, il m'a averti que j'étais attendu à Berne le lendemain. Il m'a alors donné une adresse, un billet de train, encore de l'argent, et m'a simplement rappelé que la note de mon hôtel était déjà réglée. Selon lui, j'avais tout vu ce qui valait la peine d'être vu chez les marchands sérieux, et il serait inutile d'aller perdre mon temps à Paris. Nous nous sommes quittés en pleine rue.

❏

Aloïs Stompf, à Berne, était une toute autre sorte d'homme. Je l'ai trouvé chez lui, le lendemain soir : un appartement de la Zibelegässli, proche de la mairie, lourdement décoré comme un bordel du début du siècle. Il m'attendait parmi un fatras formidable de coussins turcs, de porcelaines chinoises et de figurines érotiques.

Il était petit mais costaud, dans la cinquantaine avancée, et toute sa personne dégageait une énergie salutaire et une franchise remarquable malgré le décor insolite. Il s'exprimait dans un français compréhensible avec un très fort accent suisse allemand, et ne paraissait aucunement s'encombrer de méfiance. Son homosexualité s'affichait moins dans les vêtements ou les bijoux que dans les regards lubriques et les rictus avec lesquels il surprenait son interlocuteur.

Il m'a conduit à souper dans un restaurant de la Bären-Platz, où nous avons choisi une table sur la terrasse comme si nous étions de simples touristes.

— Excuse-moi, Max, mais ici on devra te prendre pour un de mes minets. Je sais, je sais…, s'est-il excusé devant mon geste interloqué. On sait ces choses… C'est même mieux que tu préfères les femmes — quoique cela relève de ta pure inexpérience, mon petit. Ce n'est qu'une façade. Il ne se passera rien de sérieux entre nous, rassure-toi. Promis, a-t-il ajouté avec un sourire moqueur. Pas question non plus de baiser des putains lorsque tu viendras ici. Tu viendras pour affaires, ne l'oublie pas. Je te fournirai de la compagnie ; la ville est pleine d'épouses de diplomates qui s'ennuient à mourir.

Nous avons pris un excellent repas, bien arrosé, pendant qu'il me mettait au courant de mes fonctions d'une manière très explicite. J'ai alors compris que j'avais passé mon dernier test à Londres, tant auprès de Gett que de plusieurs employés bien placés chez les grands marchands. Dorénavant, j'étais de la maison ; le seul problème qui pourrait advenir serait de ne pas être accepté par mon maître en Belgique, Lukas Guderius. Car, en fait, ma destination finale était Anvers, où ce mystérieux professeur s'occuperait de rendre rentable ma participation à leur curieuse mafia.

— Ne t'inquiète pas, mon petit Max. Les gens d'Amérique nous assurent que tu as du talent. Si c'est vrai, ça va marcher, puisque ce sorcier de Guderius est un grand spécialiste en la matière. Insupportable, mais très doué; il ne travaille pas avec le premier venu. S'il a accepté de t'essayer, c'est déjà un bon début.

Me retrouver en Belgique m'a semblé une bien étonnante coïncidence. Mon père était belge, mais je m'étais toujours senti canadien; lui-même n'avait pas gardé de liens affectifs là-bas. Puis, soudain, j'allais pouvoir lui écrire des cartes postales depuis Anvers, sans trop savoir comment expliquer cet engouement pour le pays de mes aïeux.

— Ce que tu feras chez Guderius ne m'intéresse pas, et nous n'en parlerons jamais. Lorsque tu viendras ici, pour nos semaines de retrouvailles, ce sera pour d'autres fonctions : m'aider à passer discrètement des choses en Italie, en Autriche et en Angleterre, servir de courrier pour des commissions mineures, et surtout pour apporter du matériel à Anvers. Toi, tu n'es qu'un étudiant, un apprenti dans son atelier de restauration. Avec ta nationalité belge, Guderius va légaliser ton séjour. Quant à moi, je préférerais que tu gardes seulement le passeport canadien, sans aucune mention de ta famille. C'est bien plus innocent... Plus pratique aussi pour aller à Londres. C'est là-bas que les affaires sérieuses se passent. De toute manière, je vais t'ouvrir un compte en banque ici; la Suisse est très respectueuse de la richesse, et ça facilite la vie de tout le monde.

Ces rares semaines à Berne, en compagnie d'Aloïs, allaient être de véritables vacances durant les années suivantes. Aucun danger, beaucoup de temps libre pour la promenade, et même des petites fêtes intimes, où mon hôte me gratifiait de la compagnie de belles femmes pendant que leurs consuls de maris se divertissaient entre garçons. Aloïs s'est aussi révélé un professeur remarquable pour m'initier au monde des affaires louches qui était le sien. Il connaissait intimement plusieurs des grands marchands d'antiquités dans presque toutes les villes d'Europe; tous ceux qui, comme lui, avaient su tirer profit de la débandade de l'après-guerre et de la manne de dollars apportée par les Américains. Au contraire d'autres de ses concitoyens qui s'étaient contentés de profiter de la dépouille des fortunes juives, Aloïs s'était fait une réputation d'homme fiable sur le terrain, tant en Allemagne qu'en France et en Italie, mais aussi en Europe de l'Est. À travers ses actions, beaucoup de gens — les survivants ou leurs familles — avaient pu retrouver une partie de leurs biens spoliés, ou même les avaient transférés en lieu sûr, en dépit de l'avidité des occupants et de leurs hommes de main. Il avait ainsi des amis fidèles, reconnaissants, qui pouvaient ensuite lui dénouer de curieuses ficelles depuis New York, Montréal, Tel-Aviv ou Rio de Janeiro. Au moment où je l'ai connu, il jouissait paisiblement de la vie ; s'il continuait à travailler, c'était pour l'amour de l'art et celui des rencontres. En effet, dans son domaine, il avait l'occasion de frayer avec le gratin du monde artistique.

— Il n'y a que des tantes dans le monde de l'art, mon pauvre Max. Dans le milieu sérieux, je veux dire, celui qui compte et qui fait l'histoire. Des tantes, pas des minets ! Il y a quelques poufiasses riches qui ne peuvent pas se passer de notre compagnie, hélas ! Et dont les maris se débarrassent en les poussant à s'occuper d'art. Mais elles sont là uniquement pour le décor, pour créer un semblant de continuité en attirant d'autres familles riches. Une comtesse, par exemple, ou madame la baronne, ça paraît bien au conseil d'administration d'un grand musée ; ça donne de la noblesse aux affaires. Sans ces gens-là, il ne resterait que nous, les marchands, et vous, les pauvres artistes, qui êtes tout à fait ridicules dans les grandes réceptions mondaines. Imagine-toi la scène : les tantes entourées de minets, et vous, les artistes grossiers qui n'êtes pas montrables… Non ! L'argent exige un minimum de respect, de tradition ; il faut qu'on puisse dire qu'il contribue à la culture, n'est-ce pas ? Les Américains, tu le sais, sont très à cheval sur les apparences; là-bas, les apparences culturelles et artistiques peuvent faire épargner de véritables fortunes. Tous ces dons qu'ils font à leurs musées doivent être présentables puisqu'ils rapportent tant. Et ce n'est pas en mettant de l'avant les homos et les artistes qu'ils vont pouvoir convaincre leurs contribuables, évidemment... Par chance, en Amérique, les tantes et les poufiasses sont bardées de titres académiques, et elles font un travail remarquable. Les commandes sont si nombreuses que nous n'arrivons pas à toutes les honorer. Les prix, alors, une folie !

En écoutant les sages et drôles paroles d'Aloïs Stompf, et en comblant les lacunes en me servant de ma propre imagination, je suis arrivé à me faire une vague idée d'ensemble. Le schéma était d'une limpidité infantile. Les Américains étaient avides de culture mais ne connaissaient que Picasso et les impressionnistes. Or, il y avait déjà sur le marché et dans les musées au moins le double, sinon plus, du nombre original de ce genre d'œuvres. Aloïs m'a d'ailleurs raconté une histoire cocasse à ce propos, et qui, curieusement, est du domaine public : entre 1909 et 1951, la seule douane du port de New York a enregistré le total faramineux de neuf mille quatre cent vingt-huit œuvres de Rembrandt importées légalement aux États-Unis ! Il fallait donc innover, et de la façon la plus imaginative qui soit. Des expositions d'artistes européens moins connus en Amérique étaient organisées là-bas. Des experts — souvent les mêmes qui étaient à l'origine de ces expositions — avertissaient d'avance des spécialistes comme Aloïs Stompf que ce serait le tour de tel ou tel peintre de profiter d'une publicité gratuite dans les musées ; et ils plaçaient alors leurs propres commandes d'œuvres de ces artistes. Les ateliers de contrefaçon livraient des œuvres du même type que celles de l'exposition et, aussitôt la tournée terminée, les intermédiaires locaux inondaient le marché. Le principe était celui du capitalisme avancé : d'abord créer le besoin par l'attrait de la nouveauté, puis répondre à la demande. Les Américains, si friands des choses de l'Europe, achetaient en toute confiance ces œuvres contrefaites. Profitant du succès des expositions officielles et des articles que les experts avaient fait paraître dans les revues spécialisées, ils les léguaient ensuite aux musées moins fortunés et tiraient de substantiels bénéfices de ces transactions. Est-ce que les experts étaient dans le coup, est-ce que les conservateurs des musées participaient aux bénéfices? Là-dessus, ce cher Aloïs restait peu précis et sibyllin:

— Max! Pauvre artiste qui pose beaucoup trop de questions... L'important est que tout marche bien rondement et que la culture atteigne les masses, n'est-ce pas? Mais gare à la bêtise! Il faut que les œuvres qu'on offre à vendre ressemblent tout à fait au style de celles qui faisaient partie de l'exposition officielle. Si tu innoves, ou si tu déniches des chefs-d'œuvre sans rapport avec ce qu'ils ont vu, tu peux dire adieu aux profits. Par exemple, si c'est du Paul Klee, et si l'exposition ne présentait que des petits carrés colorés, inutile de tenter de placer d'autres périodes de l'artiste. Ils ont vu des petits carrés, leurs professeurs ont vanté les petits carrés, c'est des petits carrés qu'ils voudront acheter, rien d'autre. Tu t'imagines, n'est-ce pas, qu'il faut alors une coordination très étroite. À ce propos, tu apporteras à Guderius la documentation complète sur l'exposition itinérante que le musée de Bâle prépare pour l'an prochain. Souviens-toi de mes paroles, car tu vas en faire, des carrés colorés.

Mon expérience m'a montré que cette combine peut varier dans le détail, mais qu'elle reste essentiellement la même, et ce depuis des siècles. Le roi ou le pape avait un certain tableau, les gens voulaient alors un tableau du même genre. Les rois et les papes d'autrefois avaient cependant du goût. Le style des affaires a bien changé avec l'art abstrait, et depuis que les grands de ce monde sont les requins de l'industrie et de la finance. Les experts à leur service transforment maintenant le plomb en or par la seule vertu de la parole. C'est l'alchimie contemporaine — celle des banques et des bourses — appliquée aux arts plastiques. Et en avant les nouvelles collections, qui n'ont même plus besoin d'être belles pour être respectables. Les experts se chargent de la valeur d'échange, de l'aura mystique, et le public suit comme un troupeau de moutons. Le même principe de marketing est appliqué par les grandes entreprises qui se bâtissent des collections d'œuvres de jeunes artistes achetées pour presque rien. Leurs conservateurs achètent en bloc ces productions inconnues ; ensuite, dans un geste magistral de générosité, les entreprises vendent aux musées d'État ces collections avec une petite marge de profit. Du coup, par le même principe alchimique, ces jeunes artistes, parfois choisis au hasard, deviennent de grands artistes du simple fait de figurer dans des collections prestigieuses et d'être immortalisés dans les musées. Les conservateurs, les experts, les hommes d'affaires et leurs copains peuvent alors vendre à prix d'or les œuvres qu'ils avaient discrètement mises de côté en attendant la gloire de ces artistes. Artistes, soit dit en passant, qu'ils avaient eu le génie de découvrir.

— N'est-ce pas là l'esprit de la mode, Max ? m'a dit un jour Aloïs, en tentant d'apaiser mon écœurement après des années de contrefaçon. Adidas, Cartier, Coca-Cola et McDonald n'agissent pas autrement lorsqu'ils empoisonnent les têtes avec leur publicité idiote. Pourquoi voudrais-tu que les amateurs d'art ne puissent pas, eux aussi, vivre les extases de la consommation ? Tu es trop ascétique, mon jeune ami ; tu abordes l'art comme un mystique et tu voudrais obliger les gens à réagir avec le même idéalisme désuet. Les gens, Max, vont aux musées pour dire qu'ils sont cultivés ; parce qu'être cultivé fait partie des temps actuels, comme tant d'autres lubies. Alors, ils veulent être certains qu'ils ne perdent pas leur temps, qu'ils s'extasient devant les tableaux qui en valent la peine, ceux qui sont reconnus par les autorités en la matière. Imagine-toi si le goût était laissé au soin de chaque citoyen : quelle charge d'angoisse, quelle indécision, quelle souffrance... Dans le fond, mon cher, tu es un terroriste, un dictateur en puissance comme le sont tous les fanatiques de la liberté et de la conscience individuelle. Vivre et laisser vivre : n'oublie pas ce petit dicton plein de sagesse et tu seras aimé de tes contemporains.

— Ce n'est pas contre l'autorité que j'en ai, Aloïs, mais contre l'arnaque !

— L'arnaque, en voilà encore de grands mots ! Est-ce de l'arnaque que d'offrir un produit médiocre sous un label de luxe ? Sais-tu que les mouvements Timex sont aussi fiables et que souvent ils viennent des mêmes sources orientales que ceux des marques suisses les plus prestigieuses ? Tu oublies que les gens se fichent éperdument du produit, dont la plupart du temps ils n'ont pas vraiment besoin. Ils recherchent le luxe pour se sentir mieux dans leur existence minable. Alors l'objet griffé le leur donne, ce sentiment-là. Donc, s'ils sont des rouages essentiels dans ce merveilleux processus de création du prestige, pourquoi les experts et les conservateurs devraient-ils se passer de leur juste rétribution ? Tu sais bien que, de tout temps, les critiques d'art ont toujours profité des œuvres qu'ils vantent, ne serait-ce que parce qu'ils couchent avec les artistes, ou font les pique-assiettes chez les collectionneurs. Penses-tu que le pauvre scribouillard qui vante toujours les livres d'une même maison d'édition le fait pour l'amour de la littérature ? Voyons, Max ! Il y a des limites à la naïveté.

❏

De retour à l'hôtel, la tête pleine de plans fabuleux, surexcité, j'ai pris bien du temps avant de m'endormir ; mon sommeil était peuplé d'étranges cauchemars. J'étais heureux, d'une exaltation nouvelle qui me faisait oublier définitivement le spleen et le doute. Ce monde nouveau promettait d'être très divertissant, varié. Mon seul souci était d'être à la hauteur lorsque viendrait le moment d'affronter cet énigmatique maître Lukas Guderius. La perspective de travailler avec un expert aussi unique me remplissait de joie et donnait un sens à ma vie.

Le lendemain, Aloïs m'a reçu dans sa boutique d'antiquités située sur la Junkergasse, parmi d'autres établissements aussi discrets que selects. Il occupait une maison entière même si la boutique sous les arcades pouvait paraître une simple dépendance. L'épaisse porte vitrée aux serrures automatiques trahissait le souci de sécurité, mais le visiteur ne pouvait pas deviner le contenu des deux étages au-dessus en se fiant à ce qu'il avait devant les yeux : porcelaines, laques et paravents chinois, bronzes et figurines de style Art déco, quelques tableaux anciens frôlant le kitsch, des lampes, des tapis et de l'argenterie. Au contraire du bric-à-brac désordonné qu'on retrouve même chez l'antiquaire de luxe, tout était disposé avec soin pour ne pas confondre le regard, en petites quantités, agencé dans l'espace comme si le propriétaire avait simplement voulu décorer l'établissement plutôt que montrer sa marchandise.

Une vieille secrétaire, très osseuse et au regard méchant, dominait la place depuis son bureau Louis XV au fond de la boutique. Le visiteur était cependant accueilli par un jeune géant très distingué et aux manières délicates, mais qu'on devinait capable d'assurer la sécurité en toute circonstance : Marko. En fait, on était en famille. La secrétaire, Mme veuve Petrenko, était la sœur d'Aloïs et la mère de Marko.

— Je suis un homme de famille, m'a confié Aloïs en m'accompagnant au premier étage par l'étroit escalier en colimaçon taillé dans la pierre. Dans mon métier, seule la famille est gage de fidélité. Excuse, Max, la mauvaise humeur de Marko. D'habitude, il est plus avenant avec mes amis ; mais ma sœur a une de ses crises de migraine, et ça met le garçon dans tous ses états.

Aloïs, les poches sous les yeux, ne paraissait pas non plus en bonne forme. Je soupçonnais qu'il avait fait la noce la veille, après mon départ pour l'hôtel, peut-être même en compagnie de son géant de neveu.

Le deuxième étage était un local de travail, aux tables encombrées de livres anciens, de piles de papier, de gravures, de cartables à dessins ainsi que de tableaux empilés contre les murs. Dans une petite pièce attenante, on distinguait un agrandisseur trônant au milieu d'équipements photographiques et de négatifs suspendus à des fils. J'ai aussi reconnu un dispositif très moderne d'éclairage ultraviolet pour l'expertise de tableaux, comme celui du Courtauld Institute à Londres.

— Voilà, Max. C'est ici qu'on travaille pour enrichir les musées du Nouveau Monde. C'est une œuvre de bienfaisance, tu peux en être certain. Excuse-moi un instant. Profites-en pour regarder ces dessins-là, sur la table. Mais fais attention, ce sont des vrais. Je reviens tout de suite.

Il est sorti par une porte blindée qui s'est refermée lourdement après son passage. C'était l'entrée de ce mystérieux deuxième étage, auquel je n'aurai accès que des années plus tard. Pour le moment, je devais me contenter de la confiance accordée à un nouvel employé. Elle me paraissait cependant déjà exagérée, et je brûlais d'envie de lui poser une question à ce sujet, en évitant toutefois d'éveiller sa méfiance. Je trouvais que, pour une affaire aussi illégale, Aloïs était plutôt culotté.

Les dessins en question étaient douze fusains et pastels de Jules Pascin, ou peut-être à la manière de Jules Pascin. C'étaient des scènes de bordel avec des putes et des couples faisant l'amour ; mais elles étaient tellement explicites et détaillées, indécentes, que j'ai eu de la difficulté à y reconnaître la main douce et sensuelle du peintre amoureux des putes tristes. Rien non plus de son *sfumato* si caractéristique qui faisait paraître ses modèles à travers un voile de soie. De très jolis dessins cependant, plutôt pour des boudoirs de garçonnières, histoire de les montrer à des dames indécises, ou encore pour illustrer des poèmes érotiques d'éditions à tirage limité. Chaque planche était pourtant signée et, au verso, les signets des frères Bernheim paraissaient tout à fait crédibles.

Aloïs est revenu peu après avec un gros paquet de documents glissés négligemment dans une sorte de cartable d'étudiant.

— Beaux, n'est-ce pas ? s'est-il exclamé en désignant les dessins sur la table. Et très excitants. Julius Pincas était un connaisseur des sujets érotiques ; beaucoup plus que son personnage public connu sous l'appellation de Jules Pascin.

— Pincas ?

— Le même, l'auteur de ces dessins, le Bulgare Julius Pincas, dit Jules Pascin. Vois-tu, Max, ces dessins sont tous des vrais Pascin. Ils possèdent des références parfaites ; la plupart ont été recueillis par son ami Papasoff, le jour même où celui-ci a décroché le corps de Pascin de la corde avec laquelle il s'était pendu. La maison Bernheim les a certifiés en septembre 1930, et nous possédons les reçus avec la signature de Papasoff. Tu remarqueras que ceux qui ne sont pas marqués des signets de Bernheim datent d'avant 1922, lorsque le peintre habitait aux États-Unis. Savais-tu qu'il avait obtenu la citoyenneté américaine ? Or, justement, ce lot de dessins appartient à un riche collectionneur de Chicago dont le père, un Polonais qui s'est enrichi avec le négoce de la viande, était connu pour sa collection de l'école de Montparnasse. Le papa est mort et le fiston a pris la relève. Il veut léguer ses Pascin à un musée pour se soustraire au fisc. Mais, est-ce que tu vois ces dessins sur le mur d'un musée, un après-midi de printemps, quand les écoliers américains vont s'y instruire en compagnie de leurs maîtresses puritaines ? Impossible, n'est-ce pas ? Inimaginable. Même pourri d'argent, le fils du Polonais a ainsi un gros problème : ses Pascin ne sont pas montrables. Il doit donc les vendre en Europe, en cachette, car il ne tient pas à ce que ça se sache ; morale et fisc sont des obstacles de taille. Par contre, cet industriel avait promis une donation substantielle au musée ; et on sait que ce sont des Pascin même si personne ne les a jamais vus. Il lui faut donc d'autres Pascin, mais il n'est pas prêt à débourser leur valeur réelle. Tu vois un peu l'angoisse du pauvre homme, et tu t'imagines l'impatience des conservateurs qui attendent l'arrivée d'un gros lot de dessins? Heureusement que des filières fiables existent pour résoudre ces fâcheux contretemps. Nous allons venir en aide à ce brave fils d'immigrants dont les bacons font le bonheur des petits déjeuners des enfants du Midwest.

— Ce sont donc de vrais Pascin? ai-je demandé incrédule.

— Tout ce qu'il y a de plus authentiques. Hélas! Le citoyen américain Julius Pincas avait été décrit à ses concitoyens comme un humaniste poussé au désespoir par la dépravation des Français. Ils le connaissent surtout par ses tableaux aériens, presque romantiques, où les Américains peuvent s'émouvoir du sort des filles de joie tout en humant un fumet démoniaque. Pascin est très aimé là-bas, tout comme les Modigliani, Foujita, Kisling et van Dongen. Les puritains adorent leur style décadent et pudique à la fois, ces nus explicites et si immobiles. D'ailleurs, avec la mort récente de van Dongen, de Survage et de Foujita, et avec les expositions rétrospectives qui suivent, cette partie de l'école de Paris connaît un regain d'intérêt remarquable. Naturellement, les Américains raflent tout ce qui se pointe sur le marché.

— Curieux, quand même, cet engouement. Ces artistes, tu l'admettras, font très vieillot.

— Pas du tout, Max. Ce n'est qu'une question de génération. Le marchand averti est très sensible à ces détails, et au lieu de les juger bêtement, il s'en sert. Vois-tu, les Américains sont fascinés par une certaine Europe, celle d'entre les années vingt et cinquante. Hemingway,

Miller, l'existentialisme, le dollar tout-puissant et les femelles allemandes et françaises à leurs pieds ; puis, eux, loin de leurs mamans étouffantes, avec l'esprit des GI conquérants. Beaucoup de jeunes Américains se sont fait dépuceler en Europe, ne l'oublie pas, pour ensuite rentrer au bercail et épouser une femme avide qui les suce jusqu'à la moelle. Ils se souviennent de cette période merveilleuse de leur jeunesse, de cette Europe mythique ; ils en parlent sans arrêt et ils l'utilisent dans leur cinéma, jusqu'à l'écœurement. Ceux d'entre eux qui ont fait fortune cherchent un art lié à ce temps de rêves, à cette bohème loin de leurs mamans. Et les peintres de Montparnasse sont le paradigme de ce mythe. Picasso est trop abstrait, en plus d'être communiste ; et ils sont en train de recevoir une raclée au Viêtnam. Les riches Américains veulent du cul, comme ils l'ont connu à Paris et en Allemagne, le seul cul qu'ils peuvent connaître sans traduction, le cul vicieux et bohème dont ils rêvent pour réussir à bander. Le Picasso des périodes bleue et rose, à la rigueur, à cause des fillettes... Ce que le collectionneur privé veut garder pour lui, pour la chérir, c'est la pute européenne, celle qui le fera encore se sentir le GI d'autrefois. Alors, ce qui te paraît vieillot est extrêmement actuel pour l'industriel, le banquier et le politicien qui commencent à vieillir. C'est une question de génération, voilà tout. L'art, mon jeune artiste, n'a rien à voir avec le réel fade. L'art, c'est de la nourriture pour le rêve, pour le souvenir. Et, souvent, lorsqu'on a fait beaucoup d'argent, l'unique chose qui nous reste entre les mains pour se sentir vivant, c'est bien le rêve.

— Toi, Aloïs, tu es un marchand de rêves ?

— Bien sûr... Et très fier de l'être.

— Comme autrefois, le marchand d'opium ?

— Tout à fait, même si ma marchandise n'a pas autant de vertus dormitives. Les œuvres d'art sont plutôt excitantes. On peut aller jusqu'au meurtre à cause des rêves, rarement à cause de la réalité, crois-moi.

— À propos de tuer, Aloïs, il y a quelque chose qui me tracasse depuis hier ; peut-être même depuis Montréal. Je t'écoute, tu me montres tout ça, tu parles sans méfiance. Après tout, ce métier n'est pas... je veux dire : pas très légal, n'est-ce pas ? Je m'attendais à plus de discrétion, je ne sais pas ; et je suis un peu déconcerté.

— Tu es adorable, Max, a-t-il fait avec un sourire et en me touchant tendrement le visage, ce qui m'a fait réagir. Ne sois pas farouche ! Entre nous, je te l'ai dit, il n'y aura rien de sérieux. Mais tu as l'air d'un petit garçon lorsque tu poses tes questions.

— Bah ! Il faut que je sache, ai-je répondu avec un geste brusque d'irritation.

— Mon Dieu, que tu es chou ! Excuse-moi, c'est le manque d'habitude, a-t-il dit, en reprenant son ton de professeur. Tu as peut-être raison de t'étonner, mais pas tant que ça. On te fait confiance, naturellement, car on sait que tu es fiable et que tu as besoin de nous. Quant aux informations que je te donne, mon cher, elles sont du domaine public. Tout le monde sait cela ; tout le monde qui compte, bien sûr. Ça t'étonne parce que tu n'as pas d'expérience, ni d'argent... Les gens qui utilisent nos services sont des gens influents dans leurs milieux respectifs, partout, et ils nous trouvent indispensables. Tout se passe à merveille dans le monde des arts et personne ne souhaite de changement. Même les petits scandales qui éclatent de temps à autre, par la faute de dilettantes impulsifs, sont mis à profit pour assurer les réputations établies. Lorsqu'une maison sérieuse doit rembourser un client rendu méfiant, elle s'incline avec plaisir et en sort grandie. Ne t'inquiète pas : il n'y a jamais perte d'argent, si c'est à ça que tu fais référence. Alors, mon grand Max, rassure-toi. C'est à moi de juger de la confiance que je place en toi. Par exemple, voici le dossier sur Paul Klee que tu dois emmener à Anvers. Ce ne sont que des photos et des descriptions. Quant aux dessins de Pascin, ils seront aussi là-bas, et tu pourras les consulter à loisir pour ton travail. Mais ils voyageront par les soins d'un porteur qu'on connaît de longue date. Peut-être qu'un jour tu seras ce porteur, on verra. Pour le moment, je préfère ne pas t'encombrer de ce genre de tentation. Ça te rassure? a-t-il conclu avec un sourire moqueur.

Devant mon air surpris, il a ajouté:

— Les Pascin, bien sûr, ne nous appartiennent pas; et, discrétion oblige, ils ne sont pas assurés. Le propriétaire les vendra par l'intermédiaire d'un établissement londonien qui s'occupe de ce genre de contacts, et ses profits seront énormes. Tu les auras pendant une dizaine de jours, pour t'en inspirer. Guderius t'expliquera en détail. Mais tâche de tenir compte de l'article que voici, d'un historien de l'art américain, lorsque tu créeras les nouveaux Pascin. C'est l'ébauche du catalogue de présentation de tes Pascin à un musée de là-bas. Tu verras, il donne tous les renseignements sur les dessins qu'il juge convenables, pour que ses concitoyens puissent contempler le legs sans poser de questions inopportunes. Pense au Jules des chairs tristes, avec un fumet d'enfer, et tout marchera bien. Allez, Max, ne fais pas cette tête. J'ai vu les photos de tes Egon Schiele, coquin... Pascin, ça va être du gâteau, tu verras.

9

Dans le train, de Berne à Anvers, j'oscillais entre l'euphorie et la paranoïa. Je savais pertinemment que je risquais de perdre pied, que je ne contrôlais plus l'ensemble de la situation. Ils pouvaient m'utiliser à volonté pour ensuite, à la première occasion, se débarrasser de moi par les moyens les plus expéditifs. N'empêche que je me sentais vivant, et que l'art commençait à avoir un véritable sens au delà de mes efforts solitaires. Par ailleurs, si j'avais confiance en mes propres moyens, l'ampleur de l'entreprise à laquelle j'allais participer me faisait douter : était-ce assez de faire des copies si simples, ces petites esquisses valaient-elles vraiment autant d'argent ? Tout avait l'air trop facile, trop beau pour être vrai.

La suite des événements viendrait me rassurer et me ravir, tout en me dégoûtant à jamais des collections et des experts. C'est peut-être là que j'ai commencé à perdre pied, en m'éloignant définitivement du côté mystérieux de l'art. Mais, n'étais-je pas déjà coupé de ces mystères depuis bien longtemps?

❏

Lukas Guderius m'a fait d'emblée une impression favorable. C'était un homme déjà passé la soixantaine, grand, sec et circonspect. Passionné de ce qu'il faisait tel un chercheur scientifique, il étudiait les tableaux comme d'autres décortiquent les insectes; s'il les reproduisait, c'était plus par amour du métier que pour ce que cela lui rapportait. Dès le début, j'ai senti que nous allions nous entendre, car, d'une certaine manière, nous nous ressemblions. Il était chimiste de formation et il avait travaillé partout en Europe avec les grands maîtres de la restauration. Son occupation principale n'était d'ailleurs pas la contrefaçon proprement dite, mais bien une branche beaucoup plus raffinée, légale et reconnue du métier : le nettoyage des surfaces à la recherche des chefs-d'œuvre ensevelis sous des croûtes sans valeur. C'était pratiquement de l'archéologie, même si ce que ses fouilles mettaient au jour était en fait commandé par l'appât du gain de ses contemporains. Donc, pas un faussaire mais un bienfaiteur; et, à ce titre, adulé et respecté par toutes les institutions artistiques.

Il m'a reçu dans son immense atelier de travail situé dans un immeuble résidentiel de la Beeldhouwerstraat, où il avait aussi ses propres appartements, juste à côté du Musée royal des beaux-arts. Un quartier silencieux, cossu, dont la discrétion cadrait parfaitement avec son genre d'activités.

Son accueil a été cordial, et je crois qu'il a aussi eu une bonne impression de moi. Il était important que nous nous entendions bien puisqu'il avait été habitué à travailler seul. Magdalena, son épouse, une beauté flamande classique, petite et ronde, avec un visage de madone, était son unique assistante. S'il m'avait accepté comme apprenti, c'était d'abord et avant tout à cause de l'engouement soudain et fort rémunérateur des musées pour les œuvres sur papier. Les cabinets de dessins et d'estampes d'un peu partout, qui jusqu'alors avaient été les cousins pauvres des institutions, connaissaient un essor fulgurant depuis que les tableaux atteignaient des prix prohibitifs. La demande pour les dessins était telle que ses associés et correspondants ne cessaient de l'importuner, de déranger son travail de laboratoire. J'allais travailler précisément pour éviter que des amateurs peu soucieux ne détruisent le beau filon. Lukas Guderius se tiendrait garant de mes œuvres, et il aurait un apprenti pour l'aider dans ses travaux habituels.

Il m'a expliqué cela de façon succincte et précise, dans un excellent français, et m'a conseillé de prendre tout le temps qu'il faudrait pour bien m'acclimater ; il souhaitait que notre collaboration soit agréable et qu'elle dure longtemps.

— Voyez-vous, Max, m'a-t-il dit dès notre deuxième rencontre, il s'agit d'un long apprentissage. Si nous le commençons, j'aimerais pouvoir le mener à terme, en vous transmettant tout ce que vous serez capable d'absorber. Nous en profiterons tous les deux, soyez-en assuré. On vante la qualité de vos dessins, vos capacités de copier et d'imiter, et je compte vous mettre à l'œuvre dès que vous vous sentirez prêt. Votre rétribution sera fonction de votre travail ; ce ne sont donc pas des gages mais votre juste part du profit. Vous n'aurez pas à vous soucier des matériaux, des commandes ni de la vente des œuvres. Vous vous installerez dans l'atelier que je mets à votre disposition, où vous vous consacrerez cependant uniquement aux œuvres signées de votre propre nom. Tout le reste sera fait ici, sous ma supervision. Vous êtes au courant, naturellement, du besoin absolu de discrétion concernant nos activités. Mon épouse et moi, nous vous recevrons chez nous comme un jeune collaborateur, mais le reste de votre temps vous appartient. Utilisez ma bibliothèque à votre aise, et je compte sur votre bonne humeur chaque fois que vous viendrez ici. Nous faisons de l'art, certes, mais en tant que scientifiques; les humeurs, les angoisses et autres manifestations folkloriques, nous les laissons chez nous, enfermées sous clé. Par ailleurs, si vous avez besoin de conseils, même personnels, n'hésitez pas à m'en faire part. Je suis un homme d'expérience et je tiens à votre bien-être. N'ayez pas peur de poser des questions, des milliers de fois s'il le faut. Seuls les idiots n'en posent pas.

L'atelier qui me servait aussi de logement était un petit studio situé au dernier étage d'une vieille maison de la Zirkstraat, au centre de la vieille ville. Très accueillant, bien éclairé, avec une petite salle de bains et meublé avec le strict nécessaire. Je me souviens d'avoir pensé avec une satisfaction certaine qu'il ressemblait plutôt à une cellule de moine. J'avais, en effet, bien besoin de paix, et je n'ai pas été déçu.

❏

Maître Guderius était curieux de me voir travailler. Pour ma première séance de démonstration, il m'avait d'abord donné à étudier un livre de reproductions des primitifs flamands. J'ai eu le loisir de le feuilleter toute la matinée, et j'ai même fait diverses copies en croyant que c'était là le but de l'opération. Après le casse-croûte de midi — toujours constitué d'un sandwich, d'une bière et d'un fruit —, il m'a révélé ce qu'il souhaitait voir.

— Vos copies sont bonnes, évidemment; je ne m'attendais pas à moins que ça. Voyons maintenant si ces informations vous sont restées à l'esprit. Vous allez nous dessiner, mon épouse et moi; à la plume, et comme si nous étions des bourgeois du XVe siècle. D'abord, de bonnes ressemblances; ensuite, vous allez varier nos apparences en vous inspirant de l'esprit des œuvres que vous venez d'étudier. Magdalena aura, disons, dix ans de moins ; moi, dix ans de plus. Voici du papier très convenable, des plumes d'époque, du vrai sépia et de l'encre gallique. Allez-y librement, pour vous amuser. Ne vous laissez pas déranger par l'idée que ce papier vaut son pesant d'or, littéralement parlant. Nous avons tout le temps.

Il s'est assis en tenant compte de la lumière qui entrait par la fenêtre et, sans rien dire d'autre, il s'est mis à lire un gros livre. Sa femme nous a rejoints un peu plus tard avec un tricot et, s'asseyant à son tour en face de son mari, elle a travaillé en silence jusqu'au crépuscule.

Le papier était une véritable merveille, sûrement très ancien, et je n'ai pas osé l'entamer avant de m'être entraîné longuement sur des feuilles ordinaires ; les plumes à pointe de bois de roseau et de pennes étaient quelque chose d'entièrement nouveau pour moi. Il était difficile de contrôler l'encre dans les longs traits, et j'ai dû apprendre à tirer parti des instruments en exécutant des traits courts ; ceux-ci correspondaient d'ailleurs tout à fait à l'esprit des dessins flamands. Les hachures, en particulier, je venais de le découvrir, étaient si intimement dépendantes de la texture du papier et de l'action des plumes qu'il me suffisait de me laisser guider par cette matière sans trop me préoccuper des questions de style. Je tentais aussi d'oublier la perspective de la Renaissance et, tout en ayant à l'esprit les bois gravés de Barlach, j'ai attaqué la pile de papier précieux avec une insouciance qui m'a paru bien intrépide.

L'après-midi s'est passé sans que je m'en aperçoive. Après les portraits qui visaient une ressemblance — j'avais choisi de les déguiser en notables, puis en gens d'Église —, j'avais bifurqué vers les déformations. J'ai progressivement rajeuni Magdalena, depuis la jeune épouse et la jeune fille nubile jusqu'à l'une de ces enfants asexuées, coiffée d'un bonnet de cuir, au visage sale et aux yeux grand ouverts, comme si elle contemplait une exécution sur la roue. Guderius, lui, s'est transformé d'abord en intellectuel joufflu coiffé d'un chapeau de fourrure, puis en une sorte de vieil alchimiste en coiffe de nuit, aux yeux voilés par des cataractes. Lorsqu'il m'a interrompu, je travaillais sur un petit portrait de mariage vaguement inspiré de Van Eyck, où les époux se regardaient, la jeune épouse de profil et l'homme de face ; ce dernier, d'un signe de la main, ordonnait à un crâne de patienter.

C'étaient des petits dessins aux traits durs, dans lesquels les vêtements étaient à peine esquissés par des plis géométriques rehaussés de hachures droites, sans le modelé ni les détails que j'aime tant chez les artistes de la Renaissance.

Guderius les a examinés, un à un, en les passant ensuite à sa femme ; ils souriaient discrètement, sans échanger un mot. Je fumais à la fenêtre en contemplant les jardins du musée, encore tout à fait possédé par les visages, et déçu d'avoir dû m'interrompre. J'avais à peine commencé à oublier le tranchant des plumes, le mordant du papier, et je brûlais toujours d'une tension qui m'aurait permis de travailler encore des heures d'affilée.

Magdalena est sortie, puis elle est revenue avec du vin et des verres, et nous avons bu à ma santé. Le maître était content de mon travail.

— Bien, Max. Nous n'avons pas gaspillé le beau papier. La prochaine fois, vous les ferez à la pointe d'argent. Êtes-vous à l'aise avec la pointe d'argent ? Bien... Nous allons avoir du plaisir à apprêter le papier pour vous. Autrefois, des dessins de cette qualité étaient toujours exécutés à la pointe d'argent. Très bien.

L'encre de mes traits paraissait cependant trop récente, trop intense, et je n'avais pas l'impression que ces dessins pourraient un jour passer pour des œuvres d'époque. Je lui en ai fait part, ainsi que de mes doutes sur la possibilité de vieillir suffisamment des pointes d'argent.

— Je vous montrerai comment le faire, Max. C'est ma responsabilité. Si je ne pouvais pas vieillir les œuvres, à quoi bon avoir quelqu'un de votre talent? Mais, plus tard. Demain, je voudrais vous voir exécuter du plus moderne, du style tardif de Kokoschka, de Nolde, de Kirchner ou de Beckmann. Vous voyez le genre? Des portraits et des corps, au fusain et au crayon.

— Ah! ai-je fait soulagé. Ce sera plus vite fait.

— Nous verrons... Je savais déjà que vous étiez capable de bien dessiner. Voilà pourquoi j'ai pensé aux primitifs flamands: pour éviter la Renaissance et les Italiens. Je veux savoir comment vous interprétez ceux qui... qui dessinent moins bien. Et qui pourtant ont dessiné. Vous êtes dans le même registre que Otto Dix, Meidner et Schiele, on le sait. Mais le vieux Kokoschka, par exemple, est bien plus difficile. Un petit manque d'attention et le résultat est trop ridicule. On verra comment vous faites face à la peur du ridicule. Ces artistes modernes sont plus en demande que les anciens, et bien plus faciles à placer. Alors, si on accepte des commandes des musées américains, il faudra relaxer davantage votre main, exécuter du mal fait tout en donnant l'impression de donner le meilleur de votre art. Les Américains sont très friands des œuvres primitives, mais pas flamandes, a-t-il conclu avec le sourire.

J'ai recommencé le lendemain matin, avec d'autres sortes de papier et d'autres instruments. Je savais que les modernes étaient mon point faible. J'avais pu faire passer mes essais ratés de Schiele pour des dessins de Klimt et de Kokoschka, mais je n'avais jamais tenté d'imiter leurs manières propres.

Guderius avait lui-même cherché dans les livres les dessins qu'il pensait les plus suggestifs, et qui pourraient m'inspirer. Ensuite, il m'a laissé seul dans un coin de l'atelier pour se concentrer sur le travail de décapage d'un retable miniature.

J'ai commencé par l'imitation des dessins qu'Emil Nolde avait exécutés durant un voyage en Orient. C'étaient des fusains, des lavis et des aquarelles, avec lesquelles il m'a été facile de passer aussitôt aux déformations sans craindre le grotesque. Les résultats étaient passablement bons, si l'on tient compte du fait que j'entretenais avec ce peintre un vieux rapport d'ambivalence. J'adorais ses paysages, ses fleurs, ses cieux et ses brouillards ; je considérais, au contraire, ses portraits comme tout à fait minables. Et Guderius voulait justement des portraits et des figures humaines.

Beckmann, quant à lui, ne m'a pas posé de difficulté ; avant même le casse-croûte, j'avais déjà saisi le sens de ses déformations en me guidant simplement sur le souvenir de ses pointes sèches. Une fois qu'on comprend le sens naturel du geste d'un artiste, le reste devient facile, et le résultat, plausible. À midi, j'avais devant moi une belle série de scènes de cirque à la manière de Beckmann, pleine de personnages mythiques, ainsi que des portraits du peintre et de son épouse. Je m'étais d'ailleurs familiarisé avec son œuvre à New York, car plusieurs de mes professeurs avaient été ses disciples, et cette influence avait laissé d'importantes traces dans leurs propres façons d'enseigner.

Nous avons mangé en bavardant ; nous avons parlé de ma formation en anatomie plutôt que des dessins en cours. Guderius paraissait bien curieux d'en savoir plus long sur mon intérêt pour le dessin de représentation. Il trouvait cela étrange ; je ne pouvais cependant pas répondre à toutes ses questions, car je me les posais moi-même, depuis longtemps, et toujours en vain. Il m'a ensuite parlé du chemin qu'il avait lui-même parcouru pour aboutir à la restauration. Il venait d'une longue lignée familiale d'artistes verriers, qui s'étaient consacrés à la conservation des vitraux d'églises partout en Europe. Son propre père avait l'habitude de fondre lui-même la vitre lorsqu'il s'agissait de travaux délicats.

— J'étais bien petit, m'a-t-il confié avec les yeux pétillants, mais je me souviens encore de mon émerveillement devant la magie de l'apparition des couleurs. En broyant des minéraux à l'apparence fade et en les soumettant au feu, mon père obtenait des pierres précieuses d'une transparence unique. Voilà pourquoi la chimie m'a attiré à Londres, et pourquoi je ne suis pas devenu verrier : l'analyse des pigments me fascinait trop. Découvrir l'essence intime des teintes qui nous émeuvent tant, quel mystère envoûtant ! Les reproduire isolément, c'est de la science abstraite, mais les reproduire dans un contexte relève presque de la sorcellerie. Vous savez, Max, certains tableaux possèdent un équilibre de couleurs tellement parfait que, même à distance, ils captent notre regard. Or, leur contenu peut varier, les dessins peuvent varier, mais si on reste dans un même style et une même époque, seul l'équilibre de leur gamme chromatique aura de l'importance pour qu'on les juge vrais. La capacité de percevoir ces personnalités picturales, comme je les appelle, est d'une grande aide lorsqu'on pratique notre métier. Cherchez bien et vous trouverez la même chose dans les dessins monochromes. C'est une question de rythme, un peu comme pour des couples en train de danser : une valse ou un tango ont des mélodies différentes qui exigent des gestes spécifiques ; les artistes sont souvent spécialisés dans une gamme limitée de rythmes, et il faut savoir la reconnaître.

Durant les années où j'ai travaillé auprès de lui, maître Guderius n'a jamais cessé de manifester cette capacité étrange qui lui permettait, à distance, de percevoir où était la difficulté de son apprenti. Il avait l'habitude de discourir sur des choses apparemment sans rapport avec mon travail, mais concluait souvent par une leçon que je pouvais utiliser immédiatement dans ce que j'étais en train d'exécuter. Et il le faisait de façon généreuse, sans jamais ajouter de « j'avais bien dit » ou de « c'est tout à fait ce que je viens de vous dire ». Il laissait les fruits, mais aussi l'honneur de la découverte à son élève, même s'il était parfaitement conscient de sa propre intervention. Plus tard, lorsque je l'ai mieux connu, je n'ai pas pu m'empêcher de trouver que son attitude avait quelque chose de démoniaque.

Pendant tout l'après-midi, je me suis débattu avec les homuncules et les avortons du vieux Kokoschka. À un moment donné, incapable de me satisfaire, j'ai décidé de l'abandonner et de finir plutôt par un pot-pourri de personnages expressionnistes d'artistes plus faciles, du genre Jawlensky et Otto Mueller.

Comme la veille, au moment du crépuscule, Guderius m'a invité à arrêter le travail. J'étais soulagé et très curieux de connaître son opinion. Après avoir examiné attentivement la vingtaine de dessins étalés sur la grande table, et les avoir comparés aux reproductions de divers catalogues, il s'est enfin prononcé :

— Nolde et Beckmann seraient ravis de signer ces œuvres-là. Klimt aussi, évidemment, quoiqu'il était d'habitude plus pudique ; tout de même, c'est très viennois, et je suis persuadé que les messieurs ventrus de son temps auraient apprécié ces dessins. Oui, Klimt, ça va... J'aime aussi ce petit Mueller, même si vous avez été un peu trop sensuel dans les formes. Otto Mueller est sensuel d'une autre façon ; ses personnages féminins sont attirants à cause du contraste entre leur nudité et leur innocence, leur côté bucolique. L'observateur doit penser que les modèles se laisseraient posséder facilement, sans presque s'en rendre compte... C'était un gitan, Mueller. Vos Kirchner, c'est tout juste acceptable ; mais alors là, non. Vos difficultés apparaissent clairement avec Kokoschka. Vous êtes trop respectueux de votre talent pour faire des choses infantiles.

— Pourtant, c'est le même type d'avortons, ai-je protesté.

— Tout à fait, en tous points pareils, a-t-il répondu. S'ils étaient accrochés à une exposition de Kokoschka, ou reproduits dans un des catalogues des galeries Malborough, ils passeraient très bien pour des Kokoschka. Mais ils ne le sont pas encore. Et, de ce fait, ils sont simplement ridicules.

— Je ne vous suis pas. S'ils ressemblent...

— Voyez-vous, Max, a-t-il repris en souriant, c'est une question de contexte. Il faudra vous y habituer, si vous voulez imiter la plupart des contemporains. Autrefois, le beau, la perfection et la représentation prévalaient ; la ressemblance avait de la valeur pour elle-même. L'art était encore lié au concept de *mimesis*, le concept clé de l'esthétique grecque : imitation et illusion. Les choses se sont passablement compliquées durant notre siècle. Un dessin du vieux Kokoschka ne vaut rien s'il est fait par le premier venu. C'est aussi le cas pour les abstraits ; dire qu'un enfant ou un singe en feraient autant n'est qu'une boutade sans conséquence. Prenez, par exemple, deux vieilles poufiasses maquillées et maniérées. Elles sont en tous points semblables, aussi obscènes, aussi décadentes et dégoûtantes l'une que l'autre. Sauf que la première est madame une telle, madame l'ambassadrice ou la comtesse, peu importe. L'autre n'est qu'une tenancière à la retraite, une maquerelle, une folle. Seul le contexte nous permet de distinguer les deux images. L'une nous parlera de ses œuvres de bienfaisance, de ses réceptions, de monsieur le ministre ou de l'artiste à la mode. L'autre parlera de ses michetons, des mecs de son passé, de ses amours. Voilà l'importance du contexte : ça change tout. Il faut donc du contexte pour que vos Kokoschka deviennent plus que des avortons ridicules ; il faudra y mettre de la mythologie et des références artistiques sophistiquées pour arriver à avoir l'aval d'un critique d'art sérieux. Sinon, on confondra les poufiasses... La plupart des artistes modernes sont dans ce cas, et nous sommes obligés d'en tenir compte. Si vos avortons étaient, par exemple, des illustrations pour l'*Odyssée* ou des scènes bibliques, ce serait déjà mieux. Pour absurde que cela puisse paraître, ça ferait déjà des Kokoschka, car cet artiste ne reculait devant aucune absurdité. Il était beaucoup plus égocentrique que vous et il se fichait du réel ; c'était lui la mesure du réel. Il se sentait un monument. D'ailleurs, regardez bien : ses dessins sont tous identifiés, accompagnés de commentaires, signés et datés. Il se savait observé par les historiens. Tandis que vous, Max, vous respectez trop le réel parce que vous n'êtes pas un monument. Vos dessins, ça va de soi, trahissent votre souci, peut-être aussi votre amour de l'art. Laissez-moi vous dire que Kokoschka n'a jamais possédé ce genre de proportions anatomiques, pas même lorsqu'il était à l'académie de Dresde. Alors, ce ne sont que de piètres imitations.

Devant mon air dépité, il a ajouté :

— Il faudra apprendre à vous mettre au service de l'artiste que vous voulez contrefaire, vous oublier à son profit. Comme un acteur, qui se met au service d'un texte, tout simplement. Toutefois, chaque acteur connaît ses limites, et vous devez connaître les vôtres. Vos qualités mêmes sont vos limites. Regardez bien ceci : vous réussissez à merveille les artistes qui ont choisi la figure humaine, mais, comme eux, vous êtes un piètre paysagiste. Au contraire, les corps faits par des paysagistes, même s'ils ont l'air de gribouillis d'enfants, seront toujours trop difficiles pour vous. Cézanne, Vlaminck, même Nolde, leurs personnages sont si mal faits que c'en est attendrissant. Vous avez réussi Nolde grâce à votre connaissance de l'expressionnisme, pas grâce à votre talent. Un type comme le père Marquet est tout à fait exceptionnel : il était bien meilleur portraitiste que paysagiste, mais il a passé à l'histoire à cause de ses paysages. C'est ce qui se vendait le mieux. Étudiez ses dessins au pinceau : de pures merveilles. Tandis que Matisse, on a beau dire que c'est un géant de la couleur, ses personnages resteront toujours ridicules, débiles et monstrueux à la fois. Il faut s'y faire, s'adapter à eux. Le monde de l'art est partagé entre personnes et paysages, beaucoup plus qu'entre la ligne et la couleur. Pensez-y. Kokoschka a fait des portraits dont la valeur est d'être avant tout des paysages. Vous trouverez d'ailleurs cette dichotomie même chez les abstraits.

— Et Picasso, là-dedans ?

— Max, il ne sert à rien de vouloir contrefaire Picasso. Il y en a déjà trop sur le marché ; chaque peintre cherche à l'imiter. Picasso avait tous les styles parce que, justement, il était en quelque sorte son premier contre-facteur, qui se doublait d'un farceur. Il faisait des Picasso pour s'amuser, pour emmerder. C'est à la fois un génie et la plus grande fraude de l'histoire de l'art. Il l'a d'ailleurs proclamé lui-même dans ses écrits. Oubliez Picasso, sinon vous allez avoir des ulcères. Faites plutôt la paix avec ce que vous aimez. L'art, ne l'oubliez pas, c'est de l'amour et de l'imitation, de la création à nouveau, comme lorsqu'on devient amoureux. On ne tombe amoureux qu'au contact d'une image qui nous habite au préalable, jamais avec un être entièrement original.

❏

Je me souviens très bien de cette conversation avec maître Guderius. C'est comme s'il avait voulu, dès le début, me montrer l'axe selon lequel voyageait sa pensée. D'habitude, sa vaste culture se manifestait plutôt dans la pratique, dans le métier avec lequel il conduisait son travail. Il m'étonnait sans cesse par la finesse de son jugement ; son érudition venait ensuite, sous la forme de plaisir intellectuel, pour draper ses œuvres comme on habille un beau corps. Souvent, à propos d'un peintre inconnu, d'une époque peu visitée ou d'un détail icono-graphique, il s'arrêtait pour réfléchir selon une curieuse méthode associative ; il retraçait au fond de sa mémoire des références hermétiques, pour ensuite aller fouiller dans les bibliothèques à la recherche d'une confirmation. C'étaient des textes qu'il avait lus autrefois, quelque part, ou vus cités par d'autres maîtres, et qui refaisaient surface avec précision à l'occasion d'un problème spécifique de nature concrète. Malgré tout son savoir, Guderius restait un homme d'action.

Le temps m'a donné des preuves de son admiration pour mon travail, mais aussi de l'estime discrète et bien paternelle qu'il avait pour moi. Je crois que ses paroles avaient pour but d'aller plus loin que le simple cours sur les styles artistiques. Je suis persuadé qu'il tentait de me mettre en garde contre un danger réel qui me guettait, celui de me perdre dans les méandres de manières qui n'étaient pas les miennes. Quoique bien dissimulée derrière sa pudeur respectueuse, cette idée était présente dans beaucoup de ses interventions. Je n'étais cependant pas prêt à recevoir ce genre de leçon à ce moment-là. Je me réjouissais de sa science comme je l'avais fait avec l'anatomie, sans me rendre compte qu'il s'agissait toujours de la même fuite. Lui, au contraire, c'est l'artiste en moi qu'il admirait et qu'il tentait de protéger. D'ailleurs, en prétextant que cet exercice était essentiel à la poursuite de mon travail, il a insisté pour que je fréquente des ateliers de modèle à l'école de Beaux-Arts d'Anvers. C'était encore une façon de me protéger, pour que je ne me perde pas entièrement dans l'imitation.

Dès que les Pascin sont arrivés de Berne, je me suis mis au travail. Ça n'a pas été difficile. En peu de temps, j'avais terminé une série parallèle de dessins tout à fait conformes aux spécifications de l'article qui les accompagnait. Guderius a été si satisfait qu'il a voulu une deuxième série, une sorte d'intermédiaire entre l'obscénité des originaux et l'édulcoration des copies, et qu'il disait destinée au marché européen. Sauf que, curieusement, il l'a gardée pour lui, et l'a payée de sa poche.

Je me suis ensuite attaqué aux Paul Klee. C'était en effet très stéréotypé, lassant, de créer presque une centaine de planches géométriques en variant à l'infini les carrés colorés et les petits gribouillis. Je combattais l'ennui par de longues promenades un peu partout dans la ville, mais en particulier par la visite des vieilles églises remplies de sculptures. La vision de ces bois taillés si magnifiques, d'auteurs inconnus, me remplissait d'une grande tranquillité. Leur contemplation m'amenait aussi à me questionner sur le but sinon de ma vie, tout au moins de mon travail. C'étaient des questions vagues encore, que je chassais aussitôt de mon esprit, mais qui revenaient me taquiner aux moments où je m'y attendais le moins.

Une fois, perdu dans mes pensées à l'église Saint-Paul, j'ai bêtement éclaté de rire à cause de l'image saugrenue qui avait assailli mon esprit. J'avais eu la nette impression que les sculptures des apôtres que j'admirais n'étaient plus en bois, mais en chair et en os, vivantes. Et elles discutaient, animées, tentant de comprendre par quelle curieuse déformation des temps modernes ce jeune homme-là, apparemment en santé, se donnait tant de peine pour reproduire inlassablement des petits carrés colorés. Lorsque je lui ai décrit la scène, en souriant, maître Guderius s'est borné à demander, très sérieusement :

— Pourriez-vous les dessiner de mémoire ?

— Non, ai-je répondu, surpris. Ces sculptures sont trop majestueuses. J'aurais peur que cela ressemble à de la caricature.

— Vous devriez les dessiner, ces sculptures. Ce serait une discipline profitable pour éviter de perdre votre goût, ou la capacité de regarder. N'oubliez pas que vous travaillerez surtout les modernes, et même des abstraits. Mais surtout, n'oubliez pas le modèle vivant ; vous risquez de vous abrutir. Tentez de nettoyer votre esprit des artistes que vous connaissez. Allez-y pour le simple plaisir, comme vous le faisiez dans vos cours d'anatomie. Si vos gestes s'assouplissent davantage, nous pourrons même nous essayer à des baroques italiens. Je peux obtenir un lot de papier du XVIIIe qui vous aidera à faire la paix avec les sanguines et les bistres. Mais je voudrais d'abord voir vos nus, entendu ?

Une autre fois, pendant que je dessinais une figure pour le petit retable qu'il était en train de restaurer, Guderius m'a fait une belle surprise. Il est venu, tout content, avec mes premiers dessins, ceux de lui et de son épouse à la manière des primitifs flamands, qu'il avait fini de vieillir.

— Regardez, Max, ces petites choses anciennes. Avez-vous déjà entendu parler de cet artiste ?

Ses bains chimiques avaient bel et bien lavé l'intensité des encres ; même le papier semblait transformé, comme s'il avait subi des siècles de lumière et de friction avec d'autres papiers. L'homogénéité de l'ensemble était étonnante. De minuscules vestiges de moisissure, la marque de divers passe-partout et de colles, ainsi que des signets méconnaissables, tout était là. D'une main typique de la même époque, il avait ajouté des inscriptions latines qui, effacées par l'âge, ne pouvaient désormais plus être déchiffrées en entier. À l'aide de la loupe, on arrivait pourtant à lire : *Maximus Monteregii fecit, A.D. 1471.*

— Cinq cents ans, maître, ai-je fait émerveillé. Merci beaucoup. Sont-ils tous du même artiste ?

— Sans doute, Max... Tout au moins, c'est ce que je soupçonne. L'un d'eux n'est pas signé, ou la signature est trop effacée. Sur ces deux autres ici, regardez bien avec la loupe bifocale, la signature originale a été remplacée plus tard, par une autre main, pour faire croire que ce sont des Pieter Bruegel. Voilà une bévue trop flagrante ; seul un collectionneur d'autrefois aurait pu la faire, car l'œuvre de Bruegel est bien connue depuis au moins quatre cents ans. D'ailleurs, l'analyse de l'encre, sur ces signatures contrefaites, montrera sans doute qu'il s'agit d'une encre différente de celle des inscriptions, plus tardive. Je dirais que ce Maximus Monteregii était plutôt un disciple, attaché à l'atelier d'un Hugo van der Goes, par exemple. Il devait être peu connu à son époque, car son nom ne figure nulle part. Qui sait si des recherches plus poussées ne permettront pas de trouver d'autres œuvres de cet artiste, comme des pointes d'argent par exemple ? Je les soumettrai à un expert d'Amsterdam, un professeur très érudit, qui se fera un plaisir de m'en apprendre davantage. Pour le moment, je classerai ces dessins de la façon suivante : *Anonymes néerlandais, possiblement du même artiste ou d'un même atelier (ref. H. van der Goes), circa 1450-1500. Dessins à la pointe de plume ou de pinceau, encre brune sur du papier non coloré, avec des vestiges microscopiques de rehauts apparemment à la craie blanche. Les attributions à Pieter Bruegel sont d'une main tardive et exécutées sur des plages visiblement violées. Collection privée. L'histoire des provenances est vérifiable rétrospectivement jusqu'en 1946. Possibilité qu'ils soient un butin de guerre.* Qu'en pensez-vous ?

— Maître, je ne sais quoi dire. Êtes-vous sérieux ?

— Bien sûr que je le suis ! Pas vous ? Ou est-ce que je serais le seul à avoir confiance en votre talent ? Allons donc, Max. Je suis certain que vous ferez honneur à la mémoire de cet illustre ancêtre, n'est-ce pas ? Les portraits plus réalistes seront gardés pour plus tard, lorsque le temps nous aura protégés, Magdalena et moi, des reconnaissances indiscrètes. Quant à vous, voilà un maître qui vous guidera bien plus sérieusement que moi dans votre propre quête artistique.

— Monteregii, cela ne fait pas un peu bizarre ? ai-je demandé, toujours incrédule.

— Les appellations d'autrefois étaient très fantaisistes, surtout lorqu'elles se faisaient en latin. Je suis certain que notre expert trouvera une explication. Voyez-vous, ce serait une folie de tenter de faire passer un nouveau Rembrandt aujourd'hui. Mais on ne perd rien en posant des questions sur un artiste inconnu. Les universitaires ont tellement d'imagination lorsqu'ils trouvent un filon vierge, que parfois ils nous surprennent. Attendons donc les pointes d'argent et d'autres encres qu'on pourrait attribuer à cet artiste. C'était peut-être un Français de passage, ou un Espagnol... Comment le savoir sans des avis autorisés ?

❏

J'ai réussi à finir les Paul Klee vers la fin de décembre, et Guderius s'est montré satisfait de la collection, en particulier des quelques innovations que j'avais créées lorsque l'ennui était devenu insupportable.

Mon apprentissage proprement dit a commencé au début de la nouvelle année. Guderius travaillait toujours sur son petit retable, dont il avait décapé de larges plages de peinture originale ; il n'avait conservé que les témoignages photographiques des diverses étapes ainsi que la documentation sur les pigments, au fur et à mesure qu'il les enlevait. Le support, des panneaux de chêne apprêtés, en assez bon état, était la partie essentielle de l'œuvre à venir, puisqu'il était reconnu depuis plus d'un siècle comme étant de la Renaissance. Les photos des peintures originales montraient par ailleurs des œuvres d'une qualité très médiocre, aux formes schématiques et aux visages grossiers ; la surface peinte était passablement encroûtée et voilée par de nombreuses couches de vernis bitumineux, appliquées au long des siècles. C'était évidemment une œuvre mineure, qui avait été conservée par hasard, et qui n'avait pas mérité les égards des laboratoires modernes. Guderius m'a alors dévoilé la nature véritable de son travail :

— Il y a des milliers d'objets anciens comme ce retable, perdus un peu partout, et dont on commence à peine à soupçonner l'importance. Autrefois, lorsque les œuvres de qualité étaient abondantes, personne ne s'occupait de ces vieilles croûtes paysannes ; et beaucoup de ces précieux supports d'époque ont été perdus à jamais. Plus maintenant. Le travail du restaurateur consiste à les dépouiller des couches successives, en partant de l'hypothèse qu'ils ont été peints et repeints continuellement. Ce n'est jamais le cas puisque aucun peintre ne peint par-dessus une œuvre qui serait supérieure à ce qu'il est capable de créer. On serait en droit de croire que, en nettoyant ces panneaux, on retrouverait des œuvres toujours de moindre qualité, ou rien du tout. Mais seuls les restaurateurs le savent. Tous les autres croient au miracle, et ils sont ensuite ravis devant la peinture restaurée. Or, la peinture qu'on mettra au jour sera toujours l'œuvre du restaurateur lui-même ; il n'y a jamais rien en dessous. Mais, si le tout s'appuie sur une documentation sérieuse, la nouvelle apparence de l'objet deviendra sa véritable essence. On parlera avec joie des chefs-d'œuvre sortis de l'oubli, cachés par l'ignorance et restaurés d'une main de maître par des experts contemporains. Les universitaires se font un grand plaisir de jouer avec ces objets de recherche qui apparaissent inopinément. Les propriétaires des œuvres originales sont prêts à payer de très grosses sommes si l'œuvre restaurée s'avère être une merveille inconnue…

— Ils savent que c'est vous qui allez la créer ?

— Oui et non ! s'est-il exclamé en riant. D'une part, ils le savent, naturellement, puisqu'ils sont prêts à payer le prix. Depuis toujours, les restaurateurs se font un devoir de corriger aussi les défauts les plus apparents lorsque l'œuvre est là, anesthésiée sur la table d'opération. Ce serait inhumain de respecter la laideur par simple scrupule d'historien. Donc, ils le savent, et ils s'attendent à cela. D'autre part, la nature humaine est curieuse. D'aucuns s'empressent de demander des documents sur le déroulement du travail et les certificats des experts pour pouvoir se débarrasser au plus vite de l'œuvre. Ils viennent alors de faire un simple coup d'argent, qui, au demeurant, peut être astronomique.

D'autres, par contre, deviennent tellement ravis de la nouvelle apparence de l'œuvre, qu'on dirait qu'ils vivent un coup de foudre. Ils l'exposent partout, ils désirent qu'on en parle, et je crois qu'ils finissent par oublier qu'il s'agit d'une contrefaçon.

— Si les tableaux deviennent plus beaux aux yeux du monde, pourquoi pas à leurs propres yeux?

— C'est vrai, a-t-il repris pensif. Pourquoi pas? Il faut dire que les collectionneurs, les vrais, ont une façon de voir qui est bien différente de celle du commun des mortels...

Guderius possédait tout un dépôt rempli de ces supports corrodés par le temps, la plupart en bois, mais aussi en toile, en cuivre et même en verre. Certains d'entre eux n'avaient plus de trace de peinture. Ils avaient été de vieux retables d'églises, des portes et des armoires d'autrefois qui n'avaient pas survécu aux guerres; même des tableaux sans qualité. Et il en achetait sans cesse, que ses fournisseurs — surtout des antiquaires — dénichaient à l'occasion. Aloïs Stompf, à Berne, était d'ailleurs un spécialiste dans l'identification et la certification de ces anciens panneaux. C'étaient tout simplement des œuvres futures, en attente dans les limbes, pendant que d'autres esprits diligents préparaient la documentation photographique et en retraçaient les origines, pour que des œuvres perdues à jamais puissent se réincarner.

— Les musées d'ici le savent très bien, a-t-il repris d'un air de grande sagesse. De toute façon, ils ne sont pas intéressés; soit qu'ils en ont trop, soit qu'ils n'ont plus assez d'argent pour les acheter. Non, nous travaillons surtout pour le marché américain. Là-bas, ils ont un engouement exquis pour les choses du Moyen Âge et de la Renaissance. Peut-être parce que l'Amérique n'existait pas encore à cette époque, je n'en sais rien. Ou peut-être que ces œuvres anciennes leur donnent l'aval pour qu'ils puissent convaincre leurs visiteurs que le reste de leurs collections est vraiment de l'art. En tout cas, ils achètent tout ce que les ateliers européens peuvent fabriquer, sans regarder les prix. Plus c'est cher et plus c'est crédible.

— Ce serait bien plus facile de fabriquer des contemporains, des abstraits, non ?

— Mais on les fait aussi, naturellement. Sauf que les Américains ne les achètent pas ; ils en sont déjà saturés. On en a produit pour notre propre marché européen, pour quelques millionnaires arabes et, plus récemment, pour les Japonais. L'Europe vit le même engouement, mais à l'envers. Les peintures en vogue en Amérique, pour absurdes qu'elles puissent paraître, sont très prisées par les élites d'ici. Chaque culture a le snobisme de ses carences, je suppose. On s'attendrait cependant à ce que les Américains fassent la contrefaçon de leurs peintres comme nous faisons celle des nôtres. Étrangement, ils ne le font pas. Le métier est très peu répandu là-bas. Ce serait pourtant facile, et très lucratif... Sont-ils plus honnêtes, sont-ils plus naïfs, ou simplement plus stupides ? Cela vient peut-être simplement du manque de tradition des métiers artistiques là-bas. Car il faut bien faire, si on veut que les experts risquent leur réputation, a-t-il conclu avec un sourire, en clignant les yeux.

10

L'année 1972 et les suivantes ont été extrêmement riches en apprentissages, et je n'ai pas remarqué la servitude à laquelle je livrais mon âme.

Au début, rien ne me dérangeait dans mes nouvelles fonctions. Tout me paraissait clair, allant de soi, réglé d'avance dans un monde où ma seule tâche était d'acquérir un métier. L'avenir se présentait sous la forme de défis pratiques que je surmontais au fur et à mesure. La signification existentielle de mes actes venait des autres, de la réalité, et c'était très apaisant. Tout était justifiable dans une sorte de long chemin tranquille, comme si j'étais entré dans un ordre monastique consacré à l'exercice de l'art. J'éprouvais ce sentiment de plénitude, de plaisir manuel désintéressé qu'avaient peut-être éprouvé autrefois les moines copistes œuvrant sous la direction des responsables de la vérité théologique.

L'argent ne manquait point, bien au contraire. Stompf, Gett, Rosenberg et d'autres que je ne connaissais pas s'occupaient de tout, et ils versaient régulièrement ma part dans un compte en banque à Berne. Mes besoins étaient réduits au minimum puisque le travail absorbait chaque moment de mon existence. J'aurais pu déménager dans un studio plus vaste, ou voyager, m'acheter toutes sortes de choses ; l'idée ne me venait simplement pas à l'esprit. Ce que j'avais me suffisait amplement. Je dépensais avec les putes, une fois par semaine, c'était tout. C'était si peu, comparé à mes gains, qu'il m'arrivait d'être très généreux, surtout avec les moins jolies qui acceptaient de venir poser chez moi. Du pur divertissement, pour écouter leurs histoires drôles, pour voir leurs jeux féminins souvent si naïfs… Je me souviens que j'ai joué, pendant un certain temps, avec l'idée de m'acheter une motocyclette ; mais cela non plus ne m'a pas captivé suffisamment. Guderius et Stompf me prêtaient leurs automobiles pour les voyages d'affaires, et d'habitude, le train était plus confortable, plus discret. Je lisais beaucoup, je buvais pour m'endormir et, le reste du temps, je travaillais avec un plaisir indescriptible.

À part Guderius et Magdalena, je ne connaissais que les autres élèves des ateliers à l'école des Beaux-Arts. Là encore, je ne les fréquentais que pour le travail, et je m'esquivais devant toute manœuvre d'approche, en particulier celles des filles. De toute façon, le monde entier me semblait interrompu dans sa course, et hormis mon travail, rien ne paraissait digne de considération.

❏

Lukas Guderius était un maître passionné de son métier, et il lui était facile et agréable de le transmettre. En le voyant faire, j'avais l'impression que cet homme avait souhaité depuis longtemps la présence d'un apprenti, moins pour l'aider que pour s'émerveiller avec lui, chaque jour, de ce qui surgissait de ses mains.

D'abord son laboratoire, comme il l'appelait. Il se faisait un plaisir de me montrer son impressionnante collection de pigments, dont la plupart n'étaient plus utilisés en peinture ; ils étaient indispensables pour la restauration parfaite d'œuvres anciennes : azurite, sang de bœuf, safran, orseille, malachite, terres d'origine, pisse de vache, vert d'iris, rouge dragon, momie, cochenille, laque de kermès, lapis lazuli, orpiment, rouge de plomb, sépia, garance, pourpre de Tyr, vert-de-gris, vermillon, indigo, bistre, blanc d'os pour les pointes d'argent, ainsi que de nombreux autres, tout aussi fantaisistes. Puis, les diverses présentations de l'or et de fragments de pierres précieuses, qui brillaient d'un éclat ancien parmi les poudres étincelantes. Sans compter la quantité incroyable de produits chimiques, de colles, de solvants, de laques, de vernis, de peaux de lapin et de poisson, de gelées étranges et de macérations animales. Il connaissait tout par cœur et pouvait évoquer, à propos d'une difficulté spécifique que lui avait causée un tableau, des noms étranges et des associations qui venaient directement d'un passé alchimique. Le plus étrange cependant était sa collection de résidus ; il s'agissait de milliers de sachets bien classés, contenant des terres, des poussières, des fragments de décombres, de résidus d'explosions, de flocons d'étoffes en charpie, des vestiges de cadavres humains et animaux, des laines et des pollens venant de partout. Ces sachets étaient souvent fournis avec la documentation falsifiée sur les origines d'une pièce qui devait être produite, et ils servaient à donner la touche finale, au cas où les laboratoires tenteraient d'identifier les résidus agglutinés au long des siècles dans les interstices du support. Guderius était très fier de ce raffinement, même s'il savait que les experts s'adonnaient rarement à des investigations aussi approfondies.

— Si la pièce doit avoir son origine en Turquie, m'a-t-il dit un jour en guise d'explication, je dois m'assurer qu'elle comporte des poussières, des saletés, des pollens et d'autres vestiges compatibles avec cette origine. Un tableau ne reste pas des siècles quelque part sans ramasser des saletés locales. Si les experts ne sont pas assez curieux, ce n'est pas mon problème. Ma réputation vient du travail parfait. Imaginez-vous que les pollens viennent tous des Pays-Bas, que la poussière et la pollution viennent uniquement d'ici; ça devrait faire réfléchir, n'est-ce pas? Eh bien, non, Max. Les restaurateurs italiens s'en fichent et ne s'en portent pas plus mal. La beauté du métier se perd, que voulez-vous? La demande dépasse tellement l'offre...

Il regrettait que sa bibliothèque soit relativement modeste. Ça l'obligeait à se rendre assez souvent dans les musées, à entretenir une nombreuse correspondance avec d'autres experts. Les livres, en particulier les catalogues, étaient trop chers et ils auraient occupé trop de place dans l'atelier déjà encombré. Mais il possédait la documentation la plus complète qui soit sur les signets, ces précieuses marques que les collectionneurs, les musées et les galeries apposent successivement au dos des œuvres, sur les châssis et parfois aux endroits les plus bizarres sur les supports. Ces signets fonctionnent comme une sorte d'arbre généalogique de l'œuvre, comme des titres de noblesse acquis au long des âges; et, plus ils sont nombreux et anciens, plus la valeur de la pièce sera reconnue. D'ailleurs, beaucoup plus que la perfection du travail artistique proprement dit, c'est la présence des signets qui compte aux yeux des acheteurs. Cela aussi navrait le maître :

— Ils ne connaissent que les titres de banque, et se fient alors à la réputation des marchands, des collectionneurs du passé. On peut leur refiler n'importe quoi, pourvu que les signets soient bel et bien répertoriés dans un catalogue fiable. Hackfleish, mon fournisseur de signets à Munich, peut m'envoyer, par retour du courrier, les sceaux et les signets imprimés de tous les collectionneurs et les musées d'Europe depuis la Renaissance! Les plus anciens, je les fais sur place. Naturellement, ceux des galeries disparues durant la guerre sont les plus en demande, mais aussi ceux des pays de l'Est, qui commencent peu à peu à s'établir ici. Vous voyez, si une œuvre a changé de propriétaire avant les années quarante, de préférence entre 1933 et 1939, c'est déjà un bon signe, puisque les Américains pensent immédiatement aux biens juifs confisqués; et ils se sentent aussitôt rassurés sur sa valeur.

— Il n'y a pas de danger, justement, que les anciens propriétaires la réclament?

— Impossible, puisque je ne fais pas de copies, seulement des originaux, a-t-il rétorqué en riant. Mais aussi à cause des prescriptions. En Suisse et au Japon, la période est d'à peine trois ans, même pour une œuvre volée récemment. Le *Trace Magazine* et l'*Art and Loss Register* de Londres tiennent des catalogues de toutes les pièces de valeur volées ou disparues. Ce sont des outils indispensables lorsqu'on va créer une œuvre qui ressemble à une qui a disparu. Ils nous permettent d'étudier les provenances déjà reconnues et on peut ainsi faire voyager l'œuvre nouvelle par des chemins analogues. Il faut seulement éviter les musées. Tant que ce sont des collections privées, on a une très grande marge de manœuvre. Et puis, si l'œuvre nouvelle ressemble assez à celle qui a disparu, même si on n'obtient pas l'authentification pour ce qui est de l'auteur, déjà si on sait que c'est le travail d'un disciple proche, ou que ça peut être attribué à l'atelier du maître, le travail sera largement compensé. L'œuvre d'un inconnu qui est acceptée comme provenant de l'atelier de Dürer, par exemple, vaudra aussitôt une fortune; et sans aucun risque puisque ce sera l'expert qui l'aura dit, pas le vendeur.

— Comme Maximus Monteregii?

— Exactement. Il serait peut-être temps que je m'occupe de préparer les supports pour vos exercices à la pointe d'argent. Ça va être formidable ; cette technique n'est plus maîtrisée depuis un siècle au moins.

Guderius m'a ensuite initié au travail de décapage pour arriver, à partir de l'œuvre d'origine, sinon à l'améliorer, tout au moins à en découvrir de nouvelles. Le travail était méthodiquement photographié au fur et à mesure que nous avancions, depuis le vernis de surface jusqu'au support. Parfois, avant même d'effacer la peinture, je travaillais déjà sur les dessins de la nouvelle œuvre ; celle-ci devait, devant l'objectif de l'appareil photo, avoir l'air de surgir sous la forme de *pentimenti* délicats, photo après photo. Nous progressions à l'aide de ouate imbibée de solvants, d'abord bien délicatement, pour ôter les couches protectrices de vernis. Une fois que nous étions assurés que la peinture était bel et bien médiocre, le véritable travail de création commençait. Pour le faire, nous tentions, dans la mesure du possible, de conserver des plages chromatiques originales, quitte à transformer entièrement le dessin. Ce qui était le ciel ou des herbes pouvait devenir des plis ou des vêtements ; des morceaux de chair étaient déplacés et relocalisés comme dans un puzzle. Une fois que la couche de fond du nouveau dessin était bien en place, il s'agissait de revenir vers la surface, patiemment, par couches de vernis et de glacis translucides successives, pour respecter parfaitement la technique. Le soin que nous prenions à manipuler les pigments était méticuleux à l'extrême pour que tout soit crédible. Puis, l'usage des solvants phénoliques appropriés produisait, au séchage, les craquelures bien adaptées au panneau de support et à l'âge de la pièce. Une fois l'œuvre finie, il fallait encore la vernir, en prenant soin d'ajouter, judicieusement, la poussière du temps, dans les irrégularités de la surface, dans les craquelures d'origine ou celles que nous avions faites et qui ajoutaient l'apparence d'anciens accidents.

C'était un travail reposant, qui devait être accompli très lentement et minutieusement. L'œuvre se dévoilait ainsi, jour après jour, comme une révélation sortie d'un passé oublié. Nous ressentions, devant ces pièces, un émerveillement certain, semblable peut-être à celui du Créateur devant les choses éternelles.

D'autres fois, le travail était plus délicat encore, puisqu'il s'agissait simplement de corriger le dessin sous-jacent de certaines parties d'une œuvre, en général les mains et les visages. Il fallait alors creuser littéralement des puits dans la surface pour atteindre le dessin, tout en respectant avec soin leur environnement immédiat. Les cicatrices entre l'ancien et le nouveau travail devaient être parfaites, et il fallait que les greffons soient exécutés avec la pâte et les pigments originaux. Des œuvres d'un aspect quelconque, grossier, des enfants aux allures de nains, gagnaient de la sorte un éclat insolite, une innocence diaphane.

— Les artistes d'autrefois travaillaient en équipe, chacun comme spécialiste d'un type d'objet, m'a appris Guderius durant ces analyses. Regardez ce tableau-ci, qui nous vient d'Autriche. Le paysagiste était assez habile ; le peintre de décorations, d'objets et de vêtements aussi. Mais le patron n'avait pas eu suffisamment d'argent pour louer les services d'un portraitiste de qualité. Nous allons donc, avec l'aide de Maximus Monteregii, corriger cette malencontreuse situation, et rendre une œuvre plus homogène à la postérité.

C'était bien là le sens de notre travail : tenter de remplacer les belles pièces détruites par la bêtise des hommes, les guerres et l'ignorance, en nous servant de celles qui avaient été conservées par hasard.

Le travail sur les peintures entoilées était bien plus facile à cause de la flexibilité du support et de la minceur des couches. À l'occasion, nous pouvions même détacher entièrement la couche peinte de la surface de la toile, comme une sorte de film, pour la recoller sur un nouveau support. La documentation photographique était préparée en conséquence pour justifier ce changement de support qui nous permettait une liberté totale d'intervention. Parfois, des peintures médiocres sur des toiles en bon état étaient entièrement effacées pour que nous puissions créer d'anciennes merveilles, généralement érotiques. La documentation photographique garantissait non seulement l'aspect scientifique des découvertes, mais elle faisait le délice des historiens et des sociologues de la culture.

— Nous pratiquons un art très respectable, disait Guderius d'un air sérieux. Les puritains des Pays-Bas et d'Espagne avaient l'habitude de faire repeindre de cette façon les œuvres qu'ils jugeaient osées ou hérétiques. Le plafond tout entier de la chapelle Sixtine, œuvre de Michel-Ange, a été retravaillé de la sorte après sa mort. Les personnages ont été habillés d'une main habile, certes, mais moins géniale que celle de Buonarroti. Ce n'est pas tous les jours qu'on croise des escrocs aussi compétents que Rubens ; celui-ci améliorait sa collection d'œuvres anciennes par des retouches parfois radicales. Tentons donc de suivre son exemple.

❏

Étrange démon, mon maître Guderius. Quand je sortais de ces longues séances de travail, je me sentais en état de grâce. Mes promenades, au hasard des rues, me conduisaient invariablement vers les églises, les musées. Là, seulement, je pouvais retrouver un peu de cette magie qui m'habitait, qui me donnait le sentiment de participer à quelque chose de plus grand que mon temps. Curieuse contradiction : la contrefaçon m'ouvrait les portes de la vérité, de la beauté et de la paix.

Je pouvais dessiner des journées entières dans les églises, absorbé par les nobles figures taillées dans le bois. Il me suffisait de les habiller autrement, et j'obtenais aussitôt des personnages contemporains. Pourtant, dans les rues, dans les cafés, à l'école des Beaux-Arts, ces gens n'existaient pas avec la même perfection. Ils me paraissaient moches dans leur réalité quotidienne, grossiers dans leur apparence nerveuse, avides de pouvoir et trop pressés. Sûrement que les artistes d'autrefois avaient été confrontés au même dilemme, me disais-je, voilà pourquoi leurs figures d'apôtres et d'esclaves paraissaient tellement plus belles que les représentations des bourgeois ou des aristocrates. Mon époque n'avait cependant pas de mythes pour ennoblir la figure humaine. La piètre vision du réalisme socialiste et l'art nazi étaient toujours là, comme une sentence : l'homme sera désormais moche, ridicule et petit ; toute tentative pour le représenter autrement sera soit de la bête propagande, soit de la caricature grotesque.

N'empêche que j'étais bien content de mes dessins. Je les retravaillais sans cesse chez moi ; souvent, ils me servaient aussi de modèles pour de jolis dessins anciens ou de subtiles pointes d'argent. J'avais vite maîtrisé cette technique, et maître Guderius paraissait insatiable ; il en redemandait et il apprêtait continuellement des parchemins au blanc d'os pour que je ne manque pas de supports. Mes dessins le fascinaient, bien sûr, mais je crois que le travail de vieillissement de l'apprêt et d'oxydation de la mince couche d'argent lui procurait presque plus de plaisir. Une fois le long processus achevé — des bains sulfureux, des vapeurs acides et toutes sortes de pollutions malodorantes entraient dans cette alchimie de jouvence inversée —, il exhibait fièrement l'œuvre, en lançant un défi aux experts qui oseraient s'attaquer à ses merveilles.

— Maximus Monteregii commence à avoir une œuvre considérable, a-t-il dit un jour. C'est un maître de la pointe d'argent. Il serait temps que les experts se penchent sur ce cas unique... Il faudra peut-être varier, Max, créer d'autres inconnus, avec d'autres styles ; sinon, ce ne sera pas crédible.

Tout cela me flattait, naturellement, et m'aidait à plonger davantage dans le travail, à oublier le temps. Surtout à m'oublier. Mes petits moments de doute s'effaçaient devant la beauté réelle d'une pièce ou la perfection d'un travail de rafistolage; les questions n'exigeaient plus de réponses puisqu'elles paraissaient inutiles. L'art ne représentait plus le réel, mais plutôt se substituait à lui.

❑

J'avais mis le doigt dans un curieux engrenage et, si je ne souffrais pas trop encore, je savais pourtant que j'étais pris. À mesure que le temps passait, je devais me rendre à l'évidence que ma place d'apprenti était uniquement une sorte de gratification. Mon véritable rôle était de dessiner sur commande, selon les besoins que Gett et Rosenberg transmettaient depuis Londres ou New York. En effet, Rosenberg sortait de l'ombre au fur et à mesure que j'exécutais les travaux, que je devenais un habitué face auquel on n'avait plus besoin de circonspection. De plus en plus souvent, il donnait personnellement ses ordres depuis l'Amérique, et il commentait parfois mon travail. Aloïs Stompf se référait plus souvent à lui lorsque nous discutions des dessins, des projets d'expositions et même des ventes directes à des marchands américains.

J'avais peu de temps pour réfléchir à ma nouvelle situation. Le travail de contrefaçon m'absorbait parfois des semaines entières; tout semblait si bien aller que je préférais ne pas me poser de questions. Et les commandes étaient tellement variées que je m'adaptais sans même m'en rendre compte.

Après les Paul Klee, j'ai travaillé sur des dessins de Mondrian, de sa période figurative, peu connue, durant laquelle il a dessiné des fleurs, des natures mortes et des objets, dans la meilleure tradition classique. Ensuite, les

Américains et les Européens ont paru découvrir soudainement l'importance du Norvégien Edvard Munch; ses dessins et ses gravures atteignaient des prix fabuleux. Il m'a fallu alors créer des dessins et des aquarelles de cet artiste, en donnant l'impression qu'il s'agissait d'études préliminaires pour ses tableaux. Et ce, malgré le fait que Munch lui-même avait procédé à l'envers, des tableaux vers le papier. Aucune importance. Cette commande m'a valu une belle semaine à Oslo, pour étudier de près ses œuvres, au Munch Museet. J'y ai cependant passé la plupart de mon temps en tentant de retracer les vagabondages que Knut Hamsun décrit dans son roman *La faim*; je suis revenu passablement mélancolique.

De tous les artistes que j'ai contrefaits, Munch a été le plus difficile à maîtriser; la souplesse de son tracé et la transparence de ses couleurs m'ont posé beaucoup de problèmes formels. Mon état d'esprit à ce moment-là était trop semblable à celui de ses personnages, et, à chaque tentative, j'avais l'impression qu'une sorte de pudeur s'interposait entre ma main et les reproductions. Quelque chose commençait à se détraquer de nouveau, mais j'ai préféré ne voir que les difficultés matérielles du travail, en attribuant mes angoisses à Knut Hamsun. Je suis certain que mes Edvard Munch n'étaient pas très bons; comme les autres, cependant, ils ont été acceptés, placés et bien payés. Ce n'était pas une question de perfection, hélas! mais de simple plausibilité; et le contexte aidant... J'ai eu l'occasion de lire le texte qui allait accompagner la vente de quelques-uns de mes Munch en Amérique, et j'ai été bien surpris: il y était fort peu question de son art, mais presque uniquement des crises de folie de l'artiste, de sa personnalité dépressive, du théâtre de Strindberg et même du cinéaste Ingmar Bergman! Aloïs m'a assuré que mes dessins avaient été très appréciés et m'a conseillé de cesser de me poser des questions inutiles.

Plus tard, une grosse commande de dessins de George Grosz m'a aussi posé beaucoup de difficultés, mais d'une autre sorte cette fois. Il s'agissait de dessins et d'aquarelles pornographiques. Par une coïncidence bizarre, peut-être pour gagner de l'argent et pouvoir survivre, George Grosz avait exécuté des dessins érotiques durant son exil aux États-Unis. On me demandait carrément de doubler cette production clandestine de l'artiste. Rien à voir avec ses merveilleux dessins de la période expressionniste, ni avec ceux, très mordants, sur la montée du nazisme. Les Américains découvraient que Grosz avait vécu chez eux, et ils voulaient les dessins de sa période américaine. Le plus cochon possible : ceux qui étaient franchement obscènes, avec des bites juteuses, de gros culs et des vagins sanguinolents, aux personnages rigolards d'allure bavaroise. Le client de cette curieuse commande avait envoyé une documentation complète et très explicite pour s'assurer qu'il aurait bien ce qu'il souhaitait, même si cela paraissait très invraisemblable.

J'étais ainsi devant un problème moral que je ne pouvais pas éluder. Jusqu'alors, j'avais tenté d'enrichir l'œuvre des artistes en n'apportant que des éléments positifs, ou en suivant le fil de leurs meilleures œuvres. Certes, j'avais exagéré un peu avec Egon Schiele, mais je me plaisais à considérer cela comme un péché de jeunesse, une simple incartade que je n'avais pas pu éviter. Avec ces dessins obscènes, caricaturaux et en si grande quantité, j'allais corrompre ouvertement l'œuvre de quelqu'un d'autre. Et pas n'importe qui. J'aimais Grosz depuis longtemps, pour son courage, pour la verve avec laquelle il s'était opposé à la bestialité de son temps.

Je me souviens d'avoir beaucoup hésité avant de m'attaquer à ces dessins immondes. Mais j'ai cédé. Par peur. Le doute, dans cette situation précise, ouvrait une brèche béante sur le sens de tout le reste, et je n'étais pas encore prêt à affronter la solitude devant ma propre créativité. De plus, ma vie d'alors me divertissait, je trouvais ma liberté bien confortable, et il m'a été facile de me dire que je n'allais pas laisser de petits scrupules gâcher tout mon plaisir. J'ai préféré penser que Grosz était un bon vivant et que, à ma place, il en aurait fait autant. N'empêche, le doute commençait à corroder la fibre même de mes certitudes.

D'autres commandes semblables ou plus sérieuses se pointaient, et je les exécutais de plus en plus automatiquement, comme un possédé. Max devenait une machine et j'évitais de le scruter. J'ai travaillé sur de nombreux peintres contemporains, aux styles les plus hétéroclites. La seule exigence était qu'ils ne soient plus vivants. Les morts récents étaient les plus en demande ; leurs œuvres étant dispersées, il était très facile d'en incorporer de nouvelles — et même des manières originales — dans les catalogues, encore incomplets.

— Les experts sont friands des artistes qui viennent juste de mourir, m'avait expliqué Guderius. Tout est à leur disposition, ils peuvent s'emparer à loisir de l'œuvre et l'interpréter comme une totalité fermée. Le danger que l'artiste change quoi que ce soit, ou qu'il se mette à donner sa propre opinion, n'existe plus. Il ne faut pas oublier que beaucoup de transactions fructueuses se font à l'occasion des rétrospectives funèbres, ou de l'établissement des catalogues raisonnés. Un tableau bien placé, mis en relief par l'expert comme étant une œuvre charnière, peut voir sa valeur multipliée du jour au lendemain. Et tout le monde sait que l'exclusion d'un tableau du catalogue officiel peut détruire la réputation d'une collection entière. Imaginez-vous alors les profits et les chantages...

— Ça ne pose jamais de problème ? Je veux dire, si deux ou trois experts s'opposent, s'ils se disputent ?

— Cela se produit très rarement en public. Les familles des artistes ne sont jamais en mesure de faire leur propre bilan. Et les experts sont comme les avocats : ils ne se battent que lorsqu'ils sont payés pour le faire. Sinon, ils s'entendent, pour le bien de l'art.

Le plaisir du métier commençait tout de même à s'effriter. Travailler avec Guderius sur des pièces anciennes m'apportait une jouissance esthétique certaine. Mes plumes et mes pointes d'argent aussi. C'était de la contrefaçon, mais c'était beau. Et le travail de recherche, la chimie des matériaux me paraissaient ajouter un cachet respectable à cette activité. Les modernes, au contraire, étaient trop faciles à exécuter et n'exigeaient pas que je m'y consacre à fond. N'importe quoi faisait l'affaire; ça avait l'air d'une farce, et le résultat final ne valait que de l'argent. La brèche devenait inquiétante.

Un jour, après ma première année de travail, j'ai cherché à provoquer Guderius par mon cynisme, pour voir si j'arrivais à contrer le charme des impostures.

— Maître, ce ne serait pas plus facile de faire des billets de banque? Pourquoi pas?

Sa réponse, qu'il semblait sortir de mon propre désarroi, m'a plongé davantage encore dans le doute.

— Mais Max, comment pouvez-vous ne pas le savoir? Il est beaucoup plus facile, au contraire, et plus payant, de faire des faux dessins que des billets de banque. Surtout, infiniment plus amusant. D'abord, un artiste cherche à s'amuser; et le plaisir est la seule chose qu'on retire de cette vie fade. Et puis, les billets de banque, personne ne les aime pour eux-mêmes. Ils sont comme une masturbation: il n'en reste rien une fois que c'est fini. Les œuvres d'art, quant à elles, sont comme les femmes qu'on a aimées, avec leurs plis et leurs duvets intimes, des soupirs qu'on a vraiment entendus. Même s'ils étaient feints, la chair était là; et plus que soumise, complice, ne reculant devant rien pour notre plaisir. Le jeu de l'actrice, elle l'aura fait pour nous, ou du moins en notre présence. Toute la dépense des muscles, sa sueur, ses jus odorants, elle l'a fait pour notre plaisir… Je vous demande alors: n'est-ce pas mieux qu'une masturbation? L'amant véritable est celui qui s'enorgueillit du jeu de l'autre, qui le sollicite et qui s'y met à son tour. Elles sont si mignonnes, les créatures, lorsqu'elles offrent leur résistance feinte, leurs petits théâtres, la maladresse de leurs jeux de boulevard, qu'il serait dommage de ne pas en profiter. Tandis que les billets de banque… Ils ne soulagent que les impuissants, sapristi! L'art, Max, c'est du domaine du rêve, de l'illusion, et c'est pourquoi les œuvres fascinent tant. Puis, des faux, ces faux que vous faites avec tant de légèreté… Saviez-vous que chaque grand artiste les a pratiqués, sinon ouvertement, tout au moins à l'intérieur de sa propre œuvre? Lisez *De mendacia*, de saint Augustin; le père de l'Église y louait déjà la valeur des copies et des contrefaçons, à cause de l'élan créateur que celles-ci contiennent. Vasari, de son côté, raconte comment Michel-Ange et d'autres grands artistes s'enrichissaient en créant des dessins attribuables à l'Antiquité. Rubens copiait des dessins anciens dans ses tableaux, Marcantonio Raimondi imitait les dessins et les signatures de Dürer. Piranèse, lui, inventait des sculptures classiques avec des fragments de marbre, il s'en servait pour ses gravures, et ensuite il les vendait aux collectionneurs anglais! Sans parler des ateliers collectifs d'autrefois. Ces histoires d'œuvres originales sont une piètre invention du romantisme, et ne séduisent que les esprits douceureux. La réalité du désir et de l'imaginaire est beaucoup plus complexe que ça. Pensez, par exemple, à la plus belle madone qui a jamais été peinte, la *Madone au voile*, de Botticelli.

— *Madone au voile*?

— Vous ne la connaissez pas, n'est-ce pas? Et pourquoi? Pourquoi ne peut-on pas jouir de ce visage magnifique, de l'unique Vierge Marie de toute l'iconographie que l'on se ferait un plaisir de dépuceler? La plus jolie, la seule qui n'a pas cet air idiot d'illuminée? Eh bien, Max, tout simplement parce qu'un pauvre type, l'historien anglais Kenneth Clark, a été trop troublé par la beauté de cette Madone, et qu'il a suggéré une expertise de l'œuvre. Voilà. La *Madone au voile* de Botticelli est maintenant gardée au Courtauld Institute de Londres, parce qu'elle a été peinte en 1920! Seulement à cause de ça... Idiot, n'est-ce pas? Pourtant, elle est toujours la plus belle. Par ailleurs, l'œuvre de ce bon vieux Sandro Botticelli se trouve amputée de son plus beau fleuron. Imaginez donc que ce même historien anglais a ensuite écrit un livre sur le nu! C'est peut-être un grand expert, mais un piètre homme du monde. S'il n'est pas eunuque, la pauvre Mme Clark doit être une excellente comédienne.

Guderius avait raison sur toute la ligne, mais ses paroles m'embourbaient davantage dans ma propre confusion.

❑

Le temps passait sans que je m'en rende compte. Je vivais dans un état continuel de surexcitation et je me plongeais chaque fois davantage dans l'action pure, incapable de réfléchir sur le sens de cette folie.

Mon apprentissage continuait, d'une façon moins intensive cependant, plus théorique que durant les deux premières années. Une fois que j'avais saisi le processus de base, le reste était affaire d'expérience, d'exercice, de culture artistique et d'expertise chimique. Visiblement, le maître ne me destinait pas à lui succéder dans l'entreprise. Il voulait me transmettre l'essence de son métier pour que je puisse juger par moi-même des étapes à suivre. D'ailleurs, je ne crois pas qu'il aurait jamais laissé à quelqu'un d'autre la responsabilité d'exécuter une œuvre ancienne à sa place.

J'étais devenu passablement compétent dans l'art de la restauration et du maquillage, et j'avais en outre bien payé en retour pour ce qu'il m'avait appris. J'avais, surtout, répété inlassablement la contrefaçon des modernes, ce qui, en fait, n'avait rien ajouté de nouveau à ce que je savais déjà depuis mes Egon Schiele. Pendant ce temps, toutes les questions suspendues, tous les mensonges subtils avaient continué librement leur travail de corrosion. Et je n'étais plus en mesure d'oublier l'arrière-goût amer qui tourmentait mon esprit. Une barrière sinistre s'interposait entre mes œuvres et mon désir, chaque fois que je m'efforçais de ne pas copier le style de tel ou tel artiste. Tout était alors vague, impalpable, et je ne savais jamais où je voulais aboutir. La beauté se dérobait à moi ; elle n'apparaissait qu'aux autres, à travers les œuvres d'un autre temps. Mon art personnel ne résistait pas à la comparaison avec les merveilles qui sortaient de ma main de faussaire. Au contraire, mes œuvres s'enlaidissaient de plus en plus, comme si l'horreur était la seule voie disponible pour mon expression. Je me disais que c'était l'effet de la fatigue, ou qu'il s'agissait d'une saine réaction pour me défendre des mensonges. Je me surprenais parfois à utiliser le même verbiage que Jan Petersen pour me convaincre que le laid, le grotesque, le difforme et le disloqué étaient plus adéquats pour exprimer mon propre temps. Je savais pertinemment que je trichais, une fois de plus. Comme lorsque le menteur se ment à lui-même sur l'art du mensonge, la vérité revenait sans cesse à la surface, et je n'arrivais plus à être dupe de ma propre contrefaçon.

Je me débattais, bien sûr, tentant de revenir à la beauté et de la créer par mes propres moyens. Si j'enjolivais mes putes, si j'évitais de perforer leurs chairs à la recherche de l'anatomie, ça ressemblait trop à des Pascin. Si je simplifiais la ligne à l'extrême, c'était des Rodin. Un pas de plus, et c'étaient des Matisse. Lorsque je revenais en arrière, avec des traits plus ronds, j'aboutissais à des Modigliani, à des maniéristes italiens. Un dessin plus précis me donnait des préraphaélites, et mes putes devenaient des vierges diaphanes. Effilées et au trait angoissé, je retombais dans Kokoschka et dans Schiele. En me battant encore pour détruire les formes de ces artistes, j'arrivais à des Giacometti ; un pas de plus, et c'était le cubisme et les folies de Marcel Duchamp. De véritablement mien, je n'avais que l'anatomie, la morgue de

New York et la déchéance d'Annette. Curieusement, même mes tentatives pour retrouver le visage délicat de Caroline n'aboutissaient qu'à des pointes d'argent de style ancien. J'ai tant et tant cherché ce visage d'un temps où j'avais été insouciant, comme un port d'attache. Mais en vain.

Ce n'était pas tout. Quelque chose de plus grave me menaçait depuis assez longtemps déjà ; jour après jour je craignais d'être impuissant contre ce danger qui venait de mon propre intérieur. Des idées étranges, jusqu'alors enfouies dans mon esprit, devenaient de plus en plus présentes à ma conscience, harcelantes et fascinantes à la fois. Des idées de mort, de destruction, des visions d'épouvante.

Un jour, à Londres, j'ai eu l'impulsion obsédante de déchirer une série de dessins en pleine maison Sotheby's. À la demande de Gett, le préposé avait étalé sur la table des œuvres dadaïstes pour que je les examine. Par une coïncidence fâcheuse, il s'y trouvait aussi deux dessins de Max Ernst que j'avais moi-même exécutés peu de temps auparavant. L'impression d'absurdité a été si intense devant le fait de me trouver là pour étudier mes propres œuvres, que je me suis senti nauséeux, avec des sueurs froides et avec une envie presque incontrôlable de tout détruire. Il m'a fallu fuir précipitamment, en bousculant Gett et le préposé qui tentaient de me retenir. Cette même réaction s'est répétée au musée de Bâle, lorsqu'on m'a montré des œuvres de Paul Klee provenant de collections américaines. J'étais étonné de me retrouver en pleine rue, baigné de sueur, sans que personne ne cherche à m'arrêter, car l'impression d'avoir réellement déchiré les dessins était alors trop précise pour n'être qu'une illusion.

J'étais paralysé par la peur de passer aux actes ; et pas seulement contre des dessins. J'avais toujours su jouer avec mon imagination, faisant la part de ce qui était réel et de ce qui se passait dans mon esprit. Depuis un certain temps, cependant, des fantaisies sinistres m'occupaient des journées entières lorsque je n'étais pas en train de travailler. Mes anatomies commençaient à m'apparaître avec une vivacité exagérée, colorées ; et même en présence des modèles, la fantaisie d'échanger le fusain contre le rasoir se faisait de plus en plus fréquente, réelle. Je pouvais aller jusqu'à visualiser l'étonnement des victimes, leurs cris... Autrefois, cela n'avait été qu'un simple jeu, une rêverie dans des moments de haine, et je n'avais jamais exploré la chose en détail. Surtout pas en présence d'une fille. L'être humain n'avait mobilisé en moi que des élans esthétiques. Hélas ! Je glissais vers d'étranges registres, et ce genre d'images gagnait une rigueur et une précision très inquiétantes. Mes réactions récentes devant les dessins m'indiquaient bien que désormais je risquais aussi de déchirer autre chose que de simples œuvres contrefaites.

Je m'isolais volontiers, justement pour continuer à rêvasser, pour me perdre dans ce monde imaginaire qui risquait de devenir hyperbolique. Durant la journée, dans l'atelier avec Guderius, ça ne paraissait pas. Tant que je travaillais, tout allait bien ; je contrôlais mes pensées, j'arrivais à en rire, et j'oubliais jusqu'aux angoisses concernant mon avenir. De la même façon, lorsque je dessinais mes modèles, si mon effort était soutenu, physique, les idées restaient soumises à ma volonté. Mais pas question de baisser la garde. J'étais en quelque sorte condamné à travailler incessamment. Seul, chez moi, je me permettais d'explorer ce monde étrange qui pourtant m'apparaissait parfois très familier. J'arrivais à le dessiner, à l'orienter un peu, parfois même à le modifier pour tenter de m'en rendre maître. Je m'en faisais complice tout en en ayant peur, et il commençait à se muer inexorablement en désir. Le dessin ne suffisait plus, le regard demandait davantage ; je le sentais dans mes mains crispées. Je surprenais ce désir sauvage dans mes caresses, pendant l'amour, lorsque la pression de mon toucher sur le corps de ma compagne du moment devait s'efforcer d'arrêter à temps, se figer juste avant le déchirement de la chair, le déboîtement des articulations.

J'avais peur, j'étais confus ; il était temps de partir, de tout laisser derrière avant que je devienne fou. C'est ainsi la folie : on se sent transporté durant longtemps et elle ne nous dérange point. Elle peut même nous divertir au début. Soudain, la peur s'empare de notre corps, de nos entrailles ; on sent alors que le fond se dérobe, qu'on suffoque et que le courant dépasse nos forces. On sait qu'elle est là, la folie, qu'elle va et vient de son propre gré ; et que, bientôt, elle s'emparera de bien plus que de nos simples fantaisies. Et alors, au lieu de l'art, la réalité deviendra cauchemar.

Aloïs s'est rendu compte de mon état et il m'a invité à en parler. Peut-être qu'il savait déjà, ou qu'il se méfiait depuis le jour où j'avais eu cet étrange comportement chez Sotheby's. Je lui ai alors confié mon désir de partir, le plus vite possible. L'idée de m'échapper n'avait pas encore frôlé mon esprit, car je ne savais pas que j'étais leur prisonnier. J'avais, en fait, peu réfléchi à tout ce qui me liait à eux. Dans leur tête, cependant, j'étais à la fois un collaborateur précieux et un témoin dangereux. Et ils n'avaient aucunement l'intention de me laisser partir.

Tout a basculé lorsque Vera est entrée dans ma vie.

11

C'était en mai 1975. J'étais allé à Berne pour livrer une grosse collection d'œuvres dadaïstes sur laquelle je venais de travailler pendant trois mois. Mon moral était au plus bas. Les longues séances de travail, semaine après semaine, sans répit, à répéter des facéties graphiques dénuées de tout sens, m'avaient vidé et noirci l'esprit. Au contraire de ce qui se passait lorsque je travaillais sur des œuvres de qualité, l'inutilité absurde de cet exercice dadaïste avait exacerbé les démons, et mes nerfs étaient à fleur de peau. Je venais de quitter Anvers comme on fuit la scène d'un crime ; il me fallait partir pour respirer, et j'avais saisi la chance de ce voyage avec la vague intention de tout laisser derrière. J'avais l'espoir que, une fois éloigné de tout ce qui avait trait à l'art et à la folie, je retrouverais la paix.

Aloïs s'en est rendu compte et il a cherché à être très paternel, sans poser de question. Un soir, sous prétexte de me remercier du bon travail sur les dadaïstes, il m'a invité à un festin dans un excellent restaurant. Pendant le repas, il a tenté de me changer les idées en me racontant des blagues et des histoires cocasses sur ses copains diplomates. Curieusement, le vin et les alcools fins aidant, il a réussi à me détendre et même à me faire rire. Je suis revenu complètement saoul à l'hôtel, et j'ai ainsi passé ma première nuit paisible depuis bien des semaines.

Il est revenu me chercher le lendemain, et nous sommes partis pour plusieurs jours. Je ne sais pas si c'était un prétexte pour me faire changer d'air, mais diverses livraisons importantes exigeaient sa présence un peu partout en Suisse. Comme à d'autres occasions, je remplaçais son neveu en tant que garde du corps; cela voulait dire qu'aucune transaction importante n'aurait lieu, et qu'il ne serait pas question de grosses sommes d'argent.

— Ça te fera des vacances, Max, avait-il dit en blague. L'homme ne vit pas seulement de travail. Il faut aussi que tu t'amuses. La baronne Litsky se fera un plaisir de nous recevoir dans sa propriété de Lausanne. Ce sera très drôle, tu verras. C'est une mécène, comme tant d'autres qui sont dans la mafia internationale de la bienfaisance… UNICEF, Croix-Rouge et *tutti quanti*. Elle aimerait bien que tu jettes un regard critique sur certaines de ses pièces anciennes. Madame est de gauche, souviens-toi. Et, sous le couvert de ses activités anti-impérialistes, elle est aussi une spécialiste du sauvetage d'icônes russes et d'autres antiquités, qu'elle récupère pour le monde libre. Elle ne sait pas faire la différence entre Piaget, le philosophe, et les montres Piaget; la pauvre vieille! Mais ses fêtes sont très, très agréables.

Accompagner Aloïs dans ses voyages avait toujours été divertissant. C'étaient des occasions d'admirer des collections très sélectes, uniques, pour lesquelles les propriétaires préféraient n'avoir aucune publicité. Aloïs était à la fois leur dépisteur, leur démarcheur et leur expert. Il était aussi l'homme fiable qui savait transférer discrètement des pièces, de partout en Europe jusqu'aux grandes maisons de vente londoniennes. Les virements d'argent étaient ensuite effectués selon des chaînes complexes et impossibles à retracer, dans des institutions bancaires dont les sièges sociaux se situaient curieusement à Hong Kong, à Arouba, à Panama City, à Nassau ou au Cap.

Bon vivant, il était toujours reçu aux meilleures tables, et se faisait un plaisir de renouer avec ses petits copains haut placés, dont les poules de luxe s'occupaient gracieusement de mon bien-être. Il n'allait jamais à des réceptions publiques, tout au moins en ma compagnie, et ce n'était donc jamais emmerdant.

J'avais accepté de l'accompagner pour mettre de l'ordre dans mes idées, mais aussi en attendant le paiement de la dernière commande. Les dadaïstes devaient me rapporter au moins dix mille dollars. Avec ce que j'avais déjà en banque, je comptais pouvoir vivre plusieurs années au Canada, confortablement.

Nous avons pris un peu plus d'une semaine pour faire le tour de la Suisse. Après des entretiens à Zurich, nous sommes allés à Genève, notre destination la plus courante. Les diplomates des pays pauvres profitent de cette ville pour faire entrer en Europe les œuvres les plus hétéroclites, dont des trésors archéologiques de leurs pays. Une véritable foire exotique se cache d'ailleurs chez les brocanteurs chics et dans les galeries de Genève, le tout bien éloigné des yeux du vulgaire. Aloïs y avait de nombreux contacts, particulièrement dans les milieux reliés au bloc de l'Est. À cause de leurs monnaies sans valeur, ces derniers devaient resquiller et trafiquer pour se payer les luxes du monde libre. Genève, sous ses airs paisibles, est aussi une sorte de plaque tournante de l'information, de la délation et de la surveillance. Une fois que l'argent a été bien placé à Zurich, les gens viennent se prélasser au bord du lac, rencontrer les diplomates et les chargés d'affaires, pour mieux recommencer. Donc, l'endroit idéal pour un homme d'affaires dont la marchandise est le rêve, l'illusion.

La visite des marchands, l'inspection des œuvres et les discussions sur des projets de vente de tel ou tel collectionneur dans le besoin m'ont fait l'effet d'une bouffée d'air frais. Mon rôle était de l'accompagner pour observer ; nous discutions ensuite seul à seul du détail des rencontres, pour comparer nos impressions et pour parler de certaines pièces dont les marchands n'estimaient pas convenablement la valeur. Mais surtout, pour aiguiser notre sens de la contrefaçon. En effet, les Soviétiques, les Tchèques et les Allemands de l'Est s'étaient lancés à fond dans la production de faux, en particulier celle des icônes slaves, des livres et des manuscrits anciens. Il y avait aussi la reproduction de dessins et de tableaux confisqués par l'Armée rouge et disparus à jamais. Pas bêtes, les communistes. Ils gardaient leur butin bien enfermé dans les archives du KGB, tout en produisant de bonnes copies, en particulier des œuvres des artistes modernes, qu'ils refilaient à l'étranger. Leurs diplomates et beaucoup de leurs soi-disant transfuges étaient souvent des agents bien entraînés à la collecte de devises fortes. Ceux-ci savaient pertinemment que leur trafic était absolument sans risque : les collectionneurs ne se plaignaient jamais, et ils n'exposaient pas les copies en question, de peur de se faire accuser de collusion avec les communistes.

Les journées étaient ainsi très agréables. Le soir, après avoir bien mangé et bien bu, j'avais toujours le loisir d'inviter une belle fille à ma chambre, qui serait empressée de bien gagner son argent. Ce monde de luxe et d'insouciance m'amenait à oublier le reste, tout en me faisant baisser la garde. Aloïs aussi était de bonne humeur, loquace et content de la tournure de ses affaires. Ses nuitées, qu'il disait sauvages, ne semblaient pas laisser de trace le lendemain.

Durant le parcours de Genève à Bâle, au volant de sa Rover, et tout en admirant le paysage, il m'a tenu un discours profondément intéressant sur l'art de la séduction. C'était fascinant de l'entendre ; et je ne pouvais pas m'imaginer que très bientôt je deviendrais, moi aussi, la victime d'un tel ensorcellement.

— La conquête, Max, la possession de l'objet convoité est moins importante dans notre métier que la convoitise elle-même. C'est cette dernière qui déclenchera l'appétit de conquête, qui déliera la bourse de l'acheteur. L'important, ce n'est pas l'objet en tant que tel, mais ce que l'objet ajoutera à notre image, au désir que nous lirons dans les yeux d'autrui. Est désirable, curieusement, ce qui nous rend désirables aux yeux des autres ; et bien souvent, on désire un objet pour que les autres en soient privés. L'artiste du maquillage se doit ainsi, avant tout, d'être un expert de la psychologie humaine, pour découvrir où se situe la carence chez son interlocuteur. Car, au centre de la convoitise se trouve non pas l'objet, mais le manque de cet objet. Le collectionneur est une cible de choix pour le contrefacteur pour deux raisons d'apparence contradictoires. D'abord, le collectionneur veut enrichir sa collection au sens propre du terme, y incorporer de nouveaux objets qui contribueront à renforcer son identité instable. Donc, posséder pour posséder. Mais, à l'opposé, il désire posséder pour combler les lacunes de sa collection. Et les lacunes comptent davantage pour le collectionneur que les objets qu'il possède. Pense, par exemple, au collectionneur de timbres ou de pièces de monnaie. Celui-ci passe en effet la plus grande partie de son temps à jouir de la contemplation des catalogues plutôt que des timbres qu'il a déjà. Ces derniers sont possédés ; ils ne menacent plus et ils ne comptent plus comme objets actuels du désir. Dans les catalogues, par contre, le collectionneur peut se délecter de l'extension de sa carence ; sa collection s'étire ainsi vers des régions merveilleuses, imaginaires, celles qui incluent tous les timbres qu'il ne possède pas encore, dont ceux — les plus beaux — qu'il ne possédera jamais. Ce versant négatif, mélancolique, de la collection, est le lieu privilégié de contact avec le fraudeur. L'artiste de l'illusion sait apporter à la fois de nouvelles lacunes et l'espoir de les corriger. Ces deux éléments, la possession positive et la possession négative, sont en réalité les deux versants du même mirage qu'est la vanité de devenir autre que celui qu'on est. En effet, tout ce qu'on possède — que ce soit des objets, la connaissance, le pouvoir ou l'amour — ouvre irrémédiablement le champ des possibles ; et, plus on possède, plus on se sent pauvre. L'artiste tente justement de combler ce gouffre ; c'est pourquoi le collectionneur l'accueille toujours dans l'espoir et dans l'effroi.

— La méfiance ?

— Ils en sont possédés. Le collectionneur sait pertinemment qu'il est cocu. Il ne sait pas combien de fois, ni quand ni comment, mais il le sait. Cette certitude lui permet de se complaire dans le vice, de la même façon que les impuissants vibrent en imaginant le viol de leurs épouses par des vauriens. Dans le cas présent, nous, les escrocs, les faussaires, nous sommes les vauriens. C'est aussi pour cela qu'ils collectionnent, pour avoir l'impression d'appartenir un tant soit peu à notre race de créateurs, d'artistes. Ils sont les Putiphar ; et j'espère que tu n'auras pas les scrupules du petit Joseph, qui s'est dérobé aux voluptés de l'épouse insatisfaite. À propos, connais-tu le tableau de Carlo Cignani, *Joseph et la femme de Putiphar*, à la galerie de Dresde ? Étudie-le dès que possible. Tu comprendras que c'est un crime contre la nature que de refuser ces rondeurs juvéniles pour une simple question d'honneur. D'un autre côté, comme les cocus, les collectionneurs veulent des garanties minimales, pour les apparences et pour minimiser les risques. Pour la forme, uniquement. Tu sais, ces garanties-là sont une vieille habitude de l'être humain. Dans certains pays de culture arabe — à la campagne surtout, où frères, oncles et cousins expérimentent les jeunes filles avec l'accord tacite des familles concernées —, il y a l'institution des vieilles femmes du village pour garder l'apparence de l'honneur. Celles-ci, moyennant tribut, délivrent des attestations de virginité à tout futur époux dont la fiancée serait douteuse. Du coup, on n'en parle plus ; la fille redevient vierge, et peut-être même plus vierge encore que celles qui ne possèdent pas d'attestation. Pratique, n'est-ce pas ? Dans le domaine de l'art, nos experts sont nos vieilles ; d'ailleurs, les experts sont aussi des collectionneurs. Vois-tu, ça reste entre collectionneurs, et le tour est joué.

— Ils collectionnent aussi, les experts… Ils sont donc en conflit d'intérêts !

— Mais le collectionneur n'a pas toujours besoin de posséder sa collection au sens matériel du terme. Lorsqu'il la possède, naturellement, sa jouissance est davantage érotisée par les contacts sensuels qu'il peut entretenir avec ses objets. D'autres cependant — professeurs, experts et arbitres de la mode — se contentent de posséder de façon imaginaire leurs collections, sous la forme de champs d'expertise où ils prétendent jouir d'une autorité quelconque. Ils écrivent pour se mesurer à d'autres qui leur ressemblent, et ils se gavent de leur abstraction faute de pouvoir se gaver d'objets réels. Leur passion n'est pas pour autant amoindrie, bien au contraire. L'abstinence, l'absence de possession matérielle libère des énergies érotiques qui aboutissent au prosélytisme et à l'égomanie, avec une virulence et une opiniâtreté parfois remarquables. Peut-être aussi parce que leur insécurité est plus intense, ou qu'ils désirent une rétribution du fait qu'ils ont poursuivi de façon altruiste leurs passions désincarnées. Ces experts, si sensibles aux lacunes, sont ainsi de grands alliés du fraudeur. Retiens bien cela : chaque époque contrefait les objets qui sont vantés par les élites et les arbitres de la mode. Au Moyen Âge, c'étaient des reliques religieuses ; à la Renaissance, c'étaient des textes et des œuvres de l'Antiquité. De nos jours, c'est la mode, la culture, les honneurs académiques, la jeunesse. Le contrefacteur projette sur l'objet ce qu'il pense que l'autre croit être la valeur intrinsèque de cet objet. Il joue sur le désir de son client ; si le désir est que ce soit ancien, il doit contrefaire l'âge de l'objet. La mode féminine simulait autrefois un gros bassin puisque la fécondité était souhaitable. Aujourd'hui, on veut des maigrichonnes avec de gros tétons ; le désir qu'on évoque est pédéraste et androgyne, et le corps féminin qu'on exalte est semblable à un urinoir de luxe... Cela s'appelle adapter le désir aux besoins personnels. Les experts vont suivre, ne t'inquiète pas. Ainsi, l'expert le plus empressé à authentifier une œuvre sera celui qui aura, en quelque sorte, évoqué l'existence de l'œuvre ; celui chez qui cette œuvre comblera des lacunes, ou vengera des confrères méprisants. Si la fraude en question lui sert à prouver sa propre théorie, si elle le fait valoir devant ses pairs, l'expert visé n'hésitera pas un instant à mettre toute sa bonne foi dans l'affaire. Il agira comme le collectionneur qui attendait le timbre magique pour combler un trou dans son album. Fasciné par sa propre découverte, l'expert oubliera les règles les plus primaires du scepticisme et de l'investigation ; et il saluera cette apparition miraculeuse comme le père, son fils prodigue. L'œuvre qu'on lui apporte deviendra alors son propre miracle, la créature de l'expert triomphant ; et celui-ci sera éternellement reconnaissant au faussaire de lui avoir donné la chance de faire valoir l'étendue de son propre ego. C'est ainsi, Max, a-t-il repris après un long silence, pendant lequel il avait savouré ses propres paroles. On n'y peut rien. Dans la vie, personne ne se contente de la réalité banale, telle qu'elle est...

❑

Ses affaires s'étaient vite réglées à Bâle. Comme nous étions en avance pour le rendez-vous chez la baronne à Lausanne, Aloïs a alors décidé de faire un détour par l'Alsace, pour déguster des vins rares chez l'un de ses amis.

Nous avions passé une bonne partie de la matinée au musée de Colmar, devant le *Retable d'Issenheim*, de Matthias Grünewald. Cette œuvre puissante, que je né connaissais que par les livres, m'a complètement bouleversé, et elle a contribué à me délier la langue.

Aujourd'hui, je peux apprécier l'astuce d'Aloïs; il avait pensé à m'exposer à cette peinture pour me ramollir l'esprit. Je ne lui avais jamais parlé de mes préoccupations d'une manière ouverte, mais, à bien y penser, je crois qu'il me surveillait depuis notre première rencontre. C'était là un de ses rôles, je le sais, et Rosenberg avait dû le lui recommander expressément. Peut-être qu'il s'était aussi enquis de mon état auprès de Guderius, mais j'en doute. Il avait dû se fier surtout à la nature de ma production artistique et à sa remarquable connaissance de l'humain.

Attablés dans une charmante *Weinstube* alsacienne et sirotant des pinots et des traminers exquis, je lui ai alors parlé de mes problèmes. Non seulement de mon désir de m'en aller, mais aussi de mon espoir de retrouver un fil conducteur pour recommencer à créer. Il paraissait intéressé par mes paroles, qu'il appelait gentiment ma quête intérieure, et il a même évoqué sa propre jeunesse. Il a semblé davantage intrigué par la nature de mes cauchemars, dont je lui ai donné une petite idée.

— Tu crois vraiment que tu pourrais passer à l'acte ? m'a-t-il demandé d'un air taquin.

— Je ne sais pas, Aloïs. Ce n'est peut-être pas important. Ce qui compte, c'est que je suis écœuré, désabusé. C'est une sorte de rage qui se manifeste quand je suis seul. Mais tout à l'heure, devant la crucifixion de Grünewald, je ne ressentais que de la honte. Peut-être aussi un peu de colère, mais contre moi-même. Je pense que je suis en train de gaspiller ma vie.

— Tu as le sentiment de… de te vendre au démon ?

— Oui, ça aussi. Mais surtout, je me sens écœuré.

— Curieux, a-t-il repris en regardant son verre de vin à travers la lumière. Faust se perd lorsqu'il s'ennuie ; c'est alors qu'il signe son pacte avec Méphisto. Tandis que toi, Max, tu fais les choses à l'envers.

— Comment ça, à l'envers ?

— Tu t'ennuies de la vie et, au lieu de choisir le mal, tu veux retrouver ta nature angélique.

— Ça pose problème ?

— Non, c'est curieux ; peu commun. Ton besoin de sacré doit être plus important que celui de la moyenne des gens. Avec ton talent, tu pourrais faire fortune ; ta vie serait enviable… Les femmes sont à tes pieds. Et tu veux tout abandonner. Est-ce que le démon te fait si peur que ça ? Ou, plutôt, ta nature angélique est-elle si faible qu'il te faille t'isoler pour ne pas céder à la tentation ?

Cette inversion des perspectives était habile, et elle m'a fait sourire. Je sais qu'il est facile de parler du démon et des obsessions solitaires avec un verre à la main, en bonne compagnie. Nos pires craintes nous paraissent alors bien ridicules.

— Tu as l'air d'aimer ton rôle de Méphisto, ai-je répliqué pour le taquiner à mon tour.

Son visage a alors plutôt pris des allures de satyre.

— Bien sûr, mon jeune ami, a-t-il répondu, ravi. Il est si rare qu'un vieux Silène comme moi puisse encore passer pour le démon… Mais je crains que tu n'exagères. Tes démons sont dans ta tête. Rien ne servira de te battre contre des démons d'emprunt, contre des déguisements. C'est plutôt ton angélisme qui devrait apprendre à faire la paix avec l'artiste que tu es.

— Et l'écœurement ?

— C'est une question de surmenage, voilà tout. Tu vois, Max, c'est bien la première fois que nous avons la chance de nous entretenir de ces choses. Tu t'es isolé, tu n'as pas dépensé ton argent, tu n'as rien voulu savoir de la bonne vie qui était à ta portée. Regarde ces habits que tu achètes à Londres ; ça fait vieux, conservateur, froid. Rien d'étonnant que la compagnie d'un ermite comme Guderius ait fini par te broyer les nerfs.

— Non, Guderius n'a rien à voir avec ça.

— Je sais bien. Lui, il est en paix dans sa cellule de moine. Mais toi, tu as une nature plus fougueuse, tu te cherches comme artiste. Et ces choses dérangent l'esprit lorsqu'on les ignore... Guderius est un homme de science ; il n'a pas besoin des autres pour continuer son travail. Mais toi... Si tu savais, beaucoup de femmes qui t'ont connu étaient folles de toi. Si, si, elles en parlent, quelques-unes ont même cherché à te revoir. Impossible. Je te dis, c'est ta nature ; et plus tu chercheras à la nier, plus elle tentera de faire surface.

— Non, Aloïs, je crois qu'il y a autre chose... Je me sens perdu. Je suis devenu comme ce personnage de la mythologie, celui qui n'avait plus de forme définie, qui ne savait plus ce qu'il était, et qui changeait selon les circonstances.

— Protée ?

— C'est ça ! Lorsque je veux dessiner, peindre, je ne retrouve plus Max Willem. À sa place, j'ai un catalogue de l'histoire de la peinture !

— N'oublie pas que Protée était aussi considéré comme le premier des hommes, et qu'il était un oracle. C'est par sa bouche qu'on apprenait la vérité. Non, Max, je pense que Midas serait une meilleure analogie dans ton cas : tout ce qu'il touchait devenait de l'or.

— Midas, c'est juste... Et l'or n'a pas de réalité. Tout paraît se dissoudre autour de moi ; je me sens inutile, sans substance. Pas étonnant que je sois la proie de folies. Lorsque tout devient de l'or, le monde perd son sens et je ne sais plus qui je suis. L'or même perd son sens. Ce n'est pas tant ma nature angélique que je veux retrouver, mais bien ma nature humaine, Aloïs. Je veux pouvoir souffrir de nouveau devant quelque chose qui se dérobe, pouvoir me battre contre ma propre imperfection, mon insécurité. Retrouver le réel. Au lieu de ça, je vis dans un monde sans danger, sans aucun risque. L'or n'a de valeur que quand il sert à combler un vide, un besoin réel. Voilà pourquoi je ressentais de la honte devant Matthias Grünewald. Quel courage d'avoir peint à sa façon malgré la mode de son temps, les italianismes doucereux ! Tu vois, ce sont des types comme lui, comme Urs Graf, Hans Baldung, Niklaus Deutsch ou Cranach qui m'attirent. Des bagarreurs, de vrais artistes. Pas toute cette merde décorative que je suis en train de faire pour plaire aux bourgeois pleins de fric.

— Tu les fais pour plaire ou pour l'argent des bourgeois ?

— Les deux, ai-je répondu après une longue hésitation. Je ne suis pas capable de travailler uniquement pour de l'argent, voilà. Il faut que je m'engage, que je m'absorbe dans quelque travail, malgré moi ; à la fin, j'arrive presque à détester l'argent...

— Pourtant, ce n'est pas l'argent qui t'empêche de créer comme les peintres que tu prétends aimer. As-tu au moins essayé ? Réfléchis aussi à la question suivante : aimes-tu vraiment ces peintres-là, ou bien t'attirent-ils parce qu'ils ressemblent à ce que tu fais ? Autrement dit, ne serait-ce pas par paresse que tu les aimes, parce que tu ne sais pas changer ta façon actuelle de dessiner ?

Cet autre revirement soudain de point de vue m'a complètement décontenancé et m'a fait perdre le fil de mes idées. Aloïs était extrêmement habile dans cette sorte de dialectique. Mais il paraissait vouloir mon bien, et ses paroles touchaient des cordes sensibles que je connaissais déjà bien. Seulement, plus tard, j'allais me rendre compte qu'il poursuivait d'autres buts, bien à lui ; ce que je prenais pour de la sympathie n'était en fait qu'une astuce calculée de maître chanteur.

— L'artiste d'aujourd'hui est plus seul, a-t-il poursuivi avec l'air de penser à haute voix. Il doit créer ses propres canons, il n'a pas de conduite fixée d'avance. Cela peut l'angoisser, lui donner le sentiment qu'il n'existe pas. Ou il se plie au marché et survit, ou il fait à sa tête et en paie le prix. Toi, Max, ce qui t'agace, ne serait-ce pas que tu as une source solide de revenus, qui t'empêche de blâmer les autres lorsque tu n'arrives pas à créer? Ce serait une hypothèse à considérer; la seule qui, à mon avis, pourrait expliquer ton envie soudaine de laisser tomber ta source de revenus. Tu serais alors libre de ne rien créer de valable, et tu aurais l'excuse d'être un paria, un misérable. La souffrance a ses charmes quand on est dans une impasse...

— Tu as raison, Aloïs, j'y ai déjà pensé. Sauf que ma source d'argent se confond trop avec mon art; elle me pollue en quelque sorte, elle détruit le mystère et le charme de la création. Vois-tu, je me sens souvent comme un écrivain qui tenterait sérieusement d'écrire, tout en gagnant sa vie comme journaliste. Impossible de faire la pute et de penser en même temps à l'amour sans tomber dans le ridicule le plus grotesque.

— Il y en a pourtant qui le font.

— Je sais bien... Mais pas moi. Peut-être que si je cesse de faire le trottoir, j'arriverai à trouver l'amour.

— Angélico-romantique! s'est-il écrié en riant. Max, merde, tes dessins ne sont ni angéliques ni romantiques! Tu te dis bagarreur, du moins c'est le mot que tu as employé tout à l'heure pour désigner tes peintres. Or, la bagarre est dans la rue, dans la vie. Ce n'est pas l'argent qui t'oblige à t'isoler. Tu cherches peut-être des excuses en évoquant des peintres anciens. Il y en a d'autres, bien plus modernes, qui ont réussi là où tu crains de t'essayer. Otto Dix, par exemple; ça, c'était un bagarreur. Il avait une manière comme la tienne, il a dessiné des horreurs, des putes, des catastrophes, la guerre, tout ce qu'il y a de plus horrible. Et à contre-courant, interdit par les nazis, boudé et menacé par la gauche... Pourtant, il a continué. C'est drôle, savais-tu qu'il a été arrêté à Colmar en quarante-cinq, par les soldats français? Même interné dans un camp de prisonniers de guerre, il a continué à peindre. Tiens, je te suggère une seule chose avant que tu prennes ta décision: je t'offre un mois de vacances en Allemagne, pour que tu étudies l'œuvre de Dix. Tu iras dans les musées, je t'introduirai à des collectionneurs; tu liras sur lui, sur des peintres de la Nouvelle Objectivité comme Nussbaum, Radziwill, Wollheim, Felixmüller, tant d'autres. Tous des bagarreurs, de vrais marginaux. Tu n'as rien à perdre. Si, ensuite, tu veux toujours laisser tomber, au moins tu auras été confronté à ce qui te blesse. Ne réponds pas maintenant. Penses-y. La fête chez la baronne Litsky va t'aider à décider.

Mon Méphisto moderne savait très bien ce qu'il faisait. C'est pourquoi il n'avait pas soufflé mot de la Marguerite qu'il me destinait.

❑

La collection d'icônes de la baronne Litsky était fabuleuse, tant par la qualité des pièces que par leur disposition insolite sur les murs. Des centaines d'icônes, collées presque les unes aux autres, remplissaient une salle immense de sa résidence; le visiteur était submergé par l'impression qu'il se trouvait à l'intérieur d'une église orthodoxe. En fait, ce n'était plus une collection mais un véritable entrepôt. La baronne et son époux étaient les principaux marchands d'icônes slaves authentiques — ou, du moins, de provenance authentiquement slave —, dans toute l'Europe.

Elle, la baronne, était une vieille maigre, habillée avec exotisme et un peu trop euphorique. M. Litsky, un petit homme insignifiant, n'était pas baron; son épouse se faisait un plaisir de le signaler dès les présentations. Peut-être n'était-il pas Litsky non plus, mais cela n'avait aucune importance. Ils étaient riches, bien plus riches que les autres riches de Lausanne, voilà ce qui comptait.

Je n'ai pas saisi ce qu'elle voulait que je dise sur les trois petits oratoires datant de la Renaissance, qu'elle tenait à me montrer. Ils paraissaient en bonne condition, et seule une expertise approfondie aurait pu, peut-être, mettre en doute leur authenticité. Ils avaient l'air comme il faut et n'exigeaient pas de restauration. Elle a paru alors aussitôt s'en désintéresser, et nous avons regagné le salon ; les premiers convives arrivaient déjà pour la *garden-party*.

La maison était magnifique, sur les collines surplombant le lac Leman, un peu à l'écart de la ville, en direction de Montreux. Un vignoble occupait la pente abrupte jusqu'au bord du lac. Le jardin, entouré d'arbres et d'une impressionnante clôture, paraissait coupé du reste du monde. Juste en face, de l'autre côté du lac, les Alpes françaises.

— L'endroit idéal pour des commerces de luxe, n'est-ce pas ? a remarqué Aloïs. Ou pour faire de l'espionnage. Ça te dirait d'installer ici ton atelier ? On est proche de tout et assez isolé pour travailler en toute tranquillité. Je crois que l'air gris de la Belgique ne te fait pas de bien.

— Non, je ne pense pas, ai-je répondu d'un ton moqueur. Il me faut une lumière du nord, et il serait dommage de tourner le dos aux Alpes. Peut-être de l'autre côté du lac.

J'étais de bonne humeur depuis notre conversation à Colmar. Aloïs avait peut-être raison au sujet du surmenage. Je me réjouissais aussi de ce tour en Allemagne pour étudier l'œuvre de Dix, même si je savais déjà que son offre n'était pas entièrement désintéressée. Les prix des tableaux de ce peintre montaient de façon astronomique, et une grosse commande de faux était prévue.

L'entrée du jardin commençait à se remplir d'autos ; les belles femmes aux yeux avides se promenaient en tenant des flûtes de champagne où brillaient les derniers rayons de soleil irisés par la crête blanche des montagnes. Une musique douce remplissait l'air sans cacher les voix ou les cascades de rires. Telles des boules de billard, des garçons en livrée se mouvaient de toute part en traçant des diagonales sur le gazon, plateau à la main, sourire aux lèvres, irréels.

Elle est alors apparue, accompagnée de son mari, ravissante.

— Ah! Chérie! s'est exclamé Aloïs. Quelle surprise! Je vous croyais à l'étranger. Mais, venez... Voici mon jeune ami Maxime. Max, je te présente le docteur Vassili Lioubov et son adorable épouse, Vera.

Surpris devant ce visage si magnifique, j'ai salué maladroitement le couple. Par chance, Aloïs s'est montré aussitôt très bavard, ce qui m'a donné le temps de me ressaisir un peu. J'étais ébloui par la beauté de cette femme comme jamais je ne l'avais été. Encore aujourd'hui, je n'arrive pas à expliquer cette attirance immédiate, ce coup de foudre qui m'empêchait littéralement de la regarder. Je ne sais pas comment elle était habillée, ni comment était son corps. Son visage seul s'imposait dans mon champ de vision, et effaçait le jardin, les convives, les garçons, même son mari.

J'ai tenté, par la suite, de comprendre le secret de cette sorcière; mais seuls quelques éléments épars me sont restés, jamais l'ensemble. Elle avait les yeux verts; je le sais, car je tentais de les éviter tout en cherchant à les attirer. Ses cheveux étaient bruns, sans rien de particulier sinon qu'ils étaient courts et fournis. Ni grande, ni petite; ni plantureuse, ni maigre; ni sensuelle, ni angélique. Rien de cela, impossible à définir. Son visage, par contre, exerçait sur moi une attraction si intense que je me sentais offusqué, triste et ravi à la fois. Gauche aussi. C'était un visage peu habituel, dont les pommettes légèrement saillantes paraissaient vouloir glisser le long de la courbe de la mâchoire, du cou, pour remonter par le menton et replonger dans les lèvres charnues. De minuscules fossettes aux commissures labiales taquinaient le regard sans qu'elle ait besoin de sourire. Je ne peux pas mieux dire.

C'était la première fois qu'une présence humaine m'assommait de la sorte ; je me sentais transporté par la beauté parfaite. Toutes mes connaissances d'anatomie s'étaient envolées d'un seul coup, et l'idée ne m'est pas venue à l'esprit de l'imaginer déshabillée. J'avais simplement perdu mes outils de connaissance, mon identité, et j'étais livré à elle comme un petit enfant à sa première fleur.

Plus tard, sans toutefois jamais connaître ce visage comme un réel objet plastique, j'ai pris conscience des sources de son envoûtement. C'était un visage mouvant, tout entier animé à chaque instant d'infinies expressions adorables et profondément délicates. Au contraire des autres êtres humains, Vera possédait une sorte de langage facial que l'on devinait tout à fait spontané, presque naïf, et qu'elle ne cherchait jamais à dissimuler. On aurait dit que ses émotions étaient toutes à fleur de peau, limpides, venant directement de son âme jusqu'aux muscles peauciers, pour le pur ravissement du regard d'autrui. Mais pas simplette, non. Son raffinement venait d'une sorte de don de se savoir belle, presque sacrée, à la façon d'une grande artiste de la scène. Chez elle, cependant, les sentiments étaient le texte du mime. Elle parlait avant d'ouvrir la bouche, et l'homme à qui elle s'adressait était incapable de ne pas s'émerveiller.

Cet art était extrêmement subtil, presque imperceptible au regard, et si je l'évoque aujourd'hui, c'est seulement après un long exercice de réflexion. En sa présence, on ne se rendait compte de rien. C'était parfait. Curieusement, ceux qui la regardaient étaient si absorbés qu'ils n'avaient pas conscience de l'impulsion irrésistible qui provoquait sur leur propre visage la reproduction de ses mimiques. Ses interlocuteurs avaient continuellement l'air d'idiots ; je suis certain que j'avais aussi cet air-là. En même temps, je ne pouvais pas réprimer l'impression que cette femme se donnait entièrement lorsqu'elle parlait à quelqu'un ; celui-ci devenait alors non seulement le plus important des hommes, mais aussi infiniment rempli de gratitude.

Tout cela est bien stupide, je suis le premier à le reconnaître. Mais c'est idiot parce qu'elle n'est pas ici, et que, malheureusement, j'ai aussi percé son secret. Les charmes disparaissent lorsqu'on visite les coulisses de l'art ; et on ressort diminué à jamais, collé au monde concret, abruti et définitivement blasé. Vera m'a fait souffrir comme un chien et, pourtant, je regrette les jours de cette souffrance. Je n'arrive pas à comprendre, d'autant plus que je l'égorgerais volontiers de mes propres mains, si jamais elle pouvait apparaître ici, maintenant, comme à cette soirée à Lausanne.

Il s'agit là d'une sorte de maladie qui rend vivant, une ivresse qui n'a rien à voir avec le désir sexuel. Au contraire, l'ivresse augmentait en dépit de l'étreinte, car, là aussi, ce visage satanique savait déployer des récits inoubliables.

Je me souviens uniquement que j'étais amoureux de ce visage. Les autres convives, le reste de la réception, rien ne comptait plus. Je ne sais pas ce qu'on a servi à manger ni ce dont on a parlé durant le souper. Mais je sais qu'elle était troublée par mon regard, ou peut-être seulement intriguée.

Tard dans la nuit, alors que je contemplais le lac, seul et nostalgique dans un coin isolé du jardin, elle est venue me rejoindre.

— Est-ce que je vous dérange ?

— Non, ai-je fait, surpris.

— C'est beau ici, si tranquille… Vous semblez aimer aussi la solitude, Max. Est-ce que je peux vous appeler Max ?

— Oui, Vera.

— Vera… C'est bon de vous entendre dire mon nom.

— Pourquoi ?

— Je ne sais pas. Ça ne ressemble pas à un ordre lorsque vous le dites. Les Suisses et les Français ont toujours l'air d'aboyer mon nom.

— Vous n'êtes pas d'ici ?

— Non, a-t-elle rétorqué avec une mimique délicieuse. Même si j'habite ici depuis que je suis petite, je ne m'habitue jamais à leur accent. Vous non plus ?

— Je suis Canadien.

— C'est sans doute ça, Max… Votre nom, ce sont les Allemands qui doivent l'aboyer, n'est-ce pas ?

— Peut-être… Ça ne me fait rien. Je m'appelle en fait Maxime.

— Maxijmj, a-t-elle fait comme un soupir, en mouillant exprès les *i*. C'est un très beau nom en russe. Maxijmj… Je le préfère à Max. Maxijmj…

— Sur vos lèvres, il a l'air d'une caresse.

Elle a alors éclaté d'un rire spontané avant d'ajouter, avec sérieux :

— Le nom, c'est comme le corps d'une personne. Il ne faut jamais le bousculer. Vous ne trouvez pas ?

— Je n'y avais pas pensé.

— Ah !… Moi si. C'est un choc tellement grand quand on passe du russe aux langues européennes ; on le ressent physiquement. Mais vous avez l'air ennuyé…

— Non, pas ennuyé. Je l'étais, tout à l'heure. Ces fêtes mondaines ne sont pas mon milieu habituel. Je ne sais pas quoi faire… Mais continuez, je vous en prie.

— Aloïs m'a dit que vous êtes un artiste. Il vous admire beaucoup.

— Aloïs ?

— Oui. C'est la première fois que je l'entends parler de quelqu'un avec respect. Vous devez être très spécial. Il méprise toujours ceux qu'il aime.

— Vous croyez qu'il m'aime ? ai-je demandé, ironique.

— Bien sûr, Maxijmj, on ne peut pas cacher cette sorte de sentiments.

— Ah! si vous le dites…

— Maxijmj n'a pas l'air d'aimer Aloïs.

— C'est un ami.

— Ah!…

— Et vous, Vera, l'aimez-vous?

— Moi? a-t-elle fait, surprise. Je l'aime un peu, bien sûr. Il est drôle, intelligent… Mais je crois que mon mari l'aime plus que moi. Je ne me sens pas tout à fait à l'aise en sa présence. Je suis plutôt… intimidée en société. Et Aloïs est toujours entouré de gens, de gens qui parlent en même temps.

Quel âge pouvait-elle avoir? me demandais-je en regardant son profil. Trente, quarante ans? Sa présence était si enveloppante que la seule réponse qui me soit venue à l'esprit a été «éternelle». La silhouette de son corps se dessinait contre la clarté d'une façon exquise, parfaite, admirablement féminine; comme si le temps s'était arrêté de couler. Du moment que je n'avais plus besoin de fuir son regard, nous aurions pu continuer à contempler le lac, tout simplement, envoûtés par un charme étrange.

Chuchotant, Vera a enfin rompu le long silence:

— Aloïs m'a dit que vous pourriez me déposer… Ça ne vous ennuie pas?

— Non.

— Mon mari et lui sont partis. Il m'a laissé les clés de son auto. Ça ne vous ennuie vraiment pas?

— Non, Vera, au contraire; ça me fait plaisir. Je me sens bien avec vous.

— Il m'a assuré que je pouvais vous faire confiance. Est-ce vrai?

— S'il l'a dit… Nous pouvons partir quand vous voudrez.

— Bientôt… Vous m'offrez une cigarette?

Après avoir inhalé, les yeux fermés, elle a ajouté avec un sourire presque embarrassé:

— Ça m'intimide de fumer en public. C'est si intime, lorsqu'on fume…

Après la cigarette, elle a encore murmuré :

— Venez, voulez-vous ? Je vous offre le dernier verre à mon hôtel.

J'étais troublé par cette femme singulière, et je n'ai rien osé dire durant le parcours jusqu'à l'hôtel. Elle aussi a gardé le silence ; j'avais l'impression que ce n'était pas à cause de la fatigue, mais bien pour conserver la magie de cette proximité qui me faisait perdre mes moyens.

Le bar de l'hôtel était déjà fermé.

— Dommage, Maxijmj. C'est bon d'être en votre compagnie.

— Une autre fois…

Puis, alors que je tenais sa main dans la mienne pour lui dire adieu, elle a ajouté :

— Dites, Max ; Aloïs m'a laissé entendre que vous allez en Allemagne bientôt, à Stuttgart.

— C'est vrai. Je dois d'abord passer quelques jours à Vaduz ; je serai à Stuttgart la semaine prochaine. Pourquoi ?

— Voilà : je dois aller à Heidelberg, depuis Zurich. Voulez-vous que je vous dépose ? C'est sur mon chemin.

— Oui, bien sûr, avec plaisir. Mais…

— Mais ? Vous ne voyagez peut-être pas seul ?

— Non, ce n'est pas ça.

— Alors, venez. Je vous dépose à Stuttgart, et je pourrai alors vous offrir un verre, n'est-ce pas ? En fait, je n'aime pas rouler seule, et j'avais envie que vous soyez avec moi. Ça vous ennuie ?

Son baiser chaste sur ma joue a imprimé un parfum de chair dans mon esprit. Sa peau était brûlante.

J'ai vécu les jours suivants dans un drôle d'état. L'image de Vera avait pris possession de mes pensées, et il me plaisait de l'évoquer à chaque instant. Le souvenir de son parfum me revenait aux moments les plus inattendus, pour repartir aussitôt, et laissait derrière lui une nostalgie accompagnée d'une vague confusion. En même temps, je me sentais très bien, très libre, plein d'énergie, et je me surprenais à rire de choses insignifiantes. Mes cauchemars paraissaient définitivement disparus.

— Tu avais raison, Aloïs. J'étais trop fatigué. Ces vacances me font du bien.

— C'est bon de te voir ainsi, Max. Mais, je t'en prie, fais attention à Vera Lioubova, veux-tu? C'est une grande amie, une femme très sensible. Je ne veux pas qu'elle souffre.

— Qu'elle souffre?

— Max, voyons donc! Tu es un tombeur, la pauvre fille n'a pas d'expérience. Tu l'as peut-être deviné… Vassili et moi, nous sommes très intimes, tu comprends? Ça la rend triste, la pauvre Vera.

— Tu veux dire que toi et le docteur…? ai-je demandé avec un sourire sarcastique et en m'accompagnant d'un geste précis.

— Ne sois pas obscène! J'ai passé l'âge de faire ça avec des vieux. Ce sont les jeunes coqs comme toi qui nous intéressent maintenant, tu le sais bien. Vassili est un vieux routier, il sait se débrouiller. Mais il délaisse sa chère épouse depuis le jour de leurs noces, hélas!

— Pourquoi donc restent-ils mariés?

— Je ne sais pas. Nous ne sommes pas en Amérique. On a des principes, ici, a-t-il ajouté en souriant. C'est comme ça, la vie. Peut-être qu'elle espère le reconvertir, qui sait? En tout cas, n'en rajoute pas. Elle semble bien en ta compagnie… Elle m'en a parlé, pour dire qu'elle t'accompagnait à Stuttgart. Surtout, n'oublie pas d'être très discret. Elle ne sait rien de nos affaires. Et ne la maltraite pas.

J'ai trouvé curieux qu'il me parle de cette façon, car ce que je ressentais pour Vera était d'un registre bien différent. Il m'a avancé la somme pour le voyage et m'a donné les noms des gens qui faciliteraient mes visites.

— Ne perds pas trop de temps à Vaduz. Ils ont de meilleurs tableaux du peintre en Allemagne. Mais cette Fondation Otto Dix a beaucoup d'œuvres qui datent d'après la guerre. Tente de bien comprendre son changement de manière d'une période à l'autre ; c'est son dernier style qui nous intéresse le plus. Les œuvres d'avant la guerre t'aideront plutôt dans ta quête personnelle. Allez, rendez-vous à Berne dans trois semaines.

12

Pourquoi ne me suis-je pas méfié ? Cette question ne cesse de me hanter depuis que j'ai tout découvert.

Mais ai-je vraiment découvert quoi que ce soit, ou l'histoire n'a-t-elle été qu'une pure farce du destin ? Le simple fait que le doute persiste encore prouve bien que j'étais amoureux, bêtement amoureux.

Pourtant, les paroles d'Aloïs, à Colmar, au sujet de la séduction, décrivaient très clairement ce qu'il comptait mettre en place. Le plus étrange, d'ailleurs, est que l'image de Vera s'est associée dans mon esprit à l'image de la Vierge pâmée du retable de Grünewald. Je sais bien que les deux visages sont différents, mais je n'arrive pas à rompre cette curieuse attraction entre les deux représentations. Tout cela est bien absurde, comme tant d'autres choses saugrenues qui viennent de ce temps-là.

J'étais peut-être tout bonnement mûr pour l'arnaque. La fissure dans mon être me guettait sans doute depuis longtemps, en attente du moment propice pour me sub-merger. Les cauchemars n'avaient été qu'un avertisse-ment, un pur symptôme du mal qui me travaillait. En tentant de lutter contre mes idées obsédantes que je pre-nais pour le vrai danger, j'avais baissé la garde, et il ne me restait qu'à me laisser avaler comme le petit oiseau par le serpent : fasciné et complice à la fois.

Aloïs m'avait bien compris : mes désirs angéliques de beauté et de vérité menaçaient de tout détruire. Il a alors cru toiser avec justesse la profondeur de mon gouffre, et il m'a offert le remède à mes souffrances. Ça ne durerait pas toujours, mais ça me retiendrait captif encore un bon moment, suffisamment pour qu'ils puissent me vider jusqu'à la lie. Vera était un chef-d'œuvre dans l'art de la dissimulation, et ils savaient qu'ils pouvaient compter sur mon aveuglement, ma vanité. D'ailleurs, à aucun moment je n'ai jugé bon d'examiner cette pièce parfaite qui m'était offerte gracieusement. C'est si bête, si naïf que c'en est génial.

La seule faille dans le complot venait de ce que nous tous, moi y compris, nous ignorions la profondeur de ma propre insécurité.

C'est con, et ridicule et grotesque, quand un homme est amoureux d'un mirage. Par ailleurs, peut-on être amoureux à ce point de quelque chose d'autre qu'un mirage ? L'œuvre d'art, le bijou le plus précieux, l'être le plus cher, ne sont-ils pas des parures qu'on se donne pour mieux cacher notre propre nudité ?

J'allais apprendre beaucoup en subissant ce joug que je m'étais imposé lorsque j'avais embrassé mes menson-ges. Aussi étrange que cela puisse paraître, la jalousie seule allait désormais m'attacher à la réalité, m'aider à survivre. En fait, la jalousie, le doute et la méfiance sont les vestiges du bon sens qui perdurent chez l'amoureux, qui l'obligent à comparer sans cesse son paradis avec sa chute. Il veut des réassurances, il cherche des garanties, car, dans le fond de lui-même, il sait que son dessein est absurde, impossible. L'autre restera toujours l'autre, intangible. Mais l'amoureux est aussi un vicieux qui contribue à sa propre déception. Je me souviens à quel point je tenais à ce que ce soit vrai, à ce que Vera soit authentique, jusqu'à vouloir l'aider à le devenir, jusqu'à vouloir l'y contraindre.

Dommage qu'aucun aliéniste ne se soit penché sérieusement sur cette forme de psychose qu'est l'amour fou. Par ailleurs, aucun d'entre eux ne s'est non plus penché sur cette perversion qu'on appelle l'amour de l'art.

❏

Aloïs avait aussi bien calculé en m'envoyant d'abord à Vaduz pour étudier la seule manière d'Otto Dix qui l'intéressait vraiment. Les chefs-d'œuvre du peintre en Allemagne n'étaient qu'un prétexte. Dès que j'ai retrouvé Vera à Zurich, il m'a été impossible d'absorber autre chose que l'envoûtement de sa personne.

Elle m'attendait à l'hôtel et nous sommes partis aussitôt en direction de Stuttgart. Vera était ravissante de jeunesse ; mais d'une jeunesse mûre, grave, rassurante. Quel âge pouvait-elle avoir, que mon regard n'arrivait pas à cerner ? Aucune importance. Elle regorgeait d'une réalité si saturée de sens et de beauté que tout mon être se sentait revivre en sa présence. Par l'art exquis de ses manières délicates, cette femme savait en outre me mettre à l'aise, avec l'illusion qu'une amitié profonde nous unissait, spontanément. J'étais encore trop possédé à ce moment-là pour la désirer physiquement. D'ailleurs, l'ai-je jamais désirée comme je désirais les autres femmes ? Je me le demande en pensant aux surprises qu'elle m'a réservées et aux philtres qu'elle m'a fait boire par la suite. L'homme amoureux ne désire pas tout à fait le corps de l'autre. Il désire l'autre. S'il possède la femme aimée, s'il prend son corps, c'est en tentant de se posséder ; il veut se fondre avec l'illusion qui hante son esprit et qui vide la fibre de son existence individuelle. Cette sorte d'étreinte ne comble pas, elle n'apaise pas le désir ; elle ne fait qu'exacerber la folie qui le sous-tend.

Vera conduisait lentement sa Porsche, détendue, pour pouvoir se consacrer entièrement à moi. Même en parlant de sa propre personne elle me flattait, car ses propos tournaient autour de sa fascination devant l'art et les artistes. Sa vie, au contraire, disait-elle, était fade, loin des émotions, sans défis, réglée d'avance, mondaine. Elle disait ronger son frein, désireuse de quelque chose de plus noble, mais se sentant toujours ligotée à un mari dont elle n'arrivait pas à se délivrer. Saurait-elle au moins le faire, serait-elle un jour à la hauteur de ses aspirations ? Pas seule, en tout cas, puisqu'elle se sentait trop naïve aussi, trop craintive devant le monde. Le risque lui faisait peur et l'attirait à la fois, comme un vertige.

J'écoutais sans rien dire, heureux d'être en sa présence, ravi d'être son confident, emporté par le spectacle de son visage si expressif et si gracieux.

À la frontière, elle m'a demandé de prendre le volant.

— Voulez-vous conduire, Maxime ? Je me sentirai plus en sécurité si vous le faites. Ce sera alors mon tour de vous regarder, a-t-elle ajouté avec un clin d'œil. Mais, je vous en prie, n'allez pas trop vite. Rien ne presse, n'est-ce pas ? Ce sera notre journée, à nous seuls.

Le chemin montagneux était particulièrement beau en cette fin de printemps. La lumière du jour, jouant avec son teint, donnait à sa peau des reflets cuivrés. Ses seins lourds paraissaient allègrement décontractés sous la soie blanche de sa blouse. Elle mordait le coin de sa lèvre inférieure lorsqu'elle surprenait mes regards de côté, mais ses yeux continuaient à regarder le paysage comme si elle ne m'avait pas vu.

— Voilà le Danube ! s'est-elle écriée à l'approche d'un pont. Regardez comme il est étroit, et déjà si beau.

N'est-ce pas merveilleux ? Je suis toujours émue lorsque je passe par ici. Je me sens comme une gamine abandonnée, loin de tout... Triste. Il s'en va là-bas, vers la mer Noire, mon pays...

Aussitôt après, elle a ajouté, en soupirant et avec le plus délicieux des accents slaves, le refrain du blues :

— *Sometimes I feel, like a motherless child...*

— D'où venez-vous, Vera ?

— Je suis née à Odessa. Mon papa était... Il est mort, depuis longtemps. Tout mon passé est mort, Maxime... Il ne reste que des rêves, la nostalgie de quelque chose que je n'arrive pas à imaginer... C'est pour ça que j'aime le Danube. Il est comme ma peine : il vit ici et il va se jeter là-bas... Et vous, Maxime, votre pays ne vous manque pas ?

— Non, je ne pense pas. Mon fleuve, le Saint-Laurent, est trop large pour qu'on s'en attendrisse. Les choses au Canada sont plutôt impersonnelles.

— Mais votre famille, vos parents ?

— Ils sont quelque part, mais ils comptent peu. Je ne ressens pas la nostalgie de cette même manière. Non...

— Comment la ressentez-vous ?

— Je ne sais pas. Elle va, elle vient, je ne peux jamais la fixer sur un objet précis.

— Est-ce que... Vous êtes amoureux de quelqu'un ?

— Presque.

— Ah !... a-t-elle fait avec une jolie mine de surprise qui ressemblait à celle de la *Sainte Thérèse en extase*, de Bernini. Est-ce qu'elle est belle, votre amie ?

Je me suis contenté de sourire, en la regardant dans les yeux.

— Elle est loin, c'est ça ? C'est pour cela que vous êtes triste ?

— Non, elle n'est pas loin.

— Pourtant, vous avez l'air triste, Maxime. Est-ce que je me trompe ?

— Comme vous, Vera. Ni triste ni joyeux. Songeur.

Elle a repris son assaut un peu plus loin, après avoir encore vanté les merveilles de la vie libre des artistes, qu'elle concédait ne connaître que par ouï-dire.

— C'est curieux, Maxime. Vous ne semblez pas trouver que j'ai raison. Je suis peut-être naïve, et votre vie est en fait trop exigeante, bien difficile... Est-ce que je t'ennuie... Je vous ennuie... Avec toutes mes questions ?

— Au contraire, Vera, tu es adorable.

— Maxime ! s'est-elle exclamée en me touchant les lèvres, comme pour me faire taire.

— Mais non, Vera. Je n'ai pas d'amie. Pas encore. Toi, es-tu amoureuse ?

— Amoureuse ? a-t-elle fait d'un air songeur.

— Oui, amoureuse ? À t'écouter, on dirait qu'il y a quelqu'un dans tes rêves, Veroushka... Est-ce que je peux dire Veroushka ? Ça fait roman russe, Dostoïevski. Veroushka... Pauvre Veroushka.

— Tu le dis d'une jolie façon, Maxime... Essaie de rouler davantage les *r* : Ve-r-ou-sh-k... Fais-le, je t'en prie !

— Ve-r-ou-sh-k...

— C'est ça ! Tu l'as, Max... Mon papa m'appelait ainsi. C'est bon de t'entendre dire Veroushka. Personne d'autre que lui ne l'a jamais fait.

— Peut-être que tu fais peur aux autres.

— Comment ça ? Moi ?

— Ils ne t'appellent pas Veroushka parce que Mme Lioubov les tient à distance.

— Maxime ! Ne sois pas méchant avec moi. Ne parle pas de ça, veux-tu ?

— Comment veux-tu que je t'appelle alors ?

— Pour toi, je suis Veroushka, c'est tout.

Nous avons roulé encore un bon moment en silence. J'avais peur de l'avoir effarouchée, d'avoir été grossier.

— Je me sens bien avec toi, Maxime... a-t-elle repris gaiement. Nous disons des bêtises comme des enfants. Et je te fais rire. Nous nous ressemblons tant et nous ne

savons rien l'un de l'autre. Étrange, vous ne trouvez...
tu ne trouves pas?

— Oui, madame.

— Arrête, Max! Tu es cruel. Il ne faut pas. Surtout
toi, tu n'en as pas besoin, a-t-elle fait avec une moue
d'enfant triste, les yeux brûlants.

— Es-tu amoureuse, Veroushka?

— Est-ce que je devrais l'être, Maxime? J'ai si peur.
Je ne connais rien de la vie... Les sentiments, ils me bou-
leversent et je ne sais pas comment réagir. Pour toi, c'est
différent; tu es un artiste. Tu sais comment sont les
choses, tu es libre. Moi, j'ai peur d'être emportée, de ne
pas savoir m'arrêter... Peur de souffrir. Mon mari... Il
est mon paravent. Notre mariage n'a jamais existé. Comment pourrait-il exister? Il me protège, comme une
petite sœur; et je lui suis reconnaissante. Je suis faible,
Maxime, mais je me sens bien avec toi. Tu me laisses être
ainsi? J'ai l'impression que je te connais depuis longtemps, depuis que suis une jeune fille. Pense à moi
comme Veroushka, et tu me rendras heureuse...

Nous nous sommes arrêtés au début de l'après-midi
à Albstadt, où je devais étudier d'autres œuvres tardives
de Dix à la galerie d'art de la ville. Nous avons mangé
dans un petit restaurant et ensuite nous nous sommes
promenés au hasard, sans penser à rien. Vers six heures
du soir, je me suis rendu compte que la galerie était déjà
fermée, et nous sommes repartis vers Stuttgart. Otto Dix
n'avait d'importance que lorsque j'étais seul; en présence de Vera, le monde entier pouvait disparaître.

Devant mon hôtel, très émue, Vera a refusé mon invitation à finir la soirée dans un bar.

— Non, Max, pas ce soir. Il faut que je m'en aille. Il
est tard, et je me sens confuse... Tu m'as fait un grand
bien, mon ami. Pardonne-moi. Nous boirons ensemble
une autre fois, quand mes idées seront claires, promis.
Pas maintenant. Donne-moi du temps... Appelle-moi, je
t'en prie. Dans trois jours, je serai de retour à Genève.

Debout sur le trottoir, ses lèvres étaient chaudes, ner-
veuses; mais elles sont restées serrées, pudiques, pendant que ses seins et son ventre s'écrasaient contre mon
corps. Peut-être qu'elle avait des larmes dans les yeux, je
ne le sais plus. Son visage avait cependant une expression étrange, à mi-chemin entre le désir et le désespoir.

— Maxime, sans faute, dans trois jours... Appelle-
moi.

La Porsche est repartie avec élégance, sans signe extérieur d'émotion. Vera était une excellente conductrice.

❑

Je me souviens de m'être saoulé cette nuit-là à Stuttgart, sans savoir au juste si j'étais triste ou si j'étais le
plus heureux des hommes. Rien que trois jours, et j'en-
tendrais de nouveau sa voix grave et veloutée, son
accent envoûtant.

Vu mon état d'esprit, Otto Dix n'avait aucune chance.
Même si le musée de Stuttgart possède les plus beaux de
ses tableaux, une courte visite a suffi pour satisfaire ma
curiosité. Le préposé qui m'avait accompagné au dépôt
pour que je puisse examiner les tableaux non exposés
n'a sûrement rien compris à mon intérêt limité au détail
des supports et de la croûte des surfaces. Ces visites privées sont en général très difficiles à obtenir et, comme
mon invitation venait de Berne, il a dû penser que j'étais
un agent d'assurances.

J'ai bien tenté de prendre des notes comme je le faisais d'habitude lorsque je pouvais examiner des œuvres
originales, mais ma tête n'était pas en mesure de travailler. De toute façon, me disais-je, la dissemblance
entre ses œuvres d'avant et d'après la guerre est telle
qu'on dirait qu'elles viennent de la main de deux artistes
différents. Les Dix du début m'impressionnaient et m'in-
timidaient, tout en provoquant en moi le désir de déve-
lopper mon propre style. J'avais cependant déjà mis un

peu de côté la résolution de réfléchir à ma propre peinture. Dorénavant, Vera seule occupait mes pensées, et je savais que ces faux Dix, qui intéressaient tant Aloïs, seraient très faciles à exécuter. J'aurais ainsi plus de temps pour m'occuper d'elle.

La visite chez quelques collectionneurs privés a tout autant été écourtée ; trois jours après mon arrivée, je suis parti vers Mannheim avec l'intention de l'appeler aussitôt que j'arriverais à l'hôtel.

Le téléphone a sonné à Genève durant deux jours sans que personne réponde. J'ai encore appelé de Darmstadt, sans succès. Ma perception des tableaux de Dix est restée couplée à un arrière-goût amer, à un sentiment d'abandon.

Se pouvait-il que Vera n'ait été qu'un rêve ? Une lubie de gamin triste ? Voilà que je me trouvais de nouveau confronté à mon propre sentiment d'inadéquation. Son visage même, aux expressions si riches, devenait confus dans ma mémoire et se métamorphosait avec celui de chaque belle femme des tableaux que je voyais. À ma grande surprise, je me rendais compte que je ne pouvais point figer ce visage-là par le dessin. Impossible de le retrouver. Pour la première fois depuis des années, je n'étais pas capable de saisir la structure d'un objet plastique ; et je me débattais ainsi avec un double sentiment d'insécurité. Je pensais à elle, mais les formes de sa personne se dérobaient comme un mirage. Vera était quelque chose d'autre qu'un simple objet, et c'était à mon tour de me sentir figé dans mon corps, dans mes manières sans élégance, dans le ridicule de ma condition d'artiste.

Évidemment qu'elle m'a oublié, me disais-je. Après tout, elle avait été bien gentille de me déposer à Stuttgart ; peut-être que son charme n'avait été qu'une partie de ses bonnes manières envers ce jeune conducteur mal dégrossi.

Je me sentais trop jeune en pensant de la sorte, et Vera gagnait alors en âge, en expérience de vie et en savoir-faire mondain. Son corps m'apparaissait sensuel, aux chairs lourdes et aux parfums pénétrants. À d'autres moments, lorsque je me décidais à l'appeler une fois de plus, elle redevenait jeune, même plus jeune que moi, fragile, drôle, à ma portée. Je l'imaginais en train d'attendre avec impatience mon appel, en se posant des questions, inquiète de mon silence prolongé. Cela me redonnait du courage et j'essayais de nouveau. Rien.

Je n'arrivais pas non plus à rejoindre Aloïs. Sa sœur et son neveu prenaient soigneusement mes messages, mais me demandaient de patienter. Il était en voyage, ou il venait juste de partir. Était-ce important, demandaient-ils, était-ce grave, inattendu ? Comment le leur expliquer ?

La colère accompagnée d'un sentiment de ridicule est un excellent remède contre le désespoir. Contre les cauchemars aussi. Je commençais à retrouver un semblant de calme, et il m'arrivait même de sourire lorsque je pensais à l'extension de mes fantaisies. Aloïs a raison, me disais-je. Ma situation est confortable, rien ne m'empêche de tenter de me retrouver tout en gagnant de l'argent. Je peux toujours partir à l'improviste, sans préavis... Le sentiment de vide persistait malgré tout, et l'image de cette femme merveilleuse ne cessait de me hanter.

À Cologne, lorsque, enfin, j'ai entendu sa voix, tout a recommencé comme si nous venions de nous quitter. Elle était douce, son accent m'emportait, et comme je le ferais chaque fois par la suite, je n'ai même pas prêté attention à ses excuses. D'ailleurs, à la longue, Vera a d'elle-même cessé de s'excuser.

— Avais-tu appelé, Maxime ? Ah ! chéri, j'étais si préoccupée, je me faisais des soucis...

— J'ai appelé... Mais ensuite, j'ai eu beaucoup de travail à cause des tableaux. Non, non, c'est moi qui m'excuse. J'aurais dû appeler plus souvent. Ça va ?

— Maxime... C'est si bon d'entendre ta voix, mon ami... Je sais que tu me pardonnes. J'ai été bête de ne pas être restée collée au téléphone...

Je pardonnais d'avance, et j'ai appris à pardonner davantage. Vera avait la propriété insolite d'apparaître et de disparaître sans explication, à tout moment. Je me suis aussi habitué à cette nature dissimulée, fuyante, car, ébranlé entre la joie et le désespoir, ce va-et-vient me laissait dans un état de constant déséquilibre, et entièrement à sa disposition. Elle se dérobe sans cesse, car elle est mariée, me disais-je, et tant d'obligations doivent être surmontées avant qu'elle se libère… Elle doit donc être inquiète, ébranlée elle aussi, souffrir à cause de moi. Par ailleurs, j'étais certain de gagner du terrain avec noblesse lorsque je faisais ainsi preuve d'abnégation. Elle avait besoin de temps, et déjà elle m'en donnait tellement… Je négligeais le fait que son mari était un petit ami d'Aloïs en me disant qu'une femme comme Vera avait certainement des principes.

Cette première conversation téléphonique a duré presque une heure et, en plus de me coûter très cher, elle m'a laissé dans un état lamentable. Vera me manquait désormais comme une partie essentielle de ma propre personne.

Le manège téléphonique a duré une bonne semaine. S'il me paraît aujourd'hui tout à fait grotesque, à ce moment-là, au contraire, je trouvais ce jeu délicieux. Je me sentais renouvelé, rajeuni, crâneur et conquérant. Elle le savait, sans aucun doute, et j'imagine comment elle devait se divertir avec nos enfantillages. Peut-être même qu'elle flirtait sérieusement ; son jeu était trop parfait, adorable, et nos fantaisies étaient certainement peu habituelles pour une femme de son rang.

Mais il fallait aller plus loin, car le plan n'était pas de guérir le pauvre Max de sa dépression. Il fallait le posséder et le déposséder pour qu'il retrouve son rôle d'autrefois, pour que cessent définitivement ses velléités de s'envoler.

Un jour, enfin, elle s'est dit prête. Elle voulait me rejoindre à Munich.

— Je peux m'échapper, Maxime. Le veux-tu ? m'a-t-elle demandé au téléphone. J'ai tellement besoin de te voir… Est-ce que je te dérange ? Non ? Ah ! mon ami… Que je suis folle ! Ce serait peut-être mieux pas. Ce sera une bêtise, Maxime. Je ne devrais pas te déranger avec mes enfantillages ; tu as ta vie… Ça ne fait rien ? Tu le veux ? Oui, moi aussi… Nous avons tant de choses à nous dire. Dis, tu le veux, vraiment ? Comme tu voudras, mon chéri. Alors, à demain : à trois heures de l'après-midi, à la Vieille Pinacothèque, dans la salle où sont exposés les prophètes de Dürer. Je t'embrasse, mon amour…

Vera avait un sens très développé du théâtre et des décors, qu'elle adaptait à chaque circonstance. La fillette courageuse ne fréquentait pas les mêmes lieux que la femme fatale ou que l'épouse indécise. Ses vêtements, sa conversation, ce que nous mangions, tout enfin, y compris sa façon de se donner au lit était habilement cohérent avec les besoins du moment. Le spectacle et son jeu d'actrice me transportaient dans un monde imaginaire si plein de significations, que le souvenir de la réalité ou celui des coulisses n'arrivaient jamais à ma conscience.

Le lendemain, elle était là, dans la salle, absorbée devant les grands panneaux hiératiques comme une écolière, et plus jeune que moi. Elle était d'ailleurs venue sans la Porsche, par le train, avec un simple sac à dos et pratiquement sans argent. C'était la fiancée noble qui s'échappait pour rejoindre son charmant roturier ; ce rôle lui allait à merveille. Elle paraissait timide, presque craintive, mais fière de sa bravade. Le regard décidé et son ton sérieux ajoutaient une gravité certaine à notre décision.

Nous nous sommes promenés main dans la main, sans savoir au juste de quoi parler. Puis, le fameux verre qu'elle me devait a été suivi d'autres et de beaucoup de confidences brûlantes, où son Maxime apparaissait sous la forme d'un libérateur et d'un séducteur à la fois.

Elle s'est donnée cette première nuit comme une fillette vierge qui s'abandonne avec effroi. Je me souviens que j'ai dû presque la forcer, tant elle était inexpérimentée et hésitante. Évidemment, elle n'était pas vierge. Mais son jeu compensait tout, son mariage et même le fait que son corps avait soudainement vieilli entre la salle du musée et la chambre de l'hôtel.

Je reconnais que je ressens encore le besoin de poser lorsque je pense à elle. Ce que je viens d'écrire le démontre bien. Cette nuit-là et les autres qui l'ont suivie se sont passées tout autrement. J'étais littéralement déchaîné de passion et je n'ai rien remarqué de son corps ni de son théâtre. J'étais amoureux, elle était amoureuse, et c'était merveilleux. Je souffre, lorsque je pense au plaisir et à la profonde intimité que nos corps arrivaient à partager. Il est vrai que ses formes étaient pleines et que le contact de sa chair n'évoquait plus la turgescence de la prime jeunesse. Curieusement, pourtant, ces caractéristiques même exacerbaient mon désir à cause du contraste avec son visage en perpétuelle transfiguration.

Nous avons vécu deux semaines dans une sorte de lune de miel. C'était si enivrant que mes souvenirs de ces jours sont restés imprécis, brouillés en quelque sorte, comme un film qu'on ferait tourner à très grande vitesse. J'avais loué une auto et nous sommes allés visiter plusieurs petits villages des Alpes autrichiennes, dans la région d'Innsbruck. C'étaient des endroits qu'elle connaissait bien, qu'elle désirait partager avec moi, et où notre présence passait inaperçue. Car il fallait aussi que nous passions inaperçus, je ne sais pas trop pourquoi. Cette obsession de sa part, cette clandestinité forcée s'avérait être un ajout exquis à nos ébats. Vera était devenue mon fruit défendu.

Je ne peux pas m'empêcher de penser qu'elle était un peu amoureuse durant ces deux premières semaines. Il est vrai que j'étais si épris que mon opinion peut être biaisée. Mais pas complètement. Je crois qu'elle avait du plaisir à cause de ma jeunesse, de mon enthousiasme débordant et bien naïf. C'étaient des vacances, et chacun garde les restes d'un petit enfant en soi, lequel sort parfois dans des occasions d'insouciance. Surtout, elle avait le plaisir de l'actrice qui se donne dans son rôle au point d'emporter le spectateur, qui se laisse aller jusqu'à se perdre elle-même dans l'imaginaire, ne serait-ce que pendant le temps limité de la scène. Peut-être aussi, d'une façon différente de la mienne, certes, a-t-elle pu être flattée à son tour par mes bravos ; et cela compte beaucoup lorsqu'il s'agit de plaisir.

Les amoureux sont inquiets, ils veulent des garanties, ils évoquent l'avenir. Dans ces occasions, je percevais chez Vera des signes d'un certain malaise. Je me disais que c'était bien naturel puisqu'elle était mariée, et qu'il lui fallait prendre des décisions graves, difficiles. J'acceptais ses hésitations en redoublant de tendresse et de patience, et cela ne faisait qu'aggraver son embarras. À son tour, elle rétorquait en rajoutant des caresses et de la passion, tout comme si elle tentait de se racheter d'avance. Bien douce, ma belle Veroushka, je dois le reconnaître. Je suis persuadé que, à diverses reprises, elle a hésité et a failli m'avertir. Mais cela n'est peut-être qu'un simple vestige de mon ancienne tendresse à son égard. Le fait est que son sens du théâtre a prévalu jusqu'à la fin. Peut-être aussi que je jouais si bien mon rôle de pigeon que sa pitié a fini par s'émousser, comme dans les paroles d'un tango. Comment le savoir ?

Nous sommes retournés par des trains différents, elle à Genève, moi à Berne, en nous promettant de ne plus jamais nous quitter ; ou plutôt, de nous quitter pour nous retrouver le plus souvent possible. Vera allait prendre une décision quant à sa vie future tandis que moi, j'entretenais des fantaisies conjugales. Nous n'avions pas abordé ces sujets en détail, mais notre intimité et notre tendresse l'impliquaient, sans aucun doute. En tout cas, j'étais persuadé que nous arriverions à des décisions, tôt ou tard. Elle m'avait aussi promis d'aller me retrouver à Anvers, pour voir de près ma vie d'artiste qui, au contraire des mondanités auxquelles elle était habituée, l'attirait tant par son ascétisme que son authenticité. Ces paroles m'avaient bien encouragé dans la décision de revenir à un travail de création artistique sérieuse; je l'attendrais en me battant pour créer des œuvres personnelles, pour devenir un meilleur artiste.

Aloïs m'a reçu chaleureusement, et il m'a congratulé sur mes réflexions concernant l'œuvre de Dix. Là encore, j'ai cru qu'il m'encourageait vraiment à poursuivre mes recherches personnelles. J'étais sûrement un peu euphorique, à tel point confiant dans la bonté du destin, que je n'ai pas attaché d'importance au fait qu'il ne pouvait pas me payer pour le travail sur les dadaïstes.

— Pas pour le moment, Max. Nous sommes en plein dans une période excitante; les possibilités de gains financiers sont fabuleuses en ce moment. On a préféré investir à court terme nos capitaux, pour tirer avantage de certaines informations privilégiées. Attends encore un peu. Je verse ta part dès que les profits commenceront à rentrer. Tu verras, nos amis ne sont pas uniquement des experts en art…

Nous avons ensuite discuté des Otto Dix qu'il voulait placer en France et en Amérique, et le sujet de l'argent a été oublié. Il faut dire aussi que j'avais passablement négligé de surveiller mon compte en banque. J'avais l'impression que c'était mon compte, à moi tout seul, comme le sont les comptes en banque au Canada; je ne connaissais rien des fameux comptes à numéro, impersonnels et si faciles à modifier. Selon mes estimations, je devais avoir aux alentours de trente mille dollars américains; plus ou moins, cela n'avait pas d'importance. Les occasions de dépenser étaient rares, et j'avais toujours fait confiance à Aloïs. D'ailleurs, il paraissait aussi très confiant en moi depuis que Vera m'avait pris sous sa protection.

— C'est bon de te voir rajeuni, Max, m'a-t-il dit la veille de mon départ pour Anvers. Vera est une chic fille et je suis très content que tu puisses la rendre heureuse. Tu sais, tu feras deux heureux : mon ami Vassili se sentait aussi un peu à l'étroit dans ce mariage. Mais, prend le temps qu'il faut, ne la bouscule pas. Surtout, ne la fais pas souffrir. La petite Vera est comme une fille pour moi.

❏

Le travail sur les Otto Dix m'a passablement occupé les mois suivants. Je m'étais attaqué à la nouvelle tâche avec un enthousiasme passionné, d'autant plus que la situation du peintre me paraissait avoir un rapport certain avec la mienne.

Lorsque Dix avait été fait prisonnier de guerre à Colmar, en 1945, c'était déjà un homme âgé, avec une œuvre majestueuse derrière lui. Les officiers français qui contrôlaient le camp militaire en Alsace n'avaient aucune idée de qui était ce peintre-là. Ils échangeaient les petits tableaux sur bois ou sur carton qu'il arrivait à exécuter contre des vivres, du tabac et de l'alcool. Il en avait fait des centaines, de ces tableaux alimentaires ; même après sa libération, il avait continué à en produire pour passer au travers des premières années de l'occupation. La plupart de ces œuvres crues, hâtives, à peine esquissées, sont disparues. Ces peintures n'ont rien à voir avec son style antérieur, et leur valeur est, la plupart du temps, très douteuse. Mais après sa mort, en 1969, ce peintre contestataire a été adopté par les experts. Aloïs et ses associés avaient alors reçu la commande de recréer les tableaux disparus, pour les disséminer dans le marché florissant d'Amérique. Dix n'avait-il pas été considéré comme un peintre dégénéré par les nazis ? Quoi de plus normal que les GI aient ramené chez eux beaucoup de ses œuvres ? Les Américains adorent le côté victime des artistes.

Guderius m'avait procuré les supports de la bonne époque — cartons de ration K, bois de caisses de munitions, emballages des paquets CARE, etc. — et je me suis mis au travail. À l'aide de catalogues et de mes propres impressions, peu à peu, j'arrivais à me mettre dans la peau de l'artiste fatigué, déçu, qui venait de vivre sa deuxième guerre et sa deuxième défaite en tant que soldat. Il ne savait alors pas ce qui était advenu de ses grandes œuvres du passé ; son art ne semblait pas avoir rempli ses promesses, et tous ses efforts paraissaient avoir été vains. Les militaires français, que voulaient-ils comme peinture, qu'est-ce qu'ils se figuraient comme étant un tableau moderne d'un peintre combattant ? Il fallait manger, fumer, se chauffer, mais aussi ne pas choquer ces clients inusités. Donc, peindre n'importe quoi avec les matériaux disponibles, vite, sans la recherche ni le sens magique de ses œuvres véritables. C'était quand même Otto Dix, les clients actuels n'étaient pas de stupides militaires ; donc, la main de l'artiste se devait d'apparaître dans mes pochades. J'avançais dans ses traces, tâchant d'aller aussi vite que lui, désabusé, avec le même mépris. De toute façon, un homme de son expérience pouvait peindre avec une énorme facilité.

Je pouvais, par ailleurs, passer des journées entières à étudier son ancienne manière, et ces moments m'ouvraient en effet de nouvelles perspectives. Son dessin était celui des grands maîtres, d'un Grünewald ou d'un Cranach par exemple. Mais sa verve, son acidité, étaient celles des bagarreurs comme Urs Graf ou Niklaus Deutsch. Dix avait su adapter sa passion graphique à son temps, malgré la mode et les épigones de l'art décoratif. Aloïs avait raison : cela ne dépendait que de moi. Je n'avais aucun besoin de pénétrer la surface de la peau pour arriver à des représentations fortes, expressives. L'anatomie devait me servir uniquement pour retrouver le langage des surfaces, comme chez Dix. Mon anatomie, je m'en rendais bien compte, n'avait été jusqu'alors qu'une béquille, une sorte de maniérisme que je m'étais forgé à ma propre sauce, pour justement éviter d'affronter ma peur des surfaces. Maintenant que j'étais amoureux, de nouveau en paix avec la vie, cela sautait aux yeux, et j'étais content de rompre avec le passé.

Je travaillais vite et bien ; cela me laissait amplement de temps pour rêver et pour dessiner mes choses personnelles. Seul le visage de Vera persistait à se dérober, comme son corps et tout ce qui l'entourait. Je me souviens d'avoir trouvé que c'était bien, car je craignais avant tout qu'elle ne subisse le même sort qu'Annette Rosenberg. C'était me méprendre sur son pouvoir de dissimulation.

Vera est souvent venue me voir durant l'été. Notre lune de miel reprenait alors sous la forme de courtes escapades d'amoureux à Amsterdam, à Hambourg et à Paris. C'étaient des rencontres exaltantes à cause de son curieux don de se renouveler ; chaque fois elle essayait un rôle nouveau, bien étudié, où elle faisait valoir le meilleur de son talent. Il est vrai qu'elle ne pouvait pas jouer tous les personnages ; cela est devenu évident dès sa première visite à Anvers. Vera avait beau essayer, mon studio dépouillé et ma vie ascétique contrastaient trop avec ses propres fantaisies sur la vie d'artiste. Elle s'ennuyait. Je me disais que c'était une question d'habitude, qu'il fallait lui laisser le temps de se défaire de ses manières bourgeoises, que je devais être patient. Je cédais, désireux qu'elle retrouve sa joie de vivre et que je puisse en profiter. En fait, elle était à son meilleur dans les rôles et les scénarios des hôtels de luxe, dans les restaurants des casinos ou les clubs à la mode, entourée de regards admirateurs comme une véritable œuvre d'art. Ce monde nouveau m'attirait aussi ; moins pour ce qui s'y passait que parce qu'il la faisait s'épanouir. Je me sentais ravi de l'avoir à mes côtés, amoureuse, provocante. Je faisais même davantage que simplement m'y complaire ; et je me disais qu'Aloïs avait une fois encore raison, que l'ambiance monastique de chez Guderius se devait d'être tempérée avec un peu de vie, de luxe et de beauté. L'éclat des yeux verts de ma Veroushka m'illuminait ensuite pendant son absence et me poussait à bien travailler. Je m'achetais de nouveaux habits pour être à la hauteur ; je pensais aussi, sérieusement, à la suggestion de m'installer en Suisse. Dès que j'aurais fini les Otto Dix, en tout cas, je m'achèterais une Alfa Romeo.

En novembre, durant une semaine de vacances à Venise, je lui ai fait part de mes projets.

— Mon amour, quelle bonne nouvelle, mon chou ! Enfin, tu te décides à quitter cette ville horrible. Bien sûr que je viendrai avec toi. Tant qu'à y être, pourquoi pas Paris ? Je suis certaine qu'Aloïs va se réjouir.

— Oublie Aloïs, ai-je rétorqué un peu crâneur. Oublie tout cela. Je vais me consacrer à mes propres œuvres. Je n'ai plus besoin d'Aloïs. Dorénavant, je n'accepterai des commandes que lorsque j'aurai besoin d'argent. Sinon, je vais peindre, dessiner, uniquement pour moi.

— Ah ! chéri... C'est vrai ? a-t-elle demandé avec surprise.

— Tu ne me crois pas ?

— Si, bien sûr... Mais je pensais que le travail te donnait du plaisir...

— Non, Vera, il m'écœure. Si je ne t'avais pas rencontrée ce soir-là, à Lausanne, je serais déjà de retour au Canada.

— Mais Maxime... Aloïs, il t'aime tellement...

— Je sais. J'en ai même discuté avec lui. Il sait que je ne peux pas revenir en arrière. C'est lui-même qui m'a indiqué le chemin à suivre. Et je sens qu'il avait raison de le faire. Il se passe des choses en effet ; j'avance dans ma propre démarche, et les tableaux que je fais en ce moment me montrent une voie nouvelle. Tu sais, Vera, une fois que Dix a commencé à faire de la merde, il n'a plus jamais retrouvé son ancienne passion, son ancienne force. J'ai compris cette leçon, et je crois qu'il n'est pas trop tard pour que je me reprenne en main. Si tu viens avec moi, je suis sûr de réussir. Aloïs savait très bien ce qui me hantait, et il m'a conseillé avec justesse, au bon moment.

Elle est alors devenue pensive, rêveuse. C'est normal, me disais-je; l'heure de sa propre décision approche. Elle voit bien que je suis résolu. Ses inquiétudes expriment sans doute son besoin de plonger aussi...

— Maxime, chéri... Tu ne trouves pas que c'est un peu précipité? Je veux dire, tu sais, ça coûte cher, la vie en Suisse, ou à Paris... Comment vas-tu faire jusqu'au moment de pouvoir vendre tes propres tableaux? Parfois c'est long... Nous nous sommes habitués à nous gâter... Il faudra resserrer les cordons de la bourse.

— Mais non, Veroushka, ce n'est pas un problème. J'en ai, de l'argent.

— Si, mon amour, c'est un problème. Mais que je suis bête! Si j'avais su, je t'aurais empêché de dépenser comme tu l'as fait ces derniers temps. Tu es si fou! Et rien que pour me faire plaisir...

— Fou de toi, ma chatte. Ce n'est pas grave, de toute façon. Aloïs me doit deux grosses commandes. Et, s'il le faut, je remets la main à la pâte. Ils auront toujours besoin de moi.

— Pff! Tu ne connais pas Aloïs, mon chou. Et, s'il se fâche, s'il ne veut plus te donner de commandes? Tu sais, ça peut arriver. Ils peuvent très bien vouloir t'écarter.

— Mais non, Veroushka. Je pourrai toujours en faire, de mon côté, et les vendre moi-même. Si ça devient trop difficile ici, on s'en va à Montréal.

— Non, pas le Canada, mon amour! Tu ne voudrais pas que je t'emmène en Russie... Alors, ne me parle pas du Canada. C'est la même chose.

— New York, alors. J'ai des connaissances là-bas. Ça marchera mieux qu'ici. Mais, je suis persuadé qu'Aloïs me proposera un marché, ici même. Je pense qu'il tient à nous deux…

— Oui… Peut-être…

Vera a déployé une passion toute particulière envers moi jusqu'à notre retour en Suisse. Je savais qu'elle m'était reconnaissante et que, à deux, ça marcherait. À la gare, cependant, au moment où j'allais prendre le train pour Anvers, son visage a pris des formes si drôles qu'il ressemblait à une grimace, comme si son sourire hésitait entre la tendresse et le ricanement.

❏

Quelle n'a pas été ma surprise, la semaine suivante, lorsque la banque m'a appelé chez Guderius pour m'avertir que mon dernier chèque, tiré sur mon compte de Berne, était sans provision.

13

L'énorme échafaudage de faux-semblants est alors apparu dans toute sa limpidité. En fin de compte, ce n'était qu'une question d'éclairages, de points de vue et de contexte. La vérité s'est alors infiltrée un peu partout; et j'étais livré à mon propre sens du ridicule.

Cela ne s'est pas passé immédiatement, certes, car moi aussi j'étais trop habitué au confort de mes propres explications. J'ai dû commencer par accepter que j'étais sans un sou. J'étais pourtant certain de ne pas avoir dépensé toutes mes économies en si peu de temps. Il est vrai que j'avais puisé dans mon compte sans réfléchir, tant je me sentais désireux de gâter Vera, de lui montrer que j'étais à la hauteur de son style de vie et non point l'artiste minable que j'avais l'air d'être. Mais un simple calcul mental me montrait bien que je n'avais pas eu le temps de tout dépenser. Il y avait une erreur.

La discussion que j'ai eue avec Aloïs à ce sujet ne m'avait pas rassuré. Il affirmait avec trop de certitude que si, j'avais tout dépensé. Par ailleurs, il s'avérait impossible de vérifier immédiatement les mouvements de mon compte en banque ; il s'agissait en fait d'un compte d'entreprise, c'est-à-dire d'un compte à lui, qu'il pouvait utiliser à loisir, dans lequel je n'avais qu'une marge de crédit. Ses explications sur les lois suisses de l'impôt et des revenus ne m'avaient pas convaincu non plus. Peut-être, disait-il, que certaines sommes m'appartenant avaient été investies récemment, auquel cas il me les retournerait sans faute. De toute façon, le numéro du compte avait aussi été changé et, à l'avenir, je serais payé d'une autre façon. Son attitude était par ailleurs trop fataliste, comme si ma perte était une simple évidence. Il s'étonnait même du fait que je n'aie pas jugé bon de transférer mon bien vers le Canada, au fur et à mesure que je l'avais gagné.

Plus que la disparition de l'argent, son insouciance me laissait très songeur. J'avais mes gains du temps de New York dans une banque de Bar Harbor, et je pouvais toujours y recourir. Non, ce qui me bouleversait le plus était la brèche qu'il avait faite dans notre confiance, et le sans-gêne avec lequel ils venaient de me dépouiller. Aloïs ne cherchait même pas à me convaincre du contraire, et il paraissait n'accorder aucune importance au fait que ses paroles n'étaient pas crédibles. Son ton, son attitude soudaine de distance envers moi le montraient bien ; il était le patron, il avait des problèmes plus urgents à régler, et il ne pouvait pas s'occuper de mes vétilles. En fait, lui et ses associés étaient persuadés de leur pouvoir sur moi. C'était un premier avertissement, peut-être même le dernier, pour que je me tienne tranquille à la place qui m'était assignée.

— Ne t'en fais pas, Max, m'a-t-il dit d'un air paternaliste, en guise de conclusion à notre entretien. C'est comme ça dans notre métier : l'argent va et vient. Il faut le dépenser au fur et à mesure, sinon on ne s'en souvient plus. Nous avons beaucoup de commandes, et Rosenberg viendra te rendre visite au printemps prochain. Ce n'est pas l'argent qui va manquer.

— D'accord, Aloïs. Mais tu auras tes Otto Dix seulement contre de l'argent comptant. Ça m'aidera à mieux planifier mon budget à l'avenir. Et n'oublie pas les dadaïstes. Vera me coûte cher, tu le sais bien…

Cette dernière phrase m'est venue automatiquement, comme une sorte de lapsus. Ensuite, je ne pouvais plus ignorer ma propre méfiance concernant le rôle de ma jolie Veroushka dans toute cette affaire.

— Là, tu dis vrai, Max ! J'aime mieux te voir comme ça, bon vivant. Tu l'auras, l'argent. Mais dépêche-toi, car nous avons d'autres projets pour toi. Rosenberg t'envoie ses salutations. À bientôt.

Je n'ai pas eu à trop réfléchir sur Vera. Elle a cessé ses visites et même nos contacts téléphoniques aussitôt que mon compte a été vidé. Elle m'avait, certes, mentionné vaguement la maladie de son mari, que celui-ci devait se faire opérer et qu'elle se devait d'être auprès de lui. Mais ensuite, il est devenu impossible de la joindre.

Au début, j'ai souffert de son absence comme un gamin, et le manège des appels téléphoniques sans réponse a failli me rendre fou. Là encore, elle savait faire durer le plaisir par un savant mélange de longs silences suivis d'un court billet très chaleureux, d'un télégramme impromptu avec de rares mots passionnés. D'ailleurs, l'absence même de syntaxe, la simple juxtaposition télégraphique des mots laissait le champ ouvert à mon imagination, et facilitait l'acceptation de la distance. Elle s'y faisait protectrice, elle me demandait de patienter, de penser à elle, elle me suggérait quasiment d'être sage. Bientôt, elle pourrait se libérer, très bientôt. De courtes phrases qui ne révélaient rien, ni même une adresse de retour, et qui provenaient de Berne plutôt que de Genève. Ils se fichaient désormais des apparences.

Mes demandes d'information au service téléphonique de Genève m'avaient par ailleurs appris qu'aucun Vassili Lioubov, docteur ou pas, n'était inscrit dans la liste des abonnés du canton. Dans celui de Berne non plus.

Le temps a quand même fini par amoindrir le feu de ma passion. Ils n'avaient pas, je crois, bien jugé de la nature véritable de mes sentiments. J'étais réellement amoureux de Vera, et c'était sa présence qui alimentait ma peine. En effet, son visage, sa voix, la langueur qu'elle pouvait mettre dans son regard, sa façon douce et exclusive de s'adresser à moi, son parfum dans les moments d'intimité, voilà en fait ce qui me faisait souffrir, languir, et me tenait captif. Son absence prolongée, au contraire, agissait comme un voile sur le contour des souvenirs, et la Vera magique commençait à se dissoudre pour redevenir banalement réelle. Eux, au contraire, avaient cru que je la désirais physiquement, que ma passion était charnelle, ou encore que, tel un gigolo, je souhaitais me faire admettre dans son univers mondain. Si tel avait été le cas, bien sûr, le doute et le désir auraient été exacerbés par l'absence, et je me serais mis à travailler comme un forcené pour pouvoir revivre les mêmes moments de plaisir.

Mais non. J'étais amoureux d'une manière si insolite que je m'étonnais moi-même, et ce sentiment de tendresse et de confiance exigeait la présence totale de l'autre pour ne pas s'étioler, nécessitait l'innocence de l'autre. Savaient-ils au moins que ce genre de sentiment existe, qu'on peut être naïf à ce point-là? Heureusement pas. Je me réjouis au moins à la pensée d'avoir été discret, pudique au point de ne pas laisser deviner l'étendue de ce qui me blessait. Mais Vera, si bonne actrice, comment n'avait-elle pas perçu la minceur de ma carapace pendant que j'avais été si nu à ses yeux? Le masque qu'on enfile déforme peut-être aussi le regard de l'être masqué. En se donnant à moi par un visage d'emprunt, qui sait, elle ne pouvait me percevoir que sous les contours de l'ornière de son propre rôle. Peut-être. Pourtant, elle aurait pu m'écraser, m'avilir et me posséder entièrement si elle avait su me sonder avec davantage de sympathie.

Le fait est que son absence m'a aidé à changer l'amour en mépris, la tendresse en désir de vengeance. Il faut dire que le changement brusque de ton de la part d'Aloïs avait fonctionné à la façon d'une douche froide sur toutes mes ardeurs. Il était soudain devenu le simple fraudeur qui me passait des commandes, et duquel je devais me méfier. Son charme — qui n'avait d'autre origine que mes propres besoins d'identification — s'était ainsi rompu sans laisser de traces ; je suis même arrivé à penser que le prix de cette leçon n'avait pas été trop élevé.

Dès le début de février, je pouvais déjà respirer avec une sérénité nouvelle, une sorte de soulagement cynique très propice au travail. L'art, mes aspirations et mon propre avenir s'étaient aussi dépouillés presque entièrement de relents romantiques, en me laissant avec rien du tout, mais curieusement libre, dégagé de toute responsabilité. Les attaches que j'étais en train de forger maladroitement depuis des années avaient perdu leur signification. Même mes cauchemars et mes idées infernales s'étaient envolés ; à leur place subsistait une amertume sarcastique accompagnée d'un regard davantage inquisiteur.

J'arrivais ainsi à repenser à Vera d'une façon nouvelle, qui m'ouvrait enfin les portes que j'avais tant tenté d'enfoncer. C'était ironique de constater qu'il m'avait fallu m'éloigner à ce point-là de l'anatomie pour retrouver enfin la signification que je cherchais. Je m'étais simplement fourvoyé en pensant que la chair et les os m'auraient amené à l'intérieur des êtres. Désormais, je revenais à la surface, qui seule compte lorsqu'on désire appréhender son semblable. Cette nouvelle perspective m'était venue justement de ma haine et de mes fantaisies anatomiques concernant la pauvre Veroushka. J'avais, certes, passé par des moments d'un amour si intensément malheureux que l'idée de la découper vivante m'avait diverti plus d'une fois. Hélas ! À la fin de ces images mentales très précises, je ne disposais que d'un cadavre dépecé, sans trace de la souffrance réelle que j'avais souhaité lui infliger. Il aurait fallu qu'elle reste vivante devant mon regard pour que je puisse jouir de sa déchéance. Sinon, ce n'était pas une vengeance véritable, car je ne l'atteignais que dans son corps, pas dans son esprit. Et ce corps-là ne m'avait pas blessé, bien au contraire.

Ce sont là de curieuses réflexions, je le reconnais ; mais des réflexions qui étaient nécessaires dans mon cas, et qui m'ont fait du bien. Et combien fructueuses ! Elles m'ont conduit à mieux comprendre la force du jeu de cette femme, l'essence de ses artifices. Je ne pouvais qu'admirer la sagesse d'Aloïs ou de Rosenberg lorsqu'ils avaient décidé de mettre celle-là, et pas une autre, sur mon chemin. Chapeau !

Les étranges paroles que Guderius m'avait dites une fois, lorsque je faisais étalage de mes connaissances anatomiques, me sont alors revenues clairement à l'esprit :

— La face convexe du masque est l'inverse de ce qui se trouve dans la concavité. Elle est le masque proprement dit, ce que l'acteur ancien veut montrer de son rôle, ce qu'il veut qu'on pense de lui, tout en étant aussi l'individualité qu'il désire cacher. Les œuvres d'art qu'il achète jouent le même rôle pour l'homme du commun : ce sont des déguisements qu'il utilise pour exprimer son désir, pour afficher ce qu'il ne possède pas de plein droit. Alors, Max, plutôt que d'aller vers l'intérieur du visage où vous ne trouverez qu'une dépouille, revenez à la surface et vous connaîtrez ce que le modèle lui-même semble ignorer. Les jeux anatomiques ne seraient-ils pas une sorte de masque pour dissimuler la pudeur qu'on éprouve devant les contacts de surface ? Ou l'envie, comme c'est mon cas devant ces œuvres d'art que je ne peux créer sinon à la façon d'un embaumeur ?

❏

J'ai terminé les Otto Dix fin mars. Ils m'avaient pris beaucoup trop de temps à cause de ma tristesse et de mes propres réflexions. Et, aussi, à cause des nombreux portraits à la pointe d'argent et à l'encre qui m'avaient aidé à exorciser le visage de Vera. Guderius, d'abord surpris par la facture insolite de ces dessins, m'a ensuite encouragé à continuer malgré leurs déformations de plus en plus grotesques. Ils étaient bien différents des œuvres délicates de Maximus Monteregii ; plutôt dans la veine d'un Bosch ou d'un Bruegel qui auraient fréquenté la Reeperbahn de Hambourg ou les bordels de Marseille. Mais, au moins, c'étaient des œuvres à moi, et elles ont rempli leur rôle expiatoire.

Aloïs a semblé très satisfait des tableaux ; il a payé comptant, comme promis, tant les Otto Dix que ce qu'il me devait pour les dadaïstes, même si le montant total était bien en deçà de ce que j'avais escompté. Il était à nouveau de bonne humeur et cherchait la camaraderie, comme si rien ne s'était passé. Moi non plus, je n'ai pas montré ma rancune. Je me sentais dégagé, étranger à leur monde, et davantage intéressé à les observer sans qu'ils s'en aperçoivent. Mes manières ont paru le rassurer.

— Alors, Max, ces idées noires de l'an dernier, qu'en est-il ?

— Fini, Aloïs. Tu avais bien raison, ce n'était que le surmenage, l'air trop lourd de la Belgique. La belle Vera Lioubov m'a beaucoup aidé à m'aérer l'esprit. Et je compte bien continuer à m'amuser. D'ailleurs, je serais intéressé à acheter une Alfa Romeo. Sais-tu s'il y a avantage à l'acheter ici, en Suisse ?

— Eh bien, en voilà un changement ! Max abandonne son passé de piéton. Tu la veux d'occasion ?

— Neuve, Aloïs. Comme ça, au moins, je sais où va mon fric.

— C'est cher, une Alfa, tu sais ? Pourquoi pas une Fiat ?

— J'ai toujours voulu une Alfa. Le prix, on verra. Si tu crois que les commandes vont continuer, pourquoi pas ?

— Bien sûr, Max. Et comment ! La semaine prochaine, Sammy Rosenberg sera là, pour discuter d'une bonne affaire. Si tu es d'accord, tu auras ton Alfa Romeo. Neuve, je ne sais pas, mais tu l'auras. Il s'agit d'un petit travail très spécial. Facile, ne t'inquiète pas ; bien en deçà de tes talents. Mais je préfère que Rosenberg t'en parle personnellement. Garde ça pour toi, et pas un mot à Guderius, d'accord ?

— D'accord. À propos de Guderius : je me sens un peu à l'étroit là-bas. Tu avais raison une fois de plus. C'est trop monastique, et le vieux commence à me casser les couilles avec ses obsessions...

— Ah !...

— Te souviens-tu de ce que tu m'avais proposé l'an dernier ? Ça me plairait de travailler ici, en Suisse. De toute façon, Guderius ne fait que de l'ancien, qui ne m'intéresse pas. Je crois que je produirais mieux ici, sans ce va-et-vient. Et je pourrais alors profiter plus souvent de tes balades.

— Tu es drôle, Max...

— Comment ça, drôle ?

— Tu étais si malheureux... Et te voilà si pimpant tout d'un coup.

— Aloïs, j'étais en train de devenir fou, mon vieux. Fou à lier. Et je ne veux plus retomber là-dedans. Je te dois beaucoup pour ton aide, pour tes conseils sur les peintres allemands aussi. Ça m'a aidé à me rendre plus souple, à mettre mes lubies dans la bonne perspective. Voilà. Vera est une excellente psychothérapeute pour mon genre de folies. Penses-tu que son mari va mieux ?

J'aimerais bien la revoir pour qu'on s'amuse un peu. Tu sais, il a fallu que l'argent me manque pour mieux l'apprécier.

Vera était là dès le lendemain. Mais si pressée, la pauvre, avec tant de choses à faire, qu'il lui était impossible de m'accompagner aussitôt à Anvers. Nous avons quand même mangé dans un restaurant chic, bien à son goût et, après une courte et chaude visite à ma chambre d'hôtel, elle a dû repartir. Elle viendrait me chercher à Anvers, la semaine suivante, pour mon rendez-vous avec Rosenberg. J'amènerais aussi les derniers Otto Dix, sur la banquette arrière de sa Porsche.

Cette rencontre a exigé beaucoup de contrôle de ma part. Malgré le temps et toutes mes résolutions, sa présence exerçait encore sur moi un pouvoir très puissant, d'autant plus qu'elle aussi avait eu l'air de bien se préparer. Elle a d'ailleurs été adorable, parfaite dans tout ce qu'elle a dit, et ses mimiques faciales paraissaient plus attendrissantes encore. Je savais que c'était une mise en scène, et j'en ai aussi profité pour m'exercer au rôle du pigeon un peu macho, crâneur et insouciant. En me concentrant sur la comédie, j'ai même éprouvé une sorte de plaisir ludique qui avait été jusque-là absent de nos rencontres. Comme je paraissais si absorbé, elle n'a pas craint d'exagérer quelque peu, et ça a été à son tour de baisser la garde et de me faire sentir une odeur rance de coulisses.

Seul dans ma chambre, entouré de ses parfums intimes, j'ai presque failli oublier ma décision de vengeance. Mais non ; j'avais besoin de la soumettre à ma façon, même si ce n'était que pour me libérer complètement de son emprise. Je comptais aussi apprendre quelque chose dans une sorte d'exercice réel de contact avec les surfaces, pour m'endurcir en affrontant un adversaire de son acabit. Si elle vient, me disais-je, ce sera attirée par l'argent qu'Aloïs vient de me verser ; j'en saurais alors peut-être davantage sur leurs intentions à mon égard. Après tout, pourquoi ne pas inverser les rôles et la faire parler un peu?

Le jour convenu, elle était là, dès le matin, et sans aucune trace de fatigue du voyage. Tout à fait séduisante.

— Maxime, mon chou, que tu m'as manqué! s'est-elle exclamée après le premier baiser. Tu ne peux pas savoir comment ç'a été long...

— Veroushka...

— Pauvre Max, tu es toujours ici, dans ce trou. Mon Dieu, que tu as dû te sentir seul...

Son visage était enivrant: ses yeux brillaient d'un étrange éclat qui évoquait une peine réelle, une tendresse infinie.

— Mais non, Veroushka. Je t'avais avec moi, tout le temps. Je pensais à toi...

— Maxime, mon amour! C'est fini, maintenant. Aloïs m'a dit que tu viendras en Suisse. Est-ce vrai? Ça va être merveilleux. Dis, si on partait d'ici; si on allait à l'hôtel, tous les deux? J'ai tellement à te donner, pour te faire oublier ce studio lugubre. Veux-tu?

— Bien sûr, Veroushka. Partons d'ici, où tu voudras. Mais tout à l'heure. J'ai trop envie de toi. Viens...

— Attends, mon amour, attends.

Je le savais très bien. Vera ne se donnait jamais sans une longue préparation, un séjour interminable à la salle de bains et, toujours dans la pénombre. Il lui fallait se voiler en se dévoilant, pour ne jamais se dénuder entièrement avant que je sois ensorcelé. Cela faisait partie intégrante de son personnage; et elle le faisait si bien que je n'en avais pris conscience que lorsqu'elle était disparue.

— Dépêche-toi, Vera...

Son sac à main était là, comme je l'avais prévu, laissé en arrière pendant qu'elle se parait pour l'amour. Le passeport suisse, bien dissimulé dans une pochette fermée ne mentait pas: Valentine Chasseron, née Milevic. Née à La Cure, canton de Genève, le 4 janvier 1933. La photo ancienne montrait une Vera bien plus jeune, moins belle, à laquelle les pommettes saillantes donnaient plus un air de paysanne que de réfugiée russe. Donc, quarante-trois ans, et son accent pouvait être tout au plus yougoslave. Des cartes de crédit, un peu d'argent, un briquet de luxe, des cigarettes, un permis de conduire et rien d'autre. Les outils de maquillage étaient sûrement dans la grande trousse qui ne la quittait jamais.

Elle est sortie des toilettes prête pour son théâtre. Un fard léger, la blouse entrouverte, les yeux rehaussés de noir, les lèvres légèrement mordues et la voix soupirante :

— Tu m'as tant manqué, Maxime...

Pendant que nous faisions l'amour, j'ai pu apprécier son jeu d'actrice. Elle s'est rendu compte de mon peu d'enthousiasme, et cela l'a mise mal à l'aise, un peu nerveuse, ne sachant pas comment réagir. Il m'a fallu la brusquer un peu pour éviter qu'elle ne se mette à parler d'amour, car j'avais peur d'être déconcentré par tant de nouvelles perspectives. Elle s'est laissé faire avec un jeu moins sûr, empressée d'en finir pour reprendre le contrôle de la situation.

Lorsqu'elle est ressortie des toilettes, je me suis mis à jouer.

— Tiens, Vera, j'ai une grosse surprise pour toi.

— Ah !... Maxime !

— Voilà, mon amour.

La tenant contre le mur, mon rasoir ouvert sur sa gorge, j'ai ajouté, brusquement :

— Tais-toi ou je t'étripe !

— Max...

— Tais-toi ! L'immeuble est vide, pas moyen de t'échapper, Valentine. Nous allons parler. Si tu restes gentille, je te laisse partir. Bouge pas... Tu sais que j'ai beaucoup de raisons de t'étriper.

Cela a eu l'effet de détendre son corps ; sans me regarder, elle a répondu :

— D'accord, Max, d'accord...

— Bien, Valentine. Très bien… Assieds-toi ici, sur cette chaise, et déshabille-toi de nouveau. Il fait trop chaud pour cette camisole. Peut-être que j'aurai encore envie de te baiser, tout à l'heure. Maintenant, à poil.

Elle hésitait ; la peur dans son regard était différente de tout à l'heure. Elle ne comprenait rien.

— Vas-y, qu'est-ce que tu attends ? À poil !

— Maxime, mon amour… Pourquoi ? Pourquoi tu me fais mal comme ça ? Je t'en prie !

— Prie tant que tu voudras, Valentine. Mais à poil. Je veux voir comment tes beautés se comportent à la lumière. Allez !

— Non, Max, non… s'est-elle écriée en croisant les bras sur la poitrine.

Une seule gifle a suffi pour la décider. Elle s'est exécutée avec une lenteur exagérée comme dans une danse de strip-tease. Son regard de haine s'était mué en un froncement de sourcils inquiet, angoissé, à mesure que son corps apparaissait à la lumière du jour. Sa tension était si intense que je pouvais la ressentir à distance. Mon regard direct et scrutateur paraissait l'effrayer plus que la lame. Ses yeux bougeaient, nerveux et fuyants.

— Oui, Valentine. En te voyant comme ça, c'est évident que ton âge apparaît mieux. Je comprends toute ta pudeur. Pourtant, j'ai aimé ce corps…

— Maxime…

— Oublie l'accent russe, Valentine. Je suis au courant. Tu es une salope, mais j'admire ton jeu. Baisse pas la tête comme ça. Je veux seulement savoir en quels termes, exactement, Aloïs t'a dit de m'arnaquer.

— Je l'ai pas fait, Max. Ce n'est pas vrai. Aloïs ne m'a rien dit de faire.

Son absence de surprise devant ma question trahissait davantage son mensonge.

— Il t'a quand même dit quelque chose.

— Que tu étais trop seul ; si je pouvais m'occuper de toi, te changer les idées…

— C'est tout ? Et pour l'argent ?

— Je ne sais d'aucun argent, Max. Je ne sais rien.

— Tu sais au moins qu'il a vidé mon compte ?

— Non !

— Si, Veroushka, et c'est mieux que tu le dises vite. Mon rasoir a trop envie de tâter la graisse de tes cuisses. Regarde ici, comme tu débordes.

— Max, je t'en prie... Pas ça ! Arrête, mon amour...

Des larmes se sont alors rassemblées sur ses paupières pour retomber le long de ses joues. Sans sanglots, cependant, très émouvantes.

— C'est vrai que c'était pour te divertir, au début. Ensuite...

— Ensuite ?

— Ensuite, je suis devenue amoureuse de toi, Maxime.

— Pauvre de toi, Valentine ! Amoureuse d'un artiste. Vraiment dommage. Tu ne vois pas que tu es ridicule, assise là, en pleine lumière, avec ce corps nu qui ne m'attire plus ? Et ton jeu de fillette attardée... Regarde-toi, Valentine, ne fais pas la conne ! Aloïs me l'a dit. Ce que je veux savoir, c'est quand vous avez décidé de l'arnaque.

C'en était trop ; ses défenses se sont rompues avec un faciès de mépris.

— Pauvre con, tu n'as rien vu ?

— Non. C'est pour ça que je te le demande. À Lausanne, le premier jour, n'est-ce pas ?

— Depuis le début, Max. Tu es si naïf... Pensais-tu qu'ils allaient vraiment te laisser filer ? On ne file pas de leur jeu, Maxime, crois-moi. Puis, si tu veux le savoir, je trouve très idiotes tes histoires d'artiste. Filer, tout lâcher, pourquoi donc ? Pour venir t'enfermer dans ce taudis et vivre de ton art ? Qui est le plus con, hein ? J'étais là pour t'obliger à dépenser. J'ai bien essayé ; mais tu avais trop de fric, connard. Après ton histoire de tout lâcher, ils ne voulaient pas attendre, voilà.

— Et tu rapportais tout…

— Et toi, l'artiste, tu ne fais pas aussi leurs sales affaires ?

— C'est bien… Tu sais, avec ce regard enragé, tu deviens vraiment méchante. Ça te vieillit trop, ça fait sorcière. Je te trouve plus jolie quand tu fais des mamours.

— Salaud ! Je veux m'en aller.

— Bouge pas ! Ce n'est pas fini…

— Tu veux me baiser, c'est ça ?

— Non, Veroushka, je ne te baiserai plus jamais. Je veux t'extirper de ma peau.

— Max, non, je t'en prie, pas ça… a-t-elle fait en regardant le rasoir dans ma main.

— Calme-toi, mon amour. Je te veux détendue. Je n'ai jamais pensé à t'étriper vraiment. Alors, ne m'oblige pas à le faire. Je vais te dessiner, c'est tout.

— Max, je t'en prie !

— N'aie pas peur. Je ne suis pas fou, Valentine. Mais j'étais trop amoureux de toi. C'était la première fois, je ne connaissais pas ce genre de choses. Pour me guérir, je ne connais pas d'autre remède que le dessin. Je vais te dessiner longtemps ; et toi, tu te laisseras faire. Si tu n'obéis pas, il me faudra t'étriper. Tu peux feindre l'air que tu voudras, la femme fatale, des mamours ou même des pleurs de fillette. Mets de la variété, c'est bon. Je veux me dégoûter de ta chair, en l'étalant comme je sais le faire. Non, pas le rasoir ; la plume, ma chérie, le fusain. Le rasoir, c'est uniquement au cas où tu ne te comporterais pas sagement. Ne me fais pas abîmer ta bouille mignonne. T'as besoin d'elle pour gagner ta vie.

Elle était très tendue au début, vraiment effrayée devant cette réaction bizarre de ma part, et n'osait pas bouger, tout en surveillant le rasoir. Au fur et à mesure que mes esquisses s'accumulaient par terre, et la fatigue aidant, elle est devenue plus docile, complaisante, même lorsque les poses passaient du ridicule à l'indécent et au grotesque. Parfois, elle souriait en se plaignant de ma cruauté, d'autres fois, elle commentait mes goûts pervers. Mais, en fait, elle avait compris ce dont j'avais besoin. Elle s'y pliait ; et j'avais la nette impression que Valentine était plus humaine que Vera, plus proche de la vie.

Nous avons fait une pause vers la fin de l'après-midi, pour qu'elle puisse manger des sandwiches. Je me suis contenté de café noir pour ne pas abîmer ma main.

— C'est très cruel, ce que tu me fais là, a-t-elle dit en regardant les dessins. On ne fait pas ça à une femme. Tu aurais dû me frapper plutôt, me violer...

— Tiens, Valentine, ai-je dit en lui tendant une bouteille de scotch. Ce n'est pas à toi que j'en veux. C'est à Vera.

— C'est la même personne.

— Non, Valentine, pas du tout.

— Comment le sais-tu ?

— Par la tendresse que je commence à ressentir envers toi, envers ton corps qui te fait honte. La gratitude aussi, Valentine. Tu aurais pu mieux te défendre, tout à l'heure.

— Et le rasoir, salaud ?

— Je ne sais pas. En tout cas, laisse-moi encore faire, pour tuer une fois pour toutes cette Veroushka infernale. Ce n'est pas moi qui ai imaginé l'arnaque. Entre nous, dis-toi bien que les hommes aussi, ils ont des sentiments.

— Vera ne mourra pas, Maxime.

— En ce qui me concerne, elle est déjà morte.

— Tu es cruel, un monstre. Le savais-tu ?

— Non, c'est Vera qui me l'a appris.

— Tu ne me feras pas croire que c'est la première fois que tu humilies une femme de cette façon.

— Tu as raison, Valentine. On ne peut rien te cacher. Maintenant, continue à manger et à boire, mais détends-toi, car j'ai encore besoin de travailler. Tu sais que je commence à aimer tes rondeurs ?

— As-tu vraiment besoin de m'enlaidir comme ça ?

— Ce n'est pas laid. Ce sont les rides ; la peau, les muscles qui s'affaissent. Je ne fais que suivre leur mouvement naturel, celui du temps. Aurais-tu préféré que j'utilise le rasoir pour t'étudier ?

— Je ne sais plus...

— Mais non... Tu te couvriras de nouveau ; ensuite, une couche de maquillage, et tu seras prête. À propos, ton père n'était pas russe...

— Laisse mon père en paix, veux-tu ?

— Je pensais au Danube... Tu as quand même de l'imagination, et ça fait plaisir, Valentine.

— Mais je ne suis pas comme ça, a-t-elle insisté, en montrant les dessins. Tu as beau m'en vouloir, ce n'est pas juste. Les premiers dessins sont beaux... Pourquoi tu ne les refais pas, ces dessins-là ? Pourquoi tu aimes tant les choses laides ?

— Je vais les refaire, à la fin, lorsque je serai enfin seul avec toi, Valentine. Que l'autre sera morte de vieillesse. C'est à ça que je travaille. Regarde ici, la Vera dans quelques années. Croquée avec justesse. Il suffit de penser qu'elle joue la séductrice avec son accent russe. Maxijjjmjjj...

— Tu es une ordure ! Je te déteste, Max. Je veux m'en aller !

— Attends encore un peu. Je vais continuer à dessiner jusqu'à ce qu'elle devienne une momie. Si je te laisse partir maintenant, tu ne verras pas les beaux dessins que je vais faire de toi, après que l'autre nous aura quittés. Prends encore un verre.

— J'ai mal au dos...

Couche-toi sur le lit, si tu veux. Appuie-toi sur l'oreiller pour que je puisse voir ton visage... Comme ça.

J'ai continué à dessiner comme si j'étais seul, la tête vide, sans rancune ni tristesse, entièrement absorbé. Quand elle s'est endormie, son visage s'est apaisé d'une curieuse façon, comme Vera dans la pénombre, après l'amour. Elle n'avait plus besoin de surveiller les spectateurs ni les applaudissements, rien. Ce n'était qu'une femme fatiguée, un corps fatigué, et une sorte de douceur juvénile s'est alors emparée de toute sa personne. Elle était belle, la peste, et ses rondeurs, qui tout à l'heure débordaient de la chaise étroite, étaient maintenant bien harmonieuses dans le moelleux du matelas.

J'ai fini vers dix ou onze heures. Vera était vraiment disparue et je ne ressentais plus rien. C'était la même sensation que j'éprouvais envers les œuvres d'art après les avoir bien travaillées : elles n'étaient que des objets sans charge affective, des volumes, des masses ou des ensembles de lignes. Là, sur le matelas, de simples amas de chair entrecroisés de plis, aux rondeurs en équilibre précaire, cireux et aux ondulations fatiguées, étranges. La tête paraissait celle d'un mannequin entouré d'algues. Le corps avait l'air si disloqué, dévitalisé, que je m'étonnais de ne pas voir des taches de sang ou des vestiges de lutte.

Non, je ne l'avais pas étripée. J'étais capable de pire, et cela convenait mieux à ma nature. Je l'avais abolie, effacée comme on annihile une pièce de théâtre en rallumant les lumières de la salle. L'amour est une sorte de délire auquel seul l'esprit inquisiteur, le regard aiguisé peut offrir une résistance valable. Le meurtre n'est que la poursuite du délire, une forme de suicide à deux où celui qui le commet manque de courage en bout de ligne.

Sa voix m'a tiré de mes rêveries.

— Max, ça va ?

— Oui, c'est fini.

— Tu es content ?

— Soulagé…

— Je vais faire pipi.

— Vas-y. C'est fini.

— Tu fermes la fenêtre ? J'ai froid.

En revenant, ses gestes étaient calmes, sans trace d'angoisse, et son visage avait perdu la mobilité artificielle qui m'avait tant attiré. C'était une autre femme — une inconnue, en effet — avec les mêmes formes que la morte, mais apaisée. Ses rondeurs et la lourdeur de sa chair étaient d'une beauté nouvelle, purement animale, comme celles d'une vache en santé. Ses mouvements, quand elle s'est habillée, étaient naturels ; elle ne cherchait plus à se cacher par des torsions du tronc ou du cou. Elle s'habillait tout simplement, sans faire de théâtre.

— Salut, Valentine. Prends-toi une chambre d'hôtel et tu repartiras demain, reposée.

— J'ai faim, Max. Je mangerais bien une pizza. Pas toi ?

— Peut-être. Je boirais sûrement quelques bières.

— C'est ça, a-t-elle rétorqué en souriant. Viens, je t'invite, le pauvre artiste. Est-ce que tu payes tes modèles ?

— Non. Je paye les putes. Si elles posent aussi, je leur donne des dessins.

— Tu m'en donnes un ?

— Choisis toi-même. Pas les laids ; j'en ai besoin.

— Max, pour la vérité, mon miroir me suffit. Je veux un de ceux-là, les beaux, sans méchanceté. C'est à cause d'eux que je suis restée. Pour que tu puisses m'aimer un peu...

— Prends-en d'autres, si tu veux. Ceux-ci, de ma copine Valentine endormie.

— Tu es un drôle de type, Max.

— Toi aussi, tu es une drôle de fille.

— Tu fais peur. Et pourtant, tu es comme un gamin. Et tu dessines bien...

— Arrête, Valentine. Tu ne vas pas me demander ce qu'un chic garçon comme moi fait dans ce milieu, n'est-ce pas ? Ce sont les clients qui demandent ça aux putes, pas l'inverse.

— Tu ne manques pas de culot, Max. Si je triche, je suis une pute. Mais si tu triches, tu es un artiste... Bien joué.

— Viens, Veroushka...

Elle est demeurée Valentine tout le restant de la nuit, en particulier lorsqu'elle a mangé avec appétit sa grosse pizza. Les passants sur la Keyser Lei et les clients du restaurant, attirés par la beauté de cette femme, ne l'ont cependant pas distraite de son calme. Sans maquillage, les gestes francs, elle semblait vraiment se divertir de la fin de notre jeu ; et elle m'a raconté toutes sortes d'histoires cocasses sur les gens qu'elle connaissait et sur son prétendu mari. Le docteur Vassili Bronner était en fait un avocat, professeur de droit à Genève, et un copain d'orgies d'Aloïs. C'était d'ailleurs lui qui avait les meilleurs contacts pour toutes sortes de combines parmi les cercles diplomatiques.

À un moment donné, au sujet de mes résolutions de partir, je l'ai sentie un peu curieuse, séductrice. Mais je l'ai rassurée, comme je l'avais fait avec Aloïs.

— Si tu pars, Max, fais-le sans donner de préavis. Sinon, ils te descendent… Et tu ne seras pas le premier.

— Ne t'inquiète pas, il faut que je reste. Je suis fauché et guéri de mes lubies. Que veux-tu que j'aille faire au Canada ? Ils n'ont d'intérêt que pour l'art esquimau. Je vais quand même mieux surveiller mon argent…

— Et qu'est-ce que tu veux que je dise à Aloïs ? Il va me le demander.

— Dis ce que tu voudras. Il savait que j'allais rompre avec toi puisque je n'ai plus les moyens de te balader partout. Dis que c'était pour une simple passe d'une nuit, histoire de se quitter comme de vieux amis, pour garder de bons souvenirs. En tout cas, c'est ce que ma situation financière permet pour le moment. Vera est au-dessus de mes moyens.

— Max, arrête ! Tu ne sais pas crâner, et tu deviens ridicule. Et méchant… Tu avais dit que c'était fini, alors c'est fini.

— C'est fini, sans rancune. Si Aloïs veut savoir, dis-lui que je me cherche maintenant une de ces baronnes riches et pas trop séniles. Qui sait, hein ?

— Pff! Si la vieille voit tes dessins, tu seras veuf en un rien de temps. Non, ce qu'il te faudrait c'est une fillette riche, très inhibée, nerveuse, un peu puritaine mais que le petit ami aura mise enceinte. Un beau mariage… Si tu me mets dans le coup, je t'aiderai à ne pas trop t'ennuyer lorsque tu seras écœuré de changer les couches. Elle ne sera pas jalouse d'une vieille comme moi, n'est-ce pas?

Nous avons continué à blaguer de la sorte, en jouant les vrais copains. Au moment de nous quitter, devant son hôtel, elle a flanché.

— Maxime, chéri… Monte avec moi. J'ai besoin de toi. Tu as été trop cruel, tu m'as blessée, tu le sais bien. Tu ne peux pas m'abandonner comme ça. C'est trop dur.

— Non, Valentine, pas ce soir. J'ai besoin d'être seul. Et je suis fatigué. Mine de rien, ça fatigue, le dessin.

— Alors, laisse-moi au moins te reconduire, chéri. C'est à deux minutes en auto…

— Valentine, Valentine… Ne recommence pas. Toi aussi, tu as besoin d'être seule, pour te laver de mon regard.

— Justement, mon amour, ne me laisse pas seule. Ce sera la dernière fois, je te promets. Il faut que tu m'aimes encore un peu. C'est trop cruel de se quitter comme ça. Nous sommes pareils tous les deux, des pions entre leurs mains. Ce n'est pas notre faute. Aide-moi à me sentir vivante; fais-le, je t'en prie. Je ferai tout ce que tu voudras, Max; mais ne me laisse pas seule après ce que tu viens de me prendre.

— Je n'ai pris que l'âme de Vera, à ma façon. Toi, tu as pris la mienne, à ta façon. Nous sommes quittes.

— Ce n'est pas vrai, Max. Je n'ai fait que mon travail. Je ne voulais rien te voler. Comment pouvais-je savoir que tu étais si sensible? Je te demande pardon. Ta vengeance, au contraire, était voulue, cruelle; tu voulais me blesser.

— Parce que je t'aimais trop. Allez, sans rancune.

— Tu m'aimes encore un peu?

— C'est ça ; sinon je monterais avec toi, pour te baiser encore. Donne-moi le temps, veux-tu ?

— Maxime...

J'étais certain que les larmes douces venaient de la part de Veroushka, en renfort. Peut-être pas. Pourtant, Valentine paraissait sincère. Mais j'étais vraiment trop fatigué pour tenter de la baiser.

— À demain, chez moi ; vers midi, si tu veux. Avant de partir, on passera chez Guderius pour prendre les tableaux. Allez, au dodo.

La longue promenade jusqu'à mon atelier m'a permis d'enterrer définitivement le cadavre de Veroushka.

Le lendemain, en roulant vers Berne, ma conductrice était un personnage hybride, à mi-chemin entre Vera et Valentine : jeune et très usée à la fois, elle cachait ses yeux cernés par d'élégantes lunettes Cartier. Son décolleté était cependant alléchant, et elle mordillait ses lèvres lorsque je l'examinais de biais. J'ai fini par m'assoupir et j'ai dormi pendant la plus grande partie du trajet.

❑

Sammy Rosenberg avait vieilli, mais n'avait rien perdu de son assurance. Trapu, très bronzé, vêtu d'un habit anglais de la meilleure coupe, les cheveux habilement teintés d'un rose roux, il donnait plutôt l'impression d'un riche Irlandais de Chicago, en vacances sur le Vieux Continent. L'attitude des autres convives à son égard ne trompait pas : Sammy était, sinon le patron, au moins un des patrons. Aloïs lui-même s'était mis à l'anglais, malgré son fort accent suisse allemand, et il guidait son hôte avec déférence parmi les pièces rares et les tableaux de maître de la résidence d'un banquier local. Vera, merveilleuse dans sa robe noire très décolletée, suivait Rosenberg à une distance imperceptible, prête à se mettre à l'écart si son chevalier avait besoin de parler discrètement avec quelqu'un. Elle n'avait rien de la femme boudeuse de la veille, qui conduisait en silence. En l'espace d'à peine quelques heures, et mise dans ce contexte propice, voilà qu'elle resplendissait de nouveau comme un tableau dans une exposition. Plus de trace de Valentine, car même le petit accent russe était de retour, cette fois-ci avec un léger zézaiement qui, s'il accentuait presque dangereusement l'immaturité de la voix, permettait par ailleurs au rose de la langue de titiller les yeux de son interlocuteur.

— Voici Max, un de vos compatriotes, Samuel, a dit Aloïs avec un sourire, en s'approchant de moi. Je crois que vous vous connaissez déjà, n'est-ce pas ?

— Bien sûr, a répondu Rosenberg en me serrant la main. Max est un ami de ma fille. Comment ça va ?

— Bien, merci, et vous ?

— Comme ça, Max, en voyage d'affaires. Je vois que vous avez fait des progrès dans vos études. Aloïs ne m'en dit que du bien depuis que je suis arrivé. Annette vous envoie ses salutations.

— Comment va-t-elle ?

— Bien, Max. Elle va très bien. À propos, vous connaissez Vera Lioubova ?

Ses yeux brillaient avec une surprise juvénile ; elle m'a alors tendu la main avec tant de délicatesse que j'ai failli lui faire un baisemain.

— Madame...

— Max est un ami d'Aloïs, a-t-elle dit en se penchant vers Sammy Rosenberg. Nous le connaissons bien. C'est un vrai chou...

— Il a toujours eu du succès avec les gens, hommes et femmes, a ajouté Rosenberg en m'examinant de haut en bas. Allez, Max, nous aurons le temps de nous entretenir demain, chez M. Stompf.

Et il est aussitôt reparti dans sa tournée d'honneur, accompagné de Vera et d'Aloïs. Ce dernier a tout juste eu le temps de me faire un clin d'œil énigmatique, en passant.

La soirée était déjà avancée quand j'ai enfin eu la chance de croiser Vera, seule.

— Maxime...

— Veroushka, tu es adorable, mon amour.

— Ah!... a-t-elle fait avec un froncement mélancolique des sourcils.

— Vraiment! Tu finiras par me rendre fou si tu continues à briller comme ça.

— C'est vrai? Tu n'es pas fâché?

— Mais non! Je suis heureux de te voir si belle. Ça me donne envie de te croquer.

— Maxime... C'est pour bien recevoir M. Rosenberg, c'est tout. Il est un vrai gentleman, tu ne trouves pas? Et toi, cachottier, tu ne m'avais jamais parlé de sa fille...

— Justement, à propos de sa fille, Veroushka. Sammy Rosenberg n'est pas un pauvre artiste. Accroche-toi bien et tu risques de faire fortune.

— Maxime, c'est un vieux monsieur...

— Ça ne fait rien. Je le connais, Sammy. Avec lui, tu joues la fillette vierge, impubère, inhibée. Ça marchera à tout coup.

— Max, arrête!

— Sans blague, Vera. Entre copains. Appelle-le papa chéri, mais fais semblant qu'il te viole. Il bandera, fais-moi confiance. Si tu te rases la chatte, il t'emmène en Amérique!

— Tu es vraiment une ordure! s'est-elle exclamée avec la voix de Valentine, mais très intéressée, souriante et agréablement surprise.

14

La nouvelle offre de Rosenberg m'a aussitôt paru suspecte; trop belle pour être vraie. Il n'avait d'ailleurs rien mentionné de mes difficultés passées ni de mes velléités de tout lâcher, même si Aloïs lui en avait sûrement parlé. Surtout, son ton hésitant, entre la camaraderie forcée et l'autorité, m'a permis de me mettre dans une bonne disposition prêt à jouer le jeu. J'ai réagi avec un semblant de naïveté enthousiaste, tout en réclamant de l'argent pour des besoins pressants. Cela a paru plaire, tant à Rosenberg qu'à Aloïs, et les a peut-être décidés à me faire confiance, tout au moins jusqu'à la fin de la commande.

— Ces tableaux valent beaucoup d'argent... ai-je répondu comme si je rêvassais. Ça tombe bien. Il est temps que j'améliore un peu mon train de vie.

Quelque chose cependant me disait que ce serait la dernière commande. Sans motif plausible, je devrais l'exécuter à Paris. Pourquoi Paris, après tout ce temps en

Belgique, sinon pour m'éloigner, pour effacer les traces des années que j'avais passées en Europe? J'avais si peu mis les pieds en France que ma disparition, là-bas, passerait très bien inaperçue. En outre, je devrais travailler seul, sans rien mentionner à Guderius. Leurs paroles trahissaient leur désir de me brouiller avec le vieux, et ils laissaient aussi entendre qu'il n'était plus fiable. Rien de très explicite, mais ils l'avaient mentionné à trop de reprises, quelques fois hors contexte, certainement empressés de m'en convaincre. Nul doute qu'ils se méfiaient du vieux dans le cas de cette commande précise.

— Guderius, il est temps qu'il laisse sa place, avait renchéri Rosenberg. Il n'est d'aucune aide pour les modernes. Le marché des œuvres anciennes devient difficile: il y a trop d'expertises à cause des scandales qui se multiplient aux États-Unis. Trop dispendieuses aussi. Les modernes et les contemporains, au contraire, sont la marchandise du moment, Max. Votre apprentissage avec lui tire à sa fin. Il est temps de vous établir ici, avec nous.

— Ça me plaît, ai-je répondu avec le sourire. Mais, n'oubliez pas, surtout toi, Aloïs: dorénavant, je veux être payé en argent comptant. Plus question de comptes en banque.

— Comment? a demandé Rosenberg étonné. Vous n'avez pas confiance dans les banques suisses?

— Ce ne sont pas les banques... Je vais mieux apprendre à faire mon budget si je suis payé immédiatement, contre livraison. Aloïs vous a certainement parlé de mes difficultés.

— Non. Difficultés? Des choses importantes, Aloïs?

— Pas du tout, Sammy, a-t-il répondu, mal à l'aise. Non. Notre cher Max a simplement trop dépensé, sans calculer. Ces choses arrivent. À propos, Max, tu me diras si tu veux une avance. La vie à Paris devient chère, a-t-il ajouté avec un sourire complice. Ne sois pas trop ambitieux, cependant. Ce sont seulement cinq tableaux, des abstraits, d'une facilité extrême pour quelqu'un comme toi. Un mois de travail, tout au plus, incluant les dessins et les esquisses préparatoires. On trouvera les toiles et les outils sur place, chez un fournisseur de confiance.

— Voilà, a repris Rosenberg. Mais rien ne presse. Il faut que ce soit un travail parfait, Max, que les auteurs eux-mêmes n'hésiteraient pas à signer. Les Rothko, en particulier, sont très subtils. Quant aux autres, je suis certain que vous les ferez sans difficulté. Voici la documentation complète. Vous serez logé à Paris dans un très beau studio, avec la lumière parfaite. Notre client met à votre disposition les quatre tableaux qui y sont décrits en détail ; ça vous permettra de comparer les différences entre les photos et les originaux. Gardez toutes vos notes et vos esquisses.

— Attendez un moment. Des originaux, vous dites ?

— Oui, des vrais. Il possède deux Mark Rothko, un Franz Kline et un Adolph Gottlieb ; tous authentiques, une bonne documentation à l'appui. N'ayez crainte. L'endroit est très sûr, et vous ne serez pas dérangé.

— Je ne peux pas travailler chez quelqu'un, c'est impossible. Ni être observé pendant que je travaille. Non. Il faut trouver un autre arrangement.

— Vous serez seul dans le studio.

— Non. Je préfère travailler à Anvers, dans mon propre atelier. Ce serait la place la plus sécuritaire.

— Impossible, Max, a insisté Rosenberg. Les tableaux ne peuvent pas quitter Paris. De toute façon, ce sont de grands tableaux, et il serait trop difficile de les transporter, trop voyant. Notre client assurera votre intimité, c'est dans son propre intérêt.

— Je ne veux pas de témoin, c'est entendu ? ai-je rétorqué, contrarié et presque certain que je ne mènerais pas à terme cette entreprise. Si quelqu'un se pointe, je disparais. Je ne veux pas de compagnie non plus, ni pour manger ni pour rien.

— Bien entendu. Tout a été conçu pour vous laisser travailler en paix. Vous serez entièrement seul. Dès que le travail sera fini, vous avertirez Aloïs. Pas un mot au client. Aloïs d'abord. Nous nous occuperons du reste. Vous n'aurez qu'à fermer le studio à clé et à revenir ici.

— Non, Sammy. Paiement contre livraison. Aloïs viendra me rejoindre à Paris, avec l'argent. Comme ça je pourrai aller immédiatement à Milan, chercher mon auto. Vous avez bien dit vingt mille dollars, n'est-ce pas ? Comptant.

Ils ont échangé un regard grave, mais j'ai compris qu'ils étaient d'accord. Et cet accord me paraissait aussi trop vite obtenu. Il y avait une attrape quelque part. Bien sûr, ils ne perdaient pas beaucoup, car ces cinq tableaux vaudraient au delà de un million de dollars lorsqu'ils atteindraient la salle de vente. Raison de plus pour ne pas laisser derrière un témoin gênant.

Rosenberg est reparti l'après-midi, aussitôt après notre rencontre, sans me donner de nouvelles d'Annette ni chercher à se rapprocher de moi. Poli mais distant. Aloïs m'avait assuré que non : il était seulement pressé, car il était en fait venu passer des vacances en Suisse, dans les Engadines ; il serait là plus tard, dès mon retour de Paris, et il avait parlé de moi avec beaucoup de tendresse.

— Tu sais, Max, je crois qu'il regrette que tu n'aies pas épousé sa fille. Si, il m'a parlé comme un vrai père.

Ma question sur Vera a cependant laissé Aloïs légèrement plus nerveux ; il a tant bafouillé que j'ai conclu qu'elle était partie en compagnie de Rosenberg, sûrement pour lui servir de guide.

— Elle sera disponible lorsque tu seras à Paris…

— Très bien, Aloïs. Dis-lui de me rendre visite là-bas.

— Tu as pourtant dit que tu voulais être seul.

— Seul, façon de dire. Je ne veux pas être emmerdé par ce collectionneur français. Vera, c'est autre chose. Il ne faut pas qu'elle s'attarde trop ; je ne suis pas certain qu'un mois va suffire pour exécuter les cinq tableaux. Ces trucs abstraits, tu vois, ce n'est pas ma passion. Et tu les veux beaux. Des mauvais Rothko, je peux en faire ici même, en une semaine, tant que tu voudras. Mais leur valeur est aussi fonction du goût des critiques… Il faudra que je me concentre. Et pour ce qui est de la documentation, est-elle exhaustive ? Il me faut beaucoup d'exemples.

— Tout est là, tous les catalogues, tout. Ce qu'il y a de mieux, pour Rothko en tout cas. J'ai tout regardé.

— Une autre chose : qu'est-ce que je dis à Guderius, s'il pose des questions ?

— Tu diras qu'il te faut étudier ces expressionnistes abstraits à Londres, peut-être même en Amérique. Dis-lui que tu iras aussi faire un tour chez toi, à Montréal. Il va s'en contenter. C'est ce qu'on lui a dit. Il sait que tu auras des travaux discrets à faire, et il ne t'importunera pas.

— J'ai des choses là-bas… ai-je ajouté avec hésitation. Des choses que je ne pourrai pas finir. Des dessins, surtout ; mais aussi des toiles en cours, à la manière des réalistes allemands.

— Pas de problème. À ton retour de Paris, tu pourras tout déménager ici, dans ton nouvel atelier. On discutera ça, le temps venu.

C'était le moment de jouer ma propre partie d'échecs, pour tenter d'assurer ma survie. Aloïs ne s'attendait à rien de cela, et je l'ai pris entièrement au dépourvu.

— Bon, Aloïs. Il me faut dix mille dollars. Maintenant.

— Max, c'est la moitié ! s'est-il exclamé, perplexe.

— Je sais bien. Mais je n'ai pas d'argent, mon vieux. J'ai suivi tes conseils et j'y ai pris goût. Si Vera vient me tenir compagnie, il faut que je puisse la sortir.

— Dix mille…

— Oui, mon vieux. Plus ce qui manque dans mon compte en banque. Vera et moi, nous avons eu une petite conversation…

Aloïs a reculé brusquement, avec un rictus de surprise sur le visage. Il ne croyait pas que j'allais dévoiler mon jeu aussi vite. C'était pourtant la seule conduite valable pour continuer mon rôle. Il me fallait compter avec le rapport que la garce n'avait certainement pas manqué de lui faire. Son étonnement paraissait cependant réel.

— J'ai refait mes comptes, ai-je poursuivi, calmement. Il manque beaucoup… Non, Aloïs, laisse-moi parler, veux-tu? Je ne suis pas fâché, bien au contraire. C'était une bonne leçon de ta part. Tu m'as vraiment aidé à sortir d'une mauvaise passe, et je te suis reconnaissant. À Vera aussi… Tu vois, j'ai été un peu amoureux d'elle, et cela m'a poussé à travailler.

— Mais Vera, qu'est-ce qu'elle a à voir avec ton argent, Max? Je ne te suis pas.

— Tu me suis très bien. La leçon a été donnée, et j'en ai profité. Sauf que cette nouvelle vie me plaît, et je compte en profiter. Elle coûte cher… Donc, tu me remets mon argent, et on n'en parle plus. Sinon, je vais être trop enragé, et je ne pourrai plus travailler avec toi.

— Max… a-t-il fait comme s'il réfléchissait. Tu tires de drôles de conclusions, mon grand…

— Laisse faire le théâtre. Tu veux ces tableaux à Paris? Bon, je vais les faire. Mais il me faut un minimum de certitude; je veux être certain que tu as repris confiance en moi.

— Max, on parle d'argent, pas de confiance.

— Si, on parle de confiance. C'était mon argent, et tu n'en as pas besoin. La confiance compte beaucoup pour moi. Tu ne le sais peut-être pas, mais c'est important pour moi de savoir que tu es mon ami.

Il ne s'attendait pas à ça non plus, et il a aussitôt accusé le coup par un regard étonné, presque tendre, qui le vieillissait de façon hideuse. J'ai soutenu quelques instants ce regard et, en baissant la tête, j'ai poursuivi, d'un air hésitant.

— Peut-être qu'à l'avenir, lorsque ton jeune copain tentera de s'approcher de toi, tu répondras d'une autre façon… Plus fraternelle… Au lieu de lui jeter une femme entre les pattes.

— C'était pour te faire plaisir, a-t-il répliqué, hésitant à son tour, mais complice de la tournure personnelle de mes propos.

— Tu n'as rien compris, Aloïs. J'ai de l'estime, de l'admiration pour toi. Notre conversation à Colmar m'avait fait du bien. Je croyais que nous allions nous rapprocher davantage, que tu allais m'ouvrir le chemin… Ça ne fait rien. J'aurais peut-être dû être plus franc…

Automatiquement, pour arriver à affronter cette situation nouvelle, je me suis concentré pour réussir à le déshabiller mentalement, pour traiter directement avec son anatomie. Ça avait si bien marché avec Vera ; j'étais décidé non seulement à ne plus quitter mes propres défenses, mais à en faire un usage plus fréquent. Partant du front profondément dégarni, parsemé de taches brunes de vieillesse, mon regard est descendu vers les chairs flasques, peu flexibles du visage, qui pendaient de l'ossature comme une sorte de glaçage ramolli. Depuis les commissures des yeux, les rides s'étalaient comme des toiles d'araignée sous les paupières et mettaient en relief l'affaissement des muscles à l'intérieur des cavités. Aussitôt, l'enchevêtrement des capillaires violacés ramenait à la surface la structure cartilagineuse du nez, qui paraissait reposer sur un lit de graisses. La bouche, pendue à cause de l'expression de surprise, avait l'air de se prolonger bizarrement le long du cou, se transformant en plis grossiers jusqu'à l'étranglement de la cravate. Par la forme de ses vêtements, j'arrivais à imaginer le thorax puissant recouvert d'une lourde couche adipeuse ; les articulations apparaissaient quand même, tendues, à cause de ce mouvement des masses vers le bas. L'âge avait fait son travail : les pectoraux se fondaient avec les volumes arrondis et difformes du ventre volumineux. Celui-ci entourait désormais entièrement la crête du bassin comme un capuchon épais. Le nombril aplati disparaissait sous un énorme pli en forme de crevasse ; la ligne de l'aine ne laissait transparaître, tout au plus, que le gland d'une verge frileuse, blottie dans son nid de cuisses maigres. Les grands fessiers pendaient à leur tour et mettaient en relief latéral la crête des trochanters fémoraux... Ah, ce périnée enfoui sous ces chairs usées ! De combien d'histoires pouvait-il se souvenir... Voilà l'épave, la carcasse que je devais éveiller par ma présence et mes paroles. La laideur abjecte de ces visions plastiques dévitalisées enlevait à mon interlocuteur ses derniers vestiges d'humanité ; cela me facilitait énormément la tâche.

— Tu fuyais, Max... Tu... tu ne parlais jamais de toi...

Mon Dieu, qu'il était grotesque, qu'on est tous grotesques lorsqu'il s'agit de désir.

— Je sais bien, j'ai une nature timide... Peut-être que l'avenir va arranger les choses. Tu vas être fier de ce travail à Paris, Aloïs ; fier de moi. Je tiens à venir ici, à me rapprocher de toi. Une chose est certaine : ta confiance, ton amitié sont très importantes pour moi... Même si je ne sais pas dire ce genre de choses.

— Amitié, tu dis... Moi aussi, j'ai des sentiments, Max. Moi aussi, je voudrais qu'on partage plus de choses. Est-ce possible, cependant ?

— Je ne sais pas. Je crois que oui, si tu me donnes le temps... Je suis confus, et j'ai besoin de ta présence.

— Tu es amoureux de Vera, tu l'as dit toi-même.

— Oui... J'ai appris beaucoup avec elle. Elle m'a fait toucher des parties de moi-même que je ne connaissais pas, et je ne sais pas encore ce que cela signifie. Désormais, je crois que c'est à ton tour de m'en apprendre un peu plus... Avec patience, car mon chemin est plus long que le tien dans cette approche.

— Tu es énigmatique, mon jeune ami...

— Jeune ami... Ton jeune ami ne sait pas encore comment dire certaines choses. Il faudra lui montrer... Le temps va peut-être t'aider à mieux comprendre. Pour le moment, je veux une preuve de confiance. Sans cela…

— Sinon?

— Sinon, Aloïs, je pars aujourd'hui pour New York, sans même repasser par Anvers. Pensais-tu vraiment que je resterais à cause du cul de Vera? Tu ne comprends vraiment rien… Dis! Est-ce que je ne serai jamais plus qu'un simple fabricant de tableaux à tes yeux? Allez, décide. Veux-tu que je reste?

Je trouvais mon jeu faible, ridicule; mais ses réactions me poussaient à poursuivre. Aloïs paraissait tout d'un coup triste, fatigué, même de plus en plus timide au fur et à mesure que je parlais. Il n'osait pas poser clairement les questions qui brûlaient son esprit, et se contentait d'un vague espoir. C'était à son tour d'avoir peur de m'effaroucher, de casser le charme du moment; peut-être qu'il évaluait l'énorme pouvoir qu'il gagnerait sur moi si jamais il manœuvrait adroitement devant cet homme jeune, confus, inexpérimenté. Sa propre faille apparaissait cependant de façon claire, béante; il ne tenait qu'à moi de lui montrer que j'arriverais à la remplir. Sans connaître les codes usuels d'approche dans son milieu, mon jeu hésitant et maladroit me semblait le plus convenable.

— Ce sont des sentiments nouveaux pour moi, Aloïs. Ils me laissent confus… Je me sens ridicule. Lorsque tu viendras me rejoindre à Paris, viens aussi dans d'autres dispositions…

Il avait peur, il voulait des certitudes.

— Pourtant, Maxime, nous avons tant de fois voyagé ensemble… Tu ne t'es jamais laissé approcher.

— Que veux-tu? À chaque fois, au lieu de m'inviter parmi tes copains, tu ne trouvais pas mieux que de me laisser avec des putes. J'ai compris: il ne fallait pas que je fasse partie de ta vie intime. J'étais ton simple employé, et nos relations s'arrêtaient là. Je croyais, cependant, que les choses commençaient à changer après Colmar. Au lieu de Vera, pourquoi n'as-tu donc pas pensé que ta simple présence, ton amitié ferait mieux l'affaire ? Voilà la question de confiance. Penses-y à ton tour, et tu me répondras...

— Max ! s'est-il exclamé en se levant, avec l'intention de s'approcher, de me toucher.

J'ai dû me contrôler pour ne pas lui casser la gueule ou l'étrangler sur le coup, tant les images de son corps dénudé étaient présentes à mon esprit. Instinctivement, j'ai reculé.

— Non, Aloïs. Tu dois d'abord te racheter. J'ai besoin de temps. Je veux être certain que tu es sincère, que tu ne tricheras plus, jamais plus.

— Tu me bouleverses... a-t-il soupiré en se laissant retomber sur la chaise.

Merde ! Ça marchait !

— Toi aussi, tu me bouleverses, mon ami. Prouve-moi que ça vient de toi, que ce n'est pas un nouveau piège. Je suis écœuré des pièges, Aloïs... Ils ne mènent nulle part. Dorénavant, je ne veux plus de piège entre nous ; notre relation, je la veux sincère ; j'ai besoin de me sentir en confiance. Alors, efface le passé. Tu me dois au moins vingt mille dollars. Disons que c'était un prêt, pour m'aider à réfléchir. Sinon, garde-les, et va-t'en au diable...

— Cessons cela, Max, a-t-il balbutié. Dis, combien au juste il te manque d'argent ?

— Je ne sais pas. C'était moi qui faisais confiance à mon ami Aloïs. Il le sait, lui. Se souvient-il au moins ?

Aloïs s'est levé péniblement de sa chaise, vieilli et perplexe, sans un mot, et il est monté au deuxième étage comme à notre première rencontre. La situation me paraissait extrêmement délicate, sans issue si jamais il s'était méfié de quelque chose. Allait-il me laisser partir ? Mais, en plein après-midi, la rue en bas était si calme, avec des touristes... J'avais presque la certitude d'avoir touché une corde sensible chez lui, une vulnérabilité qu'il avait jusqu'alors cachée. Une certaine faiblesse...

Il est revenu au bout d'un moment et m'a tendu une enveloppe, en me fixant au fond des yeux d'un regard étrange, humble et passionné, avide.

— Voilà, mon ami. Ton argent, et aussi l'acompte pour Paris. Surveille-toi à l'avenir, Max...

— Je compte sur toi pour le faire. Nous avons beaucoup de choses à nous dire, beaucoup de temps à rattraper.

Il a alors tendu sa main pour me toucher le cou, dans un geste qui m'a paru celui de vouloir m'enlacer. Mais non ; il paraissait beaucoup plus bouleversé que moi, et le geste s'est arrêté à mi-chemin, impuissant.

À mon tour, en surmontant ma répulsion, j'ai serré son épaule d'un geste nerveux, intense, tout en réussissant à ne pas éclater de rire :

— À bientôt, Aloïs. Viens me trouver à Paris lorsque les tableaux seront finis. S'il faut vraiment me surveiller, tu pourras toujours envoyer Vera. Mais dis-lui de ne pas trop m'emmerder. Comme ça, je finirai plus vite.

— Nous partirons en voyage, Max... Un long voyage, cette fois.

— Salut, Aloïs. Je te rappelle de Paris pour te donner des nouvelles, d'accord ?

Je n'ai pas pu éviter son accolade frémissante, exagérée, ni le contact de son front contre mon menton quand il s'est blotti sur ma poitrine. Aloïs était mort et il ne le savait pas encore.

De retour à mon hôtel pour prendre mes affaires, une autre surprise étrange m'attendait : un petit paquet. Le portier savait seulement qu'il avait été livré le matin, par un commis. À l'intérieur, j'ai trouvé un magnifique briquet en argent qui portait, au burin, l'inscription suivante : « À un chou... V. »

❏

Dans le train qui me ramenait à Anvers, ma tête travaillait d'une façon presque maniaque. En peu de jours, tout avait été bouleversé et je n'arrivais plus à me situer. Mon argent était déjà bien en sécurité dans une banque allemande, et ma décision de partir me paraissait définitive. Pourtant, trop d'éléments nouveaux se précipitaient de manière confuse, accompagnés d'une envie froide, compulsive et agréable à la fois de revenir en arrière pour les détruire, tous.

D'abord Aloïs. Se pouvait-il qu'il soit tombé si facilement dans le piège? Était-il capable de sentiments aussi naïfs à mon égard? Sinon, pourquoi m'avait-il remboursé l'argent? Quelle sorte de piège préparaient-ils à Paris? Ou alors, s'il avait uniquement succombé à un moment de faiblesse — pourtant, il était trop homme d'affaires pour confondre de cette façon la nature des rapports humains —, s'il avait cédé à des sentiments, Rosenberg le ramènerait sans doute à la raison. Et très vite... Rosenberg. C'était donc lui le patron. L'attitude d'Aloïs à son égard ne laissait pas de doute. Mais, patron de quoi? Est-ce que les salles de vente à Londres étaient aussi plongées dans toute la combine? Sinon, quelle sorte de galeries ou de marchands supportaient cette étrange entreprise? Pourquoi depuis Montréal? L'affaire me paraissait plutôt incroyable. Pourtant, Rosenberg m'avait vraiment ouvert toutes les portes. Non, il ne se laisserait pas attendrir. De plus, son accueil distant m'avait laissé l'impression qu'une rancune subsistait entre nous. Annette? Une chose était certaine, il ne me laisserait pas prendre le large.

Paris revenait sans cesse au centre de mes pensées. L'histoire avait l'air plausible. Un collectionneur qui voulait doubler sa collection, ce ne serait pas la première fois. Pourquoi voulait-il la doubler avec des faux, sinon pour la revendre? Ses tableaux authentiques donneraient le cachet de vérité aux autres. Je n'avais pas étudié le gros paquet de documents que Rosenberg m'avait transmis au sujet de l'affaire; mais je soupçonnais que tout y était, même les preuves de la provenance des tableaux que j'allais créer, leur description détaillée ou leur analyse établie par un quelconque critique d'art américain. Le coup était sans doute très important, et mon estimation de un million de dollars pouvait être modeste. Voilà pourquoi Aloïs m'avait restitué l'argent. Je disparaîtrais, de toute façon, après avoir travaillé seul dans un studio isolé à Paris. Trente mille dollars, ce n'était pas beaucoup, compte tenu de l'ampleur de l'affaire. Par ailleurs, pourquoi moi, si ce genre de tableau abstrait est extrêmement facile à fabriquer ? Ils me donnaient un mois… C'était à n'y rien comprendre. Mieux valait me tirer aussitôt ; je récupérerais mes affaires à Anvers et, ni vu ni connu, je disparaîtrais du côté d'Amsterdam. Et s'ils m'attendaient à Anvers pour me liquider sur place ?

Mais… Tant de mais et je restais toujours sans réponse. Et si, d'un autre côté, tout ce scénario n'était qu'un montage paranoïaque de mon esprit dérangé par la jalousie ? Poser la question sous cette forme revenait déjà à y répondre, me disais-je, car le fou ne doit pas pouvoir se questionner sur sa propre folie. Était-ce vrai, cette idée que je me faisais de la folie ?

Le briquet d'argent était, de tous les messages, le plus énigmatique. Que voulait-elle me dire au juste ? Était-ce un simple remerciement pour mon conseil au sujet de Rosenberg ? J'imaginais bien Vera déployant ses talents d'actrice, très rassurée par leur différence d'âge, pour réussir à faire bander le vieil escroc. Ils étaient partis ensemble pour les Engadines… Ou alors, c'était une façon de me pardonner de ce que je lui avais fait à Anvers, histoire de pouvoir reprendre ma surveillance à Paris. Pourtant, Aloïs avait paru réellement étonné lorsque j'avais dévoilé mon jeu, comme si Vera ne lui avait rien dit de notre conversation. Comment le savoir au juste ? Et pourquoi donc n'aurait-elle rien dit ? L'hypothèse qu'elle pouvait éprouver de la tendresse à mon égard me semblait aussi absurde que de penser qu'Aloïs avait cédé parce qu'il m'aimait.

Il restait Lukas Guderius. Je n'avais jamais été suffisamment intime avec lui pour pouvoir juger de son rôle. Il était toujours absorbé par son ouvrage, sûr de sa position et semblait n'avoir aucune envie de se mêler aux trafics des autres. Au contraire, il paraissait même s'en distancer et, à quelques reprises, j'avais ressenti ce qui m'avait semblé être des tentatives de sa part pour me mettre en garde. Il admirait mon travail, qui d'ailleurs complétait le sien. Mais, en dehors du travail, se compromettrait-il pour me venir en aide? Ou bien serait-il pressé de me voir disparaître pour effacer mes traces de son atelier?

Ma décision de partir immédiatement paraissait la seule bonne initiative devant tant d'incertitudes. Ma curiosité restait cependant entière, et le mystère m'attirait trop pour que je puisse simplement en rester là.

❏

Mon atelier était dans l'état où je l'avais laissé. J'ai passé une bonne partie de la nuit à trier des dessins et des notes que je voulais emporter, avec quelques livres.

Le matin suivant, je me suis rendu chez Guderius avec plusieurs dessins de ma journée de confrontation avec Vera. J'avais l'impression que ces dessins m'ouvriraient en quelque sorte les portes d'une conversation avec lui, ou qu'ils me permettraient de percer un peu sa position.

Il m'a reçu comme d'habitude, sans poser de question, plutôt intéressé à me montrer son travail en cours. J'ai à peine mentionné les Otto Dix et le voyage à Berne ; ça ne paraissait pas l'intéresser non plus. Il travaillait sur la prédelle détachée d'un large retable d'une église de Gand ; tout ce qu'il y avait de plus authentique. Un travail de précision, de nettoyage mais aussi de renforcement du plâtre de l'apprêt qui montrait des signes d'émiettement. Les canaux de ces villes anciennes sont magnifiques, certes, mais ils constituent une menace constante pour les fondations en briques et les boiseries des intérieurs. Souvent d'ailleurs, Guderius délaissait des commandes plus payantes pour revenir à ces travaux sans gloire qui lui paraissaient plus urgents.

J'ai passé la matinée à faire semblant de m'occuper, mais surtout à ramasser les dessins que je voulais emporter.

— Maître, je voulais vous montrer quelque chose, a-je commencé pendant que Magdalena débarrassait la table des restes du casse-croûte. Ce sont des dessins que j'ai faits il y a quelques jours. Mes derniers dessins en Belgique.

Il s'est contenté de sourire et il s'est mis à examiner les dessins un à un, avec soin, les étalant sur la grande table, puis sur le tapis, au fur et à mesure que se déployait le martyre de Veroushka. J'avais arrangé la pile dans l'ordre, depuis la femme dont j'étais follement amoureux, en passant par le regard anatomique et par les ravages de la vieillesse, jusqu'aux derniers dessins, ceux de Valentine, où ma haine avait cédé la place à une tendresse nouvelle devant une femme endormie, fatiguée. En tout, une trentaine de dessins successifs, quelques-uns très travaillés, d'autres à peine esquissés, crus, où le papier avait souffert ce que le rasoir n'avait pas fait subir à la chair.

Nous sommes restés dans un long silence devant le spectacle. Guderius et Magdalena avaient aperçu Vera à quelques reprises, et ils pouvaient très bien imaginer le reste. La vue de ces planches étalées m'a mis mal à l'aise et, la tête baissée, je n'ai pas tout de suite remarqué que Magdalena pleurait. Lorsque Guderius s'est raclé la gorge avec insistance, j'ai alors levé les yeux. Magdalena n'a pas pu se contrôler davantage et, en s'approchant de moi, doucement, elle m'a embrassé sur la joue et m'a serré la main. Elle est ensuite partie, en nous laissant seuls, Guderius et moi, dans un grand état de confusion.

Guderius, contrairement à ses habitudes de ne jamais boire avant le soir, est allé chercher la bouteille de scotch et deux verres.

— À votre santé, Max, a-t-il fait en me tendant le verre. C'est fini, le travail, pour aujourd'hui. Vos dessins… Ils nous rachètent. Otto Dix lui-même vous aurait pardonné d'avoir pollué son œuvre. Excusez Magdalena… Nous nous sommes attachés à vous pendant tout ce temps que nous travaillons ensemble. Ce n'était pas facile de vous voir souffrir.

J'étais ému, surpris, et incapable de le regarder. Ce n'était pas à cela que je m'étais préparé. Était-ce une nouvelle forme de piège ?

— Qu'est-ce que vous saviez au juste ?

— Tout, et rien du tout, Max. Magdalena avait attiré mon attention sur votre mélancolie, l'an dernier. Vous voyez, je suis trop vieux pour remarquer ces choses. J'aurais dû m'occuper davantage de mon apprenti. Mais, que voulez-vous, je n'avais jamais eu d'apprenti auparavant… Et puis, ces problèmes personnels, ça finit toujours par se régler, n'est-ce pas ? J'avais même dit à ma femme de ne rien mentionner, que vous alliez vous en sortir. Voilà… À propos, excusez la question : cette femme, est-elle toujours vivante ?

Je n'ai pas pu m'empêcher de sourire à l'idée qu'il craignait que je ne l'aie tuée pour de vrai.

— Maître, naturellement !

— C'est ce que je pensais, a-t-il fait en guise d'excuse. Sinon, n'est-ce pas, comment auriez-vous pu dessiner avec une telle précision… L'idée qu'il y a une essence derrière les apparences est une pure illusion chrétienne, pour les gens du commun. L'extérieur des choses est leur unique manière d'être. Le regard de l'artiste blesse alors bien plus que la lame… Ce sont des dessins magnifiques, Max. Voilà le début d'une nouvelle étape, qui nous réjouit. D'ailleurs, plus que cette relation qui vous a fait souffrir, c'était votre propre conflit intérieur qui me préoccupait.

— Ah !...

— Oui, je parle de votre confusion entre le travail que nous faisons ici et vos propres pulsions artistiques. Cette confusion allait finir par vous détruire. En quelque sorte, cette femme vous a montré la voie, même si cela a été pénible. Chaque prise de conscience est comme une naissance ; il faut rompre ses habitudes, se déchirer, s'arracher aux illusions. Le mot des anciens Grecs pour dire la vérité, *aletheia*, contient justement cette notion de négation de ce qui nous paraît évident à un moment donné.

— Vous n'aviez pourtant rien dit...

— Bien sûr que non. Je ne crois pas qu'on doive aider son prochain, sauf lorsqu'il s'agit d'une souffrance corporelle. Je ne m'immisce jamais dans la vie de mes semblables. À quoi bon ? Par simple curiosité, pour vouloir les dominer ou les humilier ? Cette attitude d'aide est une faiblesse trop féminine, une illusion ; c'est un manque de respect envers l'être humain.

Devant mon étonnement, il a poursuivi, le visage éclairé par un sourire :

— Votre expérience montre, une fois de plus, que j'avais raison de ne pas intervenir. J'aurais peut-être uniquement empêché la réalisation de ces magnifiques dessins...

— J'aurais pu me casser la gueule...

— Oui, aussi. Cela aurait voulu dire que vous étiez un faible. Pourquoi donc gaspiller ses énergies avec un faible ? Non, Max, je préfère avoir confiance dans la vie ; sinon, à quoi bon rester vivant ? Vous en êtes sorti grandi. Qui suis-je pour me mêler de ce genre de choses ? Je risquais, au contraire, de tout gâcher, de vous empêcher de toucher le fond et de remonter ; vous seriez resté entre deux eaux, comme une sorte de noyé en sursis. Pire, j'aurais perdu la chance unique de faire la rencontre de cet artiste qui est devant moi. Connaissez-vous l'histoire du fils prodigue ? Eh bien ! Aujourd'hui, je peux tuer le veau gras... Ça nous consolera, Magdalena et moi, lorsque vous serez parti ; car vous allez nous quitter, n'est-ce pas ?

J'étais trop bouleversé par ses paroles pour réussir à m'en tenir à mon plan. Magdalena est revenue avec des harengs et d'autres amuse-gueules ; son regard était si attendrissant que j'ai fini par tout déballer. Tant pis si c'était un piège. J'étais écœuré des faux-fuyants, et je me sentais suffisamment fort pour rompre avec le passé.

Ils m'ont écouté en silence, sans demander de précision aucune, échangeant juste des regards comme savent si bien le faire les vieux couples, qui s'entendent sans plus avoir besoin de parler. Le fait de raconter ainsi, sous la forme d'une narration, me permettait de mettre un ordre logique aux événements. J'observais leur réaction. Curieusement, ils ne paraissaient pas étonnés.

— Voilà. Ces dessins sont ma vengeance et ma manière de me reprendre, ai-je ajouté en guise de conclusion. Maintenant, je retourne d'où je viens, pour travailler sérieusement à ce qui m'intéresse. Tout cela a pris beaucoup de temps, certes, mais c'était le temps qu'il me fallait.

Guderius souriait lorsque sa femme a commencé à parler. Elle avait un ton taquin dans la voix en feuilletant la documentation que Rosenberg m'avait fournie.

— Cette commande à Paris, vous allez vraiment l'abandonner, comme ça ?

— Oui, ma décision est prise, ai-je rétorqué calmement, car c'était la question que je m'attendais à voir surgir, si jamais ils étaient dans la combine. J'ai déjà assez d'argent. Je crois aussi que c'est un piège...

— Je suis de votre avis, a ajouté Guderius sans cacher son sourire. C'est non seulement un piège, mais un piège mortel. Ils ne vous payeront pas le reste, et vous allez disparaître avant la fin. Ils ont peur. Peut-être pas Aloïs ; mais ce patron dont vous parlez, ce Rosenberg, sûrement qu'il préférerait vous voir mort. Ça sent la mafia, et ils ont raison; le marché des modernes est plus florissant en ce moment. Et pour cela, ils n'ont pas besoin de quelqu'un d'aussi doué que vous, Max. Sauf si c'est pour créer tant de tableaux différents d'un seul coup, et en peu de temps. Ils sont peut-être très pressés par une occasion unique de vente; d'où leur idée de doubler la collection. Vous êtes assez versatile pour pouvoir le faire, et ils en profiteront aussi pour se débarrasser de votre présence encombrante. Vous serez pour ainsi dire clandestin, là-bas. Quant à moi, je dirais que vous êtes reparti au Canada... Très bien pensé. N'oubliez pas qu'ils craignent aussi votre concurrence en Amérique. De plus, dans une vente de cette envergure, il est normal qu'il y ait des pertes. Du moins c'est ce qu'ils prévoient...

Tout en feuilletant à son tour la documentation, il échangeait des sourires de plus en plus complices, ouverts, avec Magdalena, pendant que celle-ci mettait de côté certains papiers qui lui semblaient intéressants dans le lot. Ils le faisaient sans aucun égard à ma présence, même si cette conversation silencieuse devenait chaque fois plus animée.

— Vous trouvez là des choses amusantes? ai-je fini par demander.

Pour toute réponse, je n'ai eu qu'un double éclat de rire, comme si le tout n'était qu'une grosse bouffonnerie.

— Allez, Max, a repris Guderius. Laissons ces documents ici et allons en ville, tous les trois, pour un souper léger. Nous parlerons mieux au restaurant. À la place du veau gras, pourquoi pas un bon repas de poissons et de fruits de mer? Ce sera votre repas d'adieu. La vue de tous ces documents innocents me donne envie d'un Riesling bien frappé. Pas vous?

Ils avaient, sinon une réponse, du moins une idée très cocasse en tête; et ils se divertissaient, chacun de son côté, en la laissant mûrir avant de m'en faire part. Guderius, quant à lui, ne se gênait pas pour me poser des questions précises concernant cette affaire de Paris. J'allais partir le lendemain ; pourquoi ne pas satisfaire sa curiosité ? Chacune de mes réponses était discutée du regard avec Magdalena, tout comme dans une partie d'échecs entre deux vieux joueurs très familiers l'un avec l'autre.

Après le repas, rendus au café et au kirsch, ils semblaient prêts, empressés même, à me raconter tout ce qu'ils avaient pu comploter. Guderius a pris un ton sérieux, tandis que son épouse rayonnait d'une gaieté presque enfantine.

— Tout à l'heure, Max, vous avez dit que les dessins étaient votre vengeance, n'est-ce pas ? Mais, comment donc des œuvres d'art authentiques peuvent-elles venger quoi que ce soit ? Après tout, cette femme, Vera, elle ne vous a rien fait d'autre que de vous ouvrir la voie vers vous-même... D'ailleurs, vous l'avez récompensée en l'immortalisant ; et je suis certain que ces dessins donneront lieu à des tableaux très forts. Ce n'est que justice. Les autres, vont-ils s'en sortir impunément ? Ce serait une injustice, une erreur morale, que de les oublier. Mais, comment les blesser s'ils sont si puissants, et vous si pauvre ? À moins que...

— Oui, maître, je vous écoute.

— Il y a des risques, bien entendu, comme dans toute entreprise qui en vaut la peine. Mais la satisfaction de savoir que vous les avez blessés pourrait peut-être compenser...

— À quoi pensez-vous, tous les deux ?

— Magdalena a attiré mon attention sur une monumentale erreur de jugement de leur part. Une erreur due certainement à leur mépris envers vous ; ils comptaient aussi avec la méfiance que vous étiez en droit de ressentir à notre égard. J'ai bien aimé la remarque de M. Stompf concernant mon âge et l'opportunité de me retirer. Voilà : vous partez ; eh bien, nous aussi. N'est-ce pas Magda ? Pourquoi alors ne pas faire un vrai coup d'argent tout en leur montrant que c'est notre art qui les fait vivre ? Hein ? Les blesser, là où ça fait mal : l'argent, la réputation. Ils ne connaissent que ça, les pauvres marchands. Après tout, nous sommes les faussaires ; ce sont eux les honnêtes gens, les *gentlemen*...

— Je ne vous suis pas, maître. Vous avez dit : une erreur ?

— Oui. Ils vous offrent deux tableaux de ce Rothko comme modèle, n'est-ce pas, pour vous inspirer et que vous en fassiez trois autres. Ils ont d'ailleurs inclus toute la documentation sur ces trois futurs tableaux. Mais aussi, Max, peut-être par mégarde de la part du collectionneur, ils ont ajouté toute la documentation sur les deux vrais Rothko : origines, provenances, garanties, détails des ventes et photos agrandies pour les assurances. Ces renseignements-là sont aussi précieux que l'œuvre elle-même, sinon plus. Tant qu'à en faire trois, pourquoi ne faites-vous pas cinq Rothko ? Ces abstraits, c'est de l'enfantillage, de la supercherie pour intellectuels blasés... Pensez-y : vous êtes venu pour travailler avec moi comme contrefacteur, pas comme artiste. Votre apprentissage est fini, vous allez repartir. Selon la tradition des corporations dont saint Luc est le patron, vous me devez un chef-d'œuvre. Nous partagerons équitablement les profits de la vente : moi, pour mes vieux jours, et vous, pour assurer votre entrée dans la vie d'artiste. Vous n'emporterez pas beaucoup d'argent malgré tout votre travail de ces dernières années. Nous non plus... Ce serait une façon cocasse de récupérer un petit peu de notre manque à gagner des mains de ces marchands...

— Maître, pouvez-vous être plus précis ? N'oubliez pas que je pars demain.

— Bien sûr, Max ; Magdalena et moi, nous ne faisons que nous divertir un peu. L'entreprise est trop risquée, et vous allez courir seul ce risque. Mais, laissez-moi vous expliquer, rien que pour rire, d'accord ? Garçon ! Vous reprenez un peu de ce kirsch, n'est-ce pas, Magda ? Ou de la prunelle, ma chère...

L'idée de vengeance avait en effet aiguisé ma curiosité. Il est vrai que Vera avait été le maillon le plus faible de la chaîne, et je m'en voulais de m'en être pris uniquement à elle, sans avoir osé aller plus loin. Par ailleurs, ils voulaient peut-être vraiment me liquider ; et ça, ça méritait une riposte. Le subterfuge dont j'avais usé avec Aloïs m'avait permis de récupérer mon argent, mais rien d'autre.

— Voilà ce que nous voulons vous faire comprendre, a-t-il repris comme s'il racontait une histoire drôle. Tout ce que vous avez fait jusqu'à présent a été davantage le travail d'un séducteur que celui d'un faussaire. Vous avez appris à imiter des manières de peindre dans le but de captiver le désir des collectionneurs. C'est exactement ce que cette femme a fait à votre égard. Ce sont là des formes de déguisement où le client joue un rôle plus important que l'artiste. Cet art abstrait qui nous empoisonne aujourd'hui tire sa source de cette forme de tromperie. C'est bien ; mais c'est peu de chose, vous en conviendrez. Tout bon parleur, tout arnaqueur universitaire, le moindre journaliste y a accès... Par contre, le véritable maître du faux devrait tenter, au moins une fois dans sa vie, d'affronter un vrai tableau pour en faire une copie parfaite. Vous m'avez un jour demandé pourquoi je ne faisais pas de billets de banque, vous en souvenez-vous ? Je ne vous avais cependant pas parlé de mon respect professionnel envers les faux-monnayeurs. Ce ne sont pas des artistes, mais bien des hommes de science. Comme je suis moi-même chimiste, il me plairait que votre dernière œuvre soit cette démonstration que, vous aussi, vous pouvez tromper sans séduire. Alors, qu'en dites-vous ? Pourquoi ne pas nous emparer de ces deux Rothko authentiques, en leur substituant deux autres toiles, en tout point identiques, mais de votre cru ? Ce serait votre chef-d'œuvre, pour attester que j'ai quand même appris quelque chose à mon apprenti. Pensez aux grands peintres russes spécialisés dans les icônes, ou aux grands artisans orientaux : dans leur conception, est artiste celui qui est capable de faire et de refaire, inlassablement, la même œuvre, exactement pareille à chaque fois. Remarquable, n'est-ce pas ?

— Je ne vous suis pas, maître. S'ils sont identiques, où est l'intérêt d'une telle entreprise ?

— Voilà le plus beau, Max ! L'erreur monumentale que je mentionnais tout à l'heure… En possédant la documentation sur ces deux tableaux, il sera très facile d'obtenir leur authentification depuis les sources d'où ils proviennent, ou même un acte de vente. Le client français nous a fourni ses papiers timbrés et suffisamment d'échantillons d'écriture pour qu'on puisse les créer. Cela coûtera un peu d'argent, certes, mais j'ai un ami qui serait en mesure de s'arranger… À une condition : que vos deux copies soient démasquées publiquement. Cet ami auquel je pense serait alors prêt à nous donner une bonne somme pour les deux Rothko originaux.

Voilà le piège, ai-je pensé en l'écoutant. C'était donc ça, la combine d'Aloïs et de Rosenberg : voler le collectionneur français en se servant de moi. Mais, pourquoi avaient-ils eu besoin de passer par Guderius ? Ou bien, est-ce que celui-ci était honnête, et qu'il voulait vraiment s'associer à moi pour se retirer ?

— Je vous comprends maintenant, maître, ai-je repris en faisant mine de l'admirer. Chapeau ! Cependant, ce qui m'agace n'est pas le risque en tant que tel, mais bien la question : comment pourrais-je être certain que ce n'est pas une nouvelle arnaque ? Qui me dit que je ne vais pas encore être pigeonné ? Dans ce genre d'affaires…

— Vous avez tout à fait raison, a-t-il répliqué, en souriant à sa femme. Magdalena et moi, nous sommes heureux de voir que, enfin, vous apprenez à penser par vos propres moyens. Voilà une garantie que notre jeune Max souffrira moins à l'avenir. Non, ne vous gênez pas. Votre méfiance est de mise… Vous n'aurez pas de certitude avant la conclusion de l'affaire. Par contre, c'est nous qui serons entre vos mains. Pensez-y bien. D'abord, vous serez payé contre livraison, bien entendu. Ensuite, si vous décidez de ne pas jouer le jeu, l'acheteur se retrouvera avec de simples copies puisque vos copies seront devenues les originaux, n'est-ce pas? Si vous disparaissez avant d'exécuter les copies, les deux tableaux en question seront de simples tableaux volés, et leur prix souffrira en conséquence. Enfin, nous nous attendons à la plus grande discrétion de votre part au sujet de notre association; vous allez ensuite vous perdre en Amérique, tandis que nous, nous resterons ici, vulnérables à leur vengeance. Donc, c'est à notre tour de vous faire confiance, pas le contraire.

— Maître, qu'est-ce qui me prouve que ce sera vraiment une vengeance? Vous pouvez tout simplement être de mèche avec Aloïs…

— Cela pourrait être le cas… Mais en réfléchissant un peu, vous verrez que cela est peu probable. Pour en avoir la certitude, il faudra risquer le coup pour voir la fin de l'histoire. De toute façon, le travail à Paris aura lieu dans trois semaines, vous l'avez dit. D'ici là, vous aurez le temps d'y voir clair. De mon côté, je peux contacter cet ami dont je vous ai parlé, pour voir si le jeu en vaut la chandelle.

15

Nous avons préparé le coup dans le moindre détail. La documentation sur les deux Rothko authentiques avait permis d'identifier même les signets, les pigments utilisés, jusqu'au type de toiles. Guderius m'avait procuré le matériel nécessaire ; Magdalena m'a appris à oxyder et à sulfurer la peinture pour lui donner l'apparence de l'âge, au fur et à mesure qu'avance le travail. Les photos agrandies montraient par ailleurs les craquelures dues au fait que les toiles avaient été entreposées enroulées, hors du châssis ; il faudrait que je les reproduise avec le plus grand soin.

Les images de Rothko elles-mêmes ne constituaient pas un problème : l'œil, en se fixant sur les énormes taches flottant sur le fond glauque, perdait aussitôt toute capacité de distinguer les détails. Je devrais être attentif uniquement au contraste entre les couleurs, de façon à maintenir la même valeur d'impact perceptif pour chacun des deux tableaux. À force d'étudier les reproductions de ses œuvres, il devenait évident que ce peintre — comme d'ailleurs les modernes en général — ne prenait jamais de risque. Il avait trouvé une formule simple de contrastes perceptifs, inspirée de la psychologie de la Gestalt, qu'il se bornait à reproduire inlassablement sur d'énormes surfaces destinées à assommer le spectateur.

À la fin de ces trois semaines d'études, j'étais certain non seulement de pouvoir mener à bien la substitution, mais aussi de doubler ou de tripler l'œuvre complète de Mark Rothko, si c'était nécessaire.

L'ami dont avait parlé Guderius, un collectionneur autrichien, s'était montré très enthousiaste devant cette idée. Il offrait cent mille dollars pour les deux tableaux ; il en prendrait lui-même livraison à Paris à la fin de la première semaine de mon séjour là-bas, et il me verserait alors la moitié comptant. Guderius s'entendrait avec lui pour recevoir sa part.

Nous nous sommes aussi mis d'accord sur les signes exacts et les inscriptions que je devais inclure, destinés à démasquer les faux tableaux dès qu'ils seraient mis en vente.

— Un dernier détail, m'a dit Guderius lorsque le moment est arrivé de nous dire adieu. Magdalena et moi, nous ne savons rien de cette affaire. Si cela échoue, Max, vous serez seul... Par ailleurs, méfiez-vous de l'échéance. Peut-être qu'ils voudront vous supprimer avant la fin de la commande. Moi, je parie que ce sont les trois nouveaux Rothko qu'ils veulent le plus. Alors, gardez-les pour la fin. Ça vous donnera le temps de les voir venir. De toute façon, voici un petit souvenir, au cas où vous en auriez besoin... J'ai toujours été un homme pacifique, mais j'ai quand même vécu deux guerres ; on y apprend un peu sur la valeur des armes. Laissez-moi vous montrer ; c'est extrêmement facile.

Le vieux s'est alors mis, le plus naturellement du monde, à m'expliquer le fonctionnement d'un pistolet aux allures vieillottes, comme ceux des films d'espionnage d'autrefois.

— C'est un Browning 1922. Léger, compact, excellent produit belge d'avant la guerre. Mais en parfait état de fonctionnement, et encore fiable jusqu'à six mètres de la cible. Vous avez sept balles de calibre 7.65, ce qui me semble suffisant. N'hésitez pas à vous en servir, ou à le jeter dans la Seine. Ils tâcheront d'être des plus discrets, et c'est là votre chance. Faites l'innocent, mais ne ratez pas le bon moment. Si nous avons raison, ils auront alors plus peur de la police que de vous. Mais évitez de tuer inutilement. Nous sommes des artistes, n'est-ce pas ? Ils souffriront davantage vivants, et cela nous évitera des enquêtes fâcheuses pour la réputation de l'art.

Et puis, avec un clin d'œil très gamin, qui donnait une apparence de sorcier à son visage, il a ajouté :

— Dommage que je sois trop vieux pour vous accompagner. Magdalena et moi, nous attendrons avec impatience votre carte annonçant que vous êtes hors de danger. Nous n'avons aucun désir de visiter l'Amérique. Mais vous serez toujours le bienvenu dans notre retraite de Gand.

❏

Je suis arrivé à Paris la veille du jour convenu, et je me suis installé avec mon matériel dans un petit hôtel discret sur la rue Saint-André-des-Arts, proche de l'endroit où se situait l'atelier de travail. Le lendemain, tout en conservant ma chambre pour le mois, je suis parti en taxi, avec ma valise vers l'hôtel de Scandinavie, rue Tournon, où Aloïs avait fait une réservation à mon nom.

Un mot de M. Louis Berté, le collectionneur français, m'attendait déjà à la réception du Scandinavie : il viendrait me chercher en début de soirée, pour l'apéritif.

Je me souviens que j'étais quelque peu tendu, rempli d'excitation, mais surtout impatient d'avoir fini la copie des deux tableaux. Même pendant mon sommeil, leurs images tant étudiées ne me sortaient pas de l'esprit. J'avais décortiqué l'opération dans le moindre détail, comme un alpiniste qui, les yeux fermés, pourrait reconnaître la paroi à laquelle il va s'attaquer et qui brûle d'envie de la tâter réellement, rien que pour en finir, une fois pour toutes.

J'ai passé le reste de l'après-midi à me promener dans les environs, en étudiant le chemin entre l'atelier et l'hôtel, à la recherche de points de repère, d'entrées de restaurants, de portes cochères et de bouches de métro. Le carrefour de l'Odéon tout proche, avec sa circulation intense, me paraissait rassurant dans l'éventualité où je devrais fuir en pleine rue. Un étrange sentiment de liberté m'envahissait à la pensée que cette aventure se terminerait au moment où je l'aurais décidé. Ils ne me chercheraient jamais dans ce petit hôtel d'à côté, et j'aurais tout le loisir de disparaître sans laisser de trace.

M. Louis Berté est venu le soir, comme convenu. Très distingué, aux manières délicates, frêle mais souple dans son complet élégant malgré la chaleur de mai. La quarantaine ou le début de la cinquantaine ; difficile à préciser. Riche, sans aucun doute, mais plutôt discret, aristocratique et un tantinet mal à l'aise en ma présence. Il se référait au travail à exécuter en disant « le job », ravi de ne pas devoir entrer dans les détails.

J'ai voulu prendre aussitôt possession du studio, et il m'y a conduit en silence, apparemment rassuré par mon attitude ouverte et franche. C'était un appartement magnifique, qui occupait tout le sixième étage d'un immeuble d'habitation rue Visconti, presque au coin de la rue de Seine. À part la cuisine bien aménagée, la place était presque vide. Les grandes baies vitrées et les projecteurs indiquaient que l'endroit avait en effet été utilisé comme studio d'artiste par un peintre probablement très fortuné. Une partie du matériel nécessaire était déjà là, dans un coin, à côté d'un fauteuil, d'un lit de camp et de deux immenses chevalets. Des dispositifs d'accrochage étaient fixés un peu au hasard sur les murs.

— Vous trouverez tout ce qu'il faut à la cuisine et à la salle de bains, m'a-t-il dit. Mon domestique apportera le nécessaire ; il suffira de l'avertir.

— Domestique ? ai-je rétorqué sèchement. Il n'est pas question de domestique ici. Je travaille seul ; c'est ce qui a été convenu avec Aloïs. Personne n'entrera ici pendant mon séjour. Pas même vous.

— Mais, le ménage…

— Pas de ménage dans mon lieu de travail. N'oubliez pas, monsieur Berté : je suis ici pour commettre des actes criminels. Il me faut la paix pour bien travailler… Le téléphone fonctionne ? Bien. Je vous appellerai si j'ai besoin de quelque chose. Vous ne m'appellerez qu'en cas d'extrême urgence ; c'est-à-dire en cas de descente de police uniquement. Sinon, pas de contact jusqu'à ce que j'aie fini. Il me faut quatre semaines, pas plus. La seule visite sera celle d'Aloïs, pour m'apporter l'argent. C'est d'ailleurs dans votre propre intérêt que nous ne nous voyions plus.

— Bien, d'accord… Mais je pensais que…

— Non, n'y pensez pas. J'ai besoin de tout mon temps et je ne veux pas être dérangé. S'il me faut quelque chose, j'irai le chercher moi-même ; comme du matériel, par exemple. Ce serait bête de vous compromettre… Au moindre dérangement, au moindre soupçon de ma part, je laisse tout là et je disparais, entendu ? Si vous êtes d'accord, l'affaire sera conclue.

— D'accord… a-t-il concédé presque en soupirant.

— J'imagine que vous vous êtes arrangé avec le concierge pour que je ne sois pas dérangé. Quant à moi, j'ai l'habitude de passer inaperçu.

— Bien, c'est très bien, comme vous voulez. Vous n'avez pas besoin d'autres renseignements ?

— Non, je sais ce que j'ai à faire. Où sont les tableaux ?

— Là, a-t-il fait en pointant du doigt des tubes en cuir déposés sous le lit. Ils sont enroulés… Vous allez faire attention, a-t-il ajouté avec une hésitation dans la voix.

— N'ayez crainte. Vous serez satisfait. Je compte même que cette rencontre soit le début d'une association fructueuse. Mais d'abord, je dois vous montrer des preuves de mon travail. Vous serez plus rassuré lors de nos prochaines affaires.

— Bien, monsieur Willem, a-t-il ajouté avec le sourire.

— Appelez-moi simplement Max, monsieur Berté.

— Je vous invite à souper ?

— Dans quatre semaines, avec plaisir, pour fêter la fin du travail. Pas maintenant. J'ai besoin de me concentrer. Vous me laissez les clés. Si vous avez besoin de parler à quelqu'un, appelez directement Aloïs.

— D'accord, Max.

J'ai effectué une inspection rapide des lieux pour m'assurer que tout était en ordre, mais aussi pour lui donner le temps de s'habituer. Je ne voulais pas le brusquer. L'examen du matériel m'a pris un peu plus de temps, car M. Berté paraissait très captivé par ces outils qui deviendraient des tableaux ; cela ajoutait un prestige certain à ma personne. Il fallait qu'il se sente rassuré, au moins durant la première semaine. Après, ce serait moins important.

Une fois seul, je me suis jeté sur les rouleaux pour affronter les deux Rothko qui me hantaient depuis des semaines. Ils étaient là, un peu plus pâlots que sur les photos, plus plats aussi au regard. Une fois épinglés au mur, sans cadres ni châssis, ils ressemblaient plutôt à ces énormes linges que les peintres en bâtiment étendent par terre pour protéger le parquet. Si je n'avais pas tant étudié l'œuvre de cet artiste, j'aurais pu penser que toute la combine n'était qu'une simple farce.

J'ai constaté avec plaisir que les deux tableaux étaient assez propres ; le travail final de salissage pour améliorer l'apparence d'une contrefaçon est peut-être le plus délicat de tous. Je n'avais donc pas trop de souci à me faire. Même non vernies, les surfaces étaient légèrement brillantes d'huile cristallisée, égalisées, ce qui me faciliterait aussi énormément le travail.

Après les avoir étudiés encore un bon moment, je suis ressorti pour profiter du mouvement dense des passants, pour aller chercher mon propre matériel à l'hôtel voisin. Je n'aurais pas besoin des châssis que Guderius m'avait préparés, car, par une heureuse coïncidence, Aloïs avait prévu que les trois faux Rothko seraient de même dimension que les vrais. Une fois tout en place, le pistolet bien dissimulé dans une fente du matelas, je me suis rendu compte que j'avais très faim. Pour me tenir informé sur la possibilité de visiteurs clandestins, j'ai aussi pris soin d'installer un cheveu sur la porte.

Le lendemain matin, après m'être procuré le matériel qui manquait auprès du fournisseur convenu, je suis revenu à l'atelier. Mon cheveu était à sa place et tout semblait en ordre. J'ai monté mes toiles en respectant soigneusement l'ordre des trous laissés par les clous sur les originaux, et j'ai complété la couche d'apprêt selon les irrégularités les plus apparentes.

Le travail avançait vite, à la lettre selon le plan d'action élaboré avec Guderius et Magdalena. Le mélange des pigments m'a cependant pris plus de temps que prévu, car nos prévisions étaient basées sur l'apparence des tableaux sur les photos. Leur effet à la lumière était légèrement différent. Mon but était cependant d'obtenir le même effet de contraste, pour tromper le regard qui perçoit l'ensemble du tableau. Peu à peu, j'ai ainsi obtenu une approximation suffisante. À l'aide d'une peinture au blanc de plomb, j'avais auparavant tracé les inscriptions destinées à démasquer les tableaux quand on les examinerait aux rayons X. Cachées par les couches de surface, elles n'apparaîtraient qu'après la dénonciation ; l'idée de l'étonnement des experts en découvrant ces drôleries me divertissait beaucoup.

Les rideaux fermés, le studio éclairé uniquement par les projecteurs, je ne voyais pas le temps passer. Une fois les formes bien rendues par un lavis maigre à la térébenthine, je savais déjà que j'allais réussir. Ma seule crainte était d'être surpris à ce stade préliminaire du travail.

Vers neuf heures du soir, après avoir mangé un sandwich accompagné de quelques bières, le loquet intérieur de la porte bien en place, je me suis enfin endormi.

Au réveil, il commençait déjà à faire jour. Un calme incroyable régnait dans l'appartement, et les bruits lointains de la rue me paraissaient très rassurants. Je me suis aussitôt attaqué à l'étalement des couches de base et à la reproduction des rares empâtements. Grâce à divers siccatifs et à des modelages isolés à l'acrylique, mes surfaces commençaient alors à ressembler à celles des originaux. Ce travail délicat m'a donné de nombreuses idées pour l'étape où je créerais les trois nouveaux Rothko. Je me souviens d'avoir imaginé que je dialoguais avec le peintre lui-même, pour lui suggérer d'autres artifices destinés à accentuer les effets qu'il avait tenté d'obtenir. Son usage de la pâte était excessivement facile à reproduire, trop peu osé, et tout en m'en réjouissant, je me demandais quelle sorte d'individu il avait été pour se contenter d'un travail si peu imaginatif.

J'arrivais déjà à avoir une bonne idée de l'ensemble une fois entrepris le séchage à l'aide des chaufferettes à soufflerie. Heureusement que les modernes ne savent pas travailler les surfaces à l'aide de glacis superposés, comme le faisaient les vieux maîtres. Au contraire, ce Mark Rothko préférait les larges plages uniformes, avec à peine, ici et là, quelques retouches. S'il avait été un peu plus courageux avec la spatule, un peu curieux des phénomènes de détérioration de la matière, ou encore amateur de choses délicates, mon travail aurait pris des mois et des mois. Mais non. En se contentant de lavis maigres superposés, il m'avait facilité non seulement la reproduction mais aussi le séchage. Cela est fondamental : un emploi excessif de siccatifs aurait irrémédiablement fait craqueler chaotiquement les surfaces.

Dès la fin de la troisième journée, j'avais obtenu l'essentiel ; je pouvais alors commencer le travail de finition pour reproduire les accidents, les coulis et les imperfections des bords. La fatigue des muscles et des yeux était là, très douloureuse ; mais l'excitation d'avoir devant moi des doubles presque parfaits compensait largement ma peine. Et je commençais à m'apaiser.

La quatrième journée de travail a été consacrée presque uniquement à la reproduction des signets peints à la main au dos des toiles, et à y apposer les tampons et les saletés que Guderius m'avait procurés.

À la fin de la cinquième journée de travail, j'ai enfin retiré les deux tableaux de leurs châssis pour y installer de nouvelles toiles. Une fois celles-ci épinglées au mur, seuls la senteur fraîche des solvants et le degré de cristallisation du matériau trahissaient leur âge. J'aurais pu travailler encore davantage certains détails, mais je craignais d'exagérer tant que les originaux seraient encore sur place. Ensuite, à l'aide uniquement des photos, je vérifierais les dissemblances avec un regard plus détaché.

C'était un jeudi soir, très chaud. La rue pleine de passants me paraissait propice à une escapade discrète avec les deux Rothko authentiques enroulés dans du papier journal. Personne n'a semblé me remarquer sur le court chemin jusqu'à mon petit hôtel. À la réception, la grosse femme à l'accent arabe m'a tendu une note avec le téléphone de Heinz, l'ami autrichien de Guderius. Il était donc déjà arrivé.

— Allô, Heinz ? C'est Max. Je suis prêt, ai-je dit au téléphone.

— Tout est en ordre ? a-t-il demandé.

— Oui, comme prévu. Quand allez-vous venir ?

— Maintenant, ça va ? Les avez-vous sur place ?

— Oui. Vous avez aussi ma part ?

— Oui. Dans exactement trente minutes vous sortez de l'hôtel. Je serai dans une petite Citroën rouge, accompagné d'un chien. On fera l'échange devant votre hôtel. Soyez à l'heure, car la ruelle est plutôt encombrée.

Il était là, de fait. Nous avons échangé nos paquets en un clin d'œil ; j'ai à peine vérifié que le mien contenait des billets de cent dollars américains, et il est aussitôt reparti. Il ne m'avait pas trompé.

Ensuite, je suis allé souper dans un restaurant de la rue de l'Ancienne-Comédie, Le Procope ; je m'étais promis de l'explorer, car il avait une deuxième sortie, stratégiquement bien placée pour moi, donnant sur un passage à l'arrière. J'aurais peut-être besoin de me servir de cette sortie quand Aloïs viendrait me chercher. Je suis revenu au studio, et j'ai passé la nuit à esquisser sur les toiles les pochades des faux tableaux.

Le matin, malgré mon mal de tête et ma nausée, je me sentais très soulagé. L'appartement était tellement imbibé de vapeurs de térébenthine que les émanations des deux copies de Rothko passeraient inaperçues si quelqu'un venait fouiller en mon absence. D'ailleurs, ils se fondaient déjà avec les deux autres, le Kline et le Gottlieb, et leur contraste avec les toiles fraîchement entamées les protégeaient des attentions particulières. Les cinq nouvelles toiles donnaient à l'endroit une belle apparence de travail accompli, ce qui justifiait pleinement ma première semaine de labeur.

J'ai tout fermé, j'ai remis un cheveu sur la porte, et je suis parti à l'hôtel de Scandinavie. La jolie fille blonde qui commençait son quart de travail à la réception m'a regardé étonnée, comme si je venais d'une orgie, et m'a tendu la clé et deux messages d'un air dégoûté.

Rafraîchi par une longue douche, rasé et habillé proprement, je me sentais bien calme lorsque je me suis ensuite présenté au siège de l'American Express. Le commis n'a fait aucune difficulté pour convertir mes dollars en chèques de voyage. J'ai posté, à l'adresse de mon père dans le Maine, quarante-cinq coupures de mille dollars soigneusement cachées dans trois petites brochures à l'intérieur creux, que Magdalena m'avait préparées à cette intention. Si elles attiraient l'attention des douaniers, je pouvais toujours réclamer le montant sous prétexte qu'il avait été perdu. Dans une lettre à part, j'avertissais mon père de cet envoi et j'y incluais les numéros des chèques.

Je commençais à sentir la fatigue dans tout mon corps. C'était malgré tout une sensation agréable, sans trace de la tension des derniers jours. L'exécution des prochains tableaux serait un véritable amusement.

Aloïs a téléphoné. Il n'avait rien de spécial à me dire, et il s'est contenté de s'informer du progrès du travail. Je l'ai rassuré : tout se déroulait selon le schéma établi et, dans trois semaines, il pouvait venir prendre livraison des toiles. Son « je pense à toi, mon cher Max » sonnait visqueux.

— Dommage que tu aies pensé seulement à cinq tableaux, Aloïs, ai-je ajouté en riant. La place est tellement agréable que je pourrais m'y installer en permanence. J'ai hâte de te voir, vieux fou. Paris est très beau en ce moment. On devrait y rester quelques jours, qu'en penses-tu ? Salut… D'accord, je te rappelle jeudi prochain, sans faute.

Puis, à l'aide d'une bouteille de scotch, je me suis couché pour ne me réveiller que le samedi matin.

❏

Leur surveillance des lieux a commencé durant la deuxième semaine de mon séjour. Le fil de cheveu avait parfois disparu de la porte, et les poussières de pigments couleur terre dont je saupoudrais le vestibule de l'appartement s'étalaient jusqu'aux tableaux en cours. Aucun signe cependant de soupçon ni de panique concernant mes deux Rothko épinglés au mur. Le ou les visiteurs étaient plutôt attirés vers les nouveaux tableaux de la collection. C'était naturel : ils étaient en train de payer justement pour ces nouvelles pièces ; de mon côté, j'étais en train de les faire si belles que tout le reste perdait de l'importance.

Je travaillais sur les trois Rothko, le Kline et le Gottlieb en même temps, histoire de maintenir l'odeur de térébenthine à son maximum, mais aussi pour éblouir les visiteurs clandestins avec des perceptions massives. Les trois Rothko de mon cru éclataient particulièrement, d'une façon singulière, avec des contrastes peu courants dans les catalogues du peintre. Au lieu des tons chauds et sales, ou des oxydes ferreux, j'avais opté pour des fonds gris nuancés, sur lesquels flottaient des masses de couleurs froides très intenses ; un soupçon de contrastes rouges sur les bords des figures donnaient à celles-ci l'effet d'une vibration subtile mais inquiétante.

À étudier ses œuvres en détail, j'avais conclu que Rothko devait être très myope, et qu'en plus ses lunettes étaient soit trop sales, soit peu ajustées. Sans vouloir bouleverser sa manière propre, qui était celle des bords peu précis, j'ajoutais plutôt une plus grande précision à l'intérieur des masses flottantes ; les contrastes entre les figures et le fond se trouvaient ainsi augmentés tout en restant plausibles. Les rebords demeuraient nébuleusement bigleux, mais je gagnais une sorte de mouvement vers l'extérieur de la toile qui rappelait que Rothko était aussi à l'origine du Op-art. C'est du moins ce qu'un critique important s'était évertué à affirmer dans quelques-uns des catalogues, et je n'allais pas le décevoir.

J'avais fini le Franz Kline d'un seul coup, au bout d'à peine quatre heures de travail, la plupart consacrées uniquement à la texture de la surface. De toute façon, son style était purement calligraphique, comme de l'écriture agrandie au microscope, et il ne rimait à rien de mieux le travailler. Le Gottlieb enfin, me donnait un peu plus de plaisir car, encore pour donner raison aux experts, j'accentuais les influences de Miró et de Paul Klee sur ses gribouillis. J'obtenais de la sorte des effets plastiques agréables, primesautiers, que j'aurais très bien vu sur des rideaux de cuisine ou des robes d'été.

❑

Les visiteurs clandestins paraissaient vraiment se borner à la contemplation des tableaux en cours. Mes affaires, mes notes et les esquisses, même mes restes de nourriture, tout restait tel que je l'avais laissé. Cela me faisait penser qu'il s'agissait probablement du collectionneur lui-même, M. Berté, qui cherchait à s'assurer que la commande avançait sans anicroche. Mais, venait-il pour me surveiller ou seulement pour contrôler la progression du travail ? Cela m'intriguait.

Au milieu de la troisième semaine, je connaissais déjà un peu sa manière d'opérer. Le téléphone sonnait et, chaque fois, c'étaient des mauvais numéros ; ensuite, si j'allais dormir à l'hôtel ou si je sortais pour mes longues promenades, le visiteur se risquait à faire son apparition. C'était trop régulier pour n'être qu'une coïncidence. J'avais de plus en plus envie de le surprendre ; non seulement par curiosité, mais aussi parce que la fin du travail approchait, et je ne savais toujours pas comment j'allais m'y prendre pour partir sans qu'on s'en doute. Si leur plan était en fait celui de se débarrasser de moi, ils le mettraient bientôt à exécution. Je ne pouvais quand même pas partir prématurément, sans explications, et en laissant les tableaux sur place. Aloïs devait me payer, et j'étais censé être très confiant. Peut-être que ce visiteur pourrait me procurer des informations ; et si j'arrivais à le prendre sur le fait, ce serait là un excellent prétexte pour décamper. Je pourrais toujours dire qu'ils n'avaient pas respecté l'entente, que j'étais devenu craintif, ou quelque chose du genre.

J'ai alors commencé à attendre ses appels. Rien le lundi de la quatrième semaine, ni le mardi. Mercredi, vers la fin de l'après-midi, le téléphone a enfin sonné. Je n'ai pas répondu. Une heure après, nouvel appel. J'ai éteint les lumières de bonne heure et, incapable de continuer à travailler, je me suis installé pour manger quelque chose en buvant de la bière. Je n'ai pas mis le loquet. Ça commençait à devenir excitant.

La journée avait été très chaude; malgré les fenêtres ouvertes, l'air de l'appartement était lourd, chargé d'émanations. Mes tableaux, pratiquement achevés, égayaient les murs comme des bariolages d'enfants. C'était le bon moment pour le surprendre, car il avertirait sans doute Aloïs que la commande était prête. Mais j'avais encore besoin d'au moins une semaine pour que finisse le séchage des deux Rothko copiés. J'avais beau les laisser la journée durant devant les chaufferettes, je n'étais toujours pas certain s'ils étaient en état d'être enroulés. Leurs longues craquelures, par contre, étaient déjà prêtes; et s'ils restaient encore à sécher avec les autres, ça pourrait aller.

À neuf heures du soir, le téléphone a sonné de nouveau. J'ai attendu, le pistolet dans ma poche, même si je croyais que mon visiteur viendrait de préférence durant la nuit. À peine un quart d'heure plus tard, il était là. Il a d'abord sonné à la porte, une première fois, puis une deuxième fois; il s'est alors décidé à entrer. Je m'étais placé de façon à pouvoir l'examiner depuis la cuisine, pour être ainsi en mesure de lui couper le chemin de la sortie au moment où je sortirais de ma cachette. Il a fermé la porte à clé, en prenant soin de passer le loquet, et il a gagné le salon où étaient les tableaux. Ses pas étaient cauteleux; je pouvais suivre ses mouvements par les petits craquements du plancher à mesure qu'il avançait.

La lumière d'un projecteur a soudain, à mon grand étonnement, révélé une figure de femme. Une femme inconnue ; visiblement pas la concierge . Celle-ci, encore jeune, était trop élégante, et ses manières raffinées suggéraient plutôt la haute bourgeoisie. Pas le même genre que Vera non plus, moins encore une pute. Mince, grande, les cheveux noués en un joli chignon, elle avait une démarche quelque peu hésitante, presque craintive, même si elle paraissait savoir exactement ce qu'elle venait chercher. De loin, son visage était sinon beau, du moins harmonieux à cause du cou dégagé et des épaules flottant dans une robe légère.

C'était très excitant de l'observer depuis ma cachette. Elle était certaine d'être seule, tout en sachant qu'elle faisait quelque chose de défendu, de dangereux.

Elle a regardé d'abord les tableaux, comme si elle était dans une galerie d'art, en s'approchant et en reculant pour mieux les voir, les comparer. Elle le faisait d'une façon charmante, plutôt en défilant devant les toiles avec des gestes et des poses de mannequin. Immobile, s'appuyant sur une jambe, elle se retournait pour regarder par-dessus ses épaules ; cette posture allait à merveille avec les mouvements de la robe.

Qu'est-ce qu'elle peut bien faire là, me demandais-je, fasciné par le spectacle.

À un moment donné, se désintéressant des peintures, elle a semblé devenir rêveuse, pensive, pendant qu'elle s'est avancée en une sorte de danse au ralenti, pour aller s'asseoir sur le lit. Son regard à la ronde s'est ensuite accompagné d'un mouvement délicat du dos de la main : elle caressait les draps froissés. Puis, elle a tâté l'oreiller et s'est penchée longuement sur le matelas ; j'avais alors la nette impression qu'elle humait ma couche. Ce n'était pas laid, et très attendrissant. Visiblement elle ne me voulait pas de mal. J'étais paralysé dans mon coin sombre et j'attendais la suite.

Toujours songeuse, elle s'est mise à jouer avec les objets qui étaient par terre, à côté du lit. En découvrant mon briquet, elle l'a allumé et éteint à diverses reprises.

L'inscription gravée a semblé attirer son attention ; après une courte hésitation, elle a mis le briquet dans son sac et s'est levée, décidée à partir.

La salope, ai-je pensé, amusé. Elle va vraiment le voler, mon briquet.

Je n'arrivais cependant pas à ressentir de l'hostilité envers cette femme. J'étais charmé par son apparition un peu irréelle, et si curieux que je ne pouvais pas la laisser partir comme ça.

Elle a poussé un petit cri étouffé en me voyant et elle a reculé, le visage effrayé et les mains serrées contre la poitrine dans un geste de défense. Voyant que je lui coupais la sortie, elle a continué à reculer tout en hochant la tête.

J'ai mis le doigt sur ma bouche pour tenter de lui dire de ne pas crier. Elle paraissait étouffer, épouvantée.

— Qui êtes-vous ? lui ai-je demandé.

— Non, non... s'est-elle contenté de balbutier d'une voix éteinte.

— N'ayez pas peur, madame... Je veux savoir votre nom. Et ce que vous faites ici.

— Laissez-moi partir, je vous en prie... S'il vous plaît...

— Non. D'abord, votre nom.

— Mon nom... Pourquoi ?

— Pourquoi ? ai-je fait en riant. Parce que !

— Monsieur ! Je vous ordonne de me laisser partir.

— Ah bon ! Comme ça... Madame ordonne. Madame qui, peut-on savoir ?

— Je vais partir, a-t-elle répliqué avec une grimace. Sortez de là ! Je dois partir... On m'attend.

— Cessez vos manières et dites-moi qui vous êtes. Je déteste violer des femmes inconnues... Vous n'avez pas le choix.

— Non... Je ne peux pas. Si vous me touchez, je crie !

— Criez, madame... Voulez-vous qu'on appelle la police ?

Elle m'a alors regardé, perplexe, et ses yeux se sont remplis de larmes. Je me suis approché davantage. Elle a baissé les yeux tout en murmurant des non, et s'est laissé conduire, livide, jusqu'au lit.

— Non... Non, monsieur, je vous en supplie, disait-elle.

Elle ne se défendait pas, mais ses yeux imploraient d'une façon émouvante, comme ceux d'un enfant pris en défaut.

— Asseyez-vous là et calmez-vous. Je ne vous ferai pas de mal, je vous assure. Mais cessez de pleurer. Vous êtes plus mignonne lorsque vous ne pleurez pas. Et vous avez l'air d'aimer la peinture...

C'était Mme Berté. Elle m'assurait que son mari ne savait rien de ses visites clandestines ; elle disait ne pas avoir pu se contrôler parce que son mari lui a parlé des tableaux que j'allais faire. De la pure curiosité, disait-elle, car elle n'avait jamais vu de tableaux en cours de réalisation. Elle voulait voir comment c'était un studio de peintre, c'était tout, rien d'autre, insistait-elle.

— Il est aussi venu, avec vous... Ou bien c'était votre amant ?

— Je n'ai pas d'amant, monsieur !

— Alors, donnez-moi du feu, ai-je fait en prenant une cigarette. Vous êtes la plus jolie et la mieux élevée de toutes les voleuses.

— Tenez, voilà votre briquet ! Je n'allais pas le voler... Juste... Juste faire semblant, a-t-elle rétorqué, boudeuse et confuse. Pardonnez-moi. Je ne viendrai plus jamais ici, promis.

— Non, gardez-le, en souvenir de cette nuit.

— Je n'en veux pas...

— Vous allez le garder. Vous l'avez pris, maintenant il est à vous. Comment vous appelez-vous ?

— Del... Delphine.

— Delphine ! ai-je fait surpris, le sourire aux lèvres.

— Pourquoi riez-vous ?

— Delphine... Delphine. Rien. C'est peu commun comme nom ; mais très joli. Si, ça vous va bien, Delphine. Je ne m'attendais pas à un nom si joli, voilà tout...

— Je vous en prie, monsieur, laissez-moi partir.

— Appelez-moi Max, Delphine.

— Oui, monsieur Max...

— Pas monsieur, Max.

— Je promets que je ne reviendrai plus. Mon mari m'attend, il va se faire du souci... Soyez gentil, Max... Je voulais uniquement voir votre travail, rien d'autre.

— Ne partez pas encore, Delphine. C'est moi qui vous en prie, vous me feriez trop de peine. Restez encore un peu.

— Mais, il faut...

— Juste un peu. Je vous ai attendu si longtemps...

— Vous avez ? a-t-elle demandé avec surprise.

— Bien sûr. Je croyais que vous viendriez avec votre mari... Maintenant que vous êtes là, restez un peu. Je ne vous ferai pas de mal.

— J'ai peur... Je ne peux pas rester. Vous m'avez fait peur...

— Je m'en excuse, Delphine. Gardez mon briquet, c'est un cadeau. Comme ça vous ne penserez pas mal de moi. Je vous laisse partir, si vous me promettez de revenir ; pour me voir au travail. N'est-ce pas ce que vous vouliez ?

— Je ne sais pas...

Elle paraissait se calmer, son regard commençait à se poser sur moi avec curiosité, et sa voix était moins étouffée. C'était une belle femme, qui ne réussissait plus, en mauvaise posture, à reprendre ses manières mondaines dans une situation singulière. Elle réagissait naïvement, avec des mimiques d'enfant boudeur ; l'agitation de ses mains trahissait un malaise certain. Mais elle ne tentait plus de fuir, et paraissait même hésiter à partir.

Je me suis efforcé de l'apprivoiser :

— Dites-moi au moins ce que vous pensez des tableaux.

— Mais, je… Je les aime beaucoup. Ils sont bien plus beaux que les nôtres. Nos Rothko, qui paraissaient autrefois si éclatants… Maintenant… Ils ont l'air défraîchis à côté de ceux que vous avez faits. Depuis le début, j'avais cette impression ; c'est à cause de ça que je n'ai pas pu résister. Mon mari, lui aussi, les aime. Excusez-moi, je ne voulais pas vous déranger. Mais il fallait que je vienne… J'avais peur, et je n'ai jamais touché à rien.

— Peur ? De moi ?

— Louis m'a défendu de venir. Vous n'allez pas le lui dire, n'est-ce pas ?

— Non, Delphine, ai-je fait avec le sourire. Ce sera notre secret, à nous deux. Vous non plus, vous ne direz rien.

— Pourquoi vous ne voulez pas que mon mari les voie ?

— Parce qu'ils ne sont pas encore finis. Il faut les laisser se reposer… Est-ce que vous aimez qu'on vous regarde pendant que vous êtes en train de vous maquiller ? Voilà, vous avez tout compris. C'est la même chose pour un artiste. Nous sommes très peu sûrs de nous-mêmes, les artistes. Vous, c'est différent ; vous avez l'air de comprendre ce genre de choses, et vous respectez l'art. Quant à eux, ils sont toujours si pressés de transformer l'art en argent… Est-ce que vous l'aimez, votre mari ?

— … Bien sûr… Quelle question ! C'était par pure curiosité, par pur enfantillage que je suis venue. Et je n'ai rien fait de mal, je n'ai rien… Le briquet, c'est une femme qui vous l'a donné ?

— Oui.

— Votre femme ?

— Non, je n'ai pas de femme. C'était un simple souvenir. Maintenant, il n'est plus à moi.

— Un petit chou… a-t-elle fait avec un joli sourire.

— Un chou. Vous ferez effacer l'initiale, et ce sera vous, le chou… Personne d'autre ne saura jamais que nous nous sommes comportés comme des petits enfants qui jouent à cache-cache. Pas mal, non ?

Nous étions assis sur le lit, très proches l'un de l'autre. Delphine paraissaient étrangement calme tout d'un coup, comme si elle pensait à quelque chose de très lointain. Je ne savais pas comment tirer parti de cette situation, ni si cette rencontre me servirait de prétexte pour fuir : Delphine était attendrissante, et j'avais appris à me méfier lorsque je ressentais cette sorte d'émotion. Elle mentait peut-être… Sûrement qu'elle mentait.

— Vous pouvez partir, ai-je fait en lui touchant les cheveux. Revenez, si vous voulez. Ça me fera plaisir.

Elle s'est tournée vers moi, surprise, le visage tendu, avec un léger tremblement sur les lèvres, et d'une voix rauque elle a balbutié :

— Merci… Max.

— Delphine. J'aurais dû au moins vous donner une fessée. Mais je vous trouve mignonne, courageuse. J'aurais voulu avoir une amie qui vous ressemble. Allez ! Appelez-moi, si vous voulez revenir.

— Tenez, votre briquet, Max. Je ne peux pas le garder. Ce serait trop dangereux. Mettez plutôt un D à la place de l'autre initiale ; ce sera notre souvenir… Je vous rappellerai, c'est promis. Pardonnez-moi encore. Je m'étais fait une idée bien différente de vous.

À la porte, au moment de partir, Delphine a encore hésité. Se tournant brusquement, comme si elle allait m'embrasser, elle m'a soupiré :

— Je veux vous revoir, vraiment.

Peu de temps après son départ, la sonnerie du téléphone m'a tiré de mes rêveries. Dix heures passé. C'était encore Delphine, mais avec une nervosité nouvelle dans la voix.

— C'est moi, Delphine. Il faut que vous m'écoutiez. Je suis confuse, pardonnez-moi. Ils vont me poser des questions sur les tableaux. Que voulez-vous que je leur dise ?

— Qui ? Je ne vous comprends pas.

— Mon mari, et les deux Suisses.

— Comment ça ? Ils sont là ? Où êtes-vous ?

— Je suis pressée, Max. Je suis dans une cabine téléphonique... Ils m'attendent.

— Delphine, vous êtes une salope ! me suis-je exclamé avec soulagement.

— Excusez-moi... Je regrette de ne pas vous l'avoir dit tantôt. J'avais peur, Max. Qu'est-ce que je dois leur dire ?

— Ils vous avaient envoyée pour m'espionner ! Vous avez un bien drôle de mari, qui fait faire ses combines par sa petite Delphine.

— Max, je vous en prie ! Il faut me faire confiance. Je ne vous mens pas.

— Je vois... Écoutez, dites ce que vous voulez. De toute façon, les tableaux sont prêts, vous les avez vus, n'est-ce pas. Pourquoi donc mentir ? Dites que je vous ai surprise et que je suis enragé. Je vous embrasse, Delphine, avec regret.

— Attendez mon appel.

— La prochaine fois, vous aurez votre fessée. Salut !

Brave Delphine. C'était peut-être le seul véritable amateur d'art dans toute cette histoire. Et elle venait de me donner une information précieuse, qui confirmait toutes mes craintes.

J'ai aussitôt décroché le Gottlieb, qui était le plus petit des originaux ; je l'ai enroulé avec les esquisses, et je l'ai emporté pour l'échanger contre mon paiement. Les deux Rothko incriminants resteraient à sécher sur place en compagnie des autres, et ils passeraient inaperçus. Les rouleaux de films que j'avais pris durant le travail avaient déjà été expédiés à Guderius. C'était le moment de disparaître.

❏

Trois jours de contacts téléphoniques intenses ont suivi cette soirée. Malgré leurs menaces, mon petit hôtel s'était avéré une cachette formidable. Et les rues du Quartier latin, pleines de passants et de touristes à cette époque de l'année, m'ont facilité tous les déplacements.

Aloïs et Rosenberg n'ont pas eu le choix. Malgré la présence du géant Marko, le neveu, qui me regardait avec une face de meurtrier, ils ont dû se contenter de venir me rencontrer dans le restaurant à double entrée de la rue de l'Ancienne-Comédie. Le Procope est un restaurant prestigieux, et Rosenberg ne s'est pas gêné de me le faire remarquer.

— Que voulez-vous, Sammy, mon train de vie actuel m'a été conseillé par ce cher Aloïs, ai-je répliqué en souriant. Je me suis dit que vous tous, vous avez tellement l'habitude de me rouler, qu'au moins ici j'aurai un repas décent. À propos, Aloïs, as-tu l'argent ?

— Avez-vous le tableau ? Max, a rétorqué Rosenberg.

— Bien sûr. Je ne comptais pas vous le voler, vous le savez bien. Mais, d'abord, l'argent.

— Pourquoi agissez-vous de cette façon ridicule ? m'a demandé Rosenberg, en feignant la surprise. On ne vous comprend pas. Nous sommes associés, que je sache. Et vous mettez en danger un tableau d'une grande valeur. M. Berté a failli avertir la police…

— C'est vrai ? Dommage qu'il ne l'ait pas fait. Et où est-il ce cher M. Berté ? Est-il au moins satisfait de mon travail ?

— Naturellement, Max, a répondu Aloïs, conciliant. Ton travail est magnifique, et nous sommes tous très contents. C'est ton comportement actuel qui nous étonne…

— Et Mme Berté ? La pauvre, j'ai failli l'étrangler… Comme ça, ce cher collectionneur envoie sa petite femme dans la gueule du loup. Toi aussi, Aloïs. Quel besoin avais-tu de m'espionner ? On avait dit un mois, n'est-ce pas ? Les tableaux ne sont même pas secs ! Tu sais que j'ai failli les détruire ? Tous ! Rien que pour vous emmerder. J'ai beau faire des faux, j'ai quand même l'amour de mon métier, tu le sais bien. Pourquoi ne pas me laisser travailler en paix ? Qu'est-ce que vous complotez ?

— Rien… Elle ne t'espionnait pas, a fait Aloïs, très hésitant. C'était de la pure curiosité féminine, Max. Elle voulait voir.

— Bien, elle a vu. Alors, où est l'argent ?

— Voilà. Compte-le, tu verras. Dix mille dollars, comme promis.

— Bien, voici les esquisses, ai-je fait en lui tendant à mon tour un petit cartable. Tout y est. Le tableau est au vestiaire du restaurant ; je l'ai apporté tout à l'heure. Voici le ticket. Madame prendra sûrement des huîtres en entrée, n'est-ce pas, ai-je demandé en me tournant vers Vera, qui suivait notre échange.

Ils se sont regardés, indécis, et Aloïs est parti seul. Marko était censé me surveiller. Ils allaient sans doute tenter quelque chose au cours du repas.

Aloïs a pris du temps à revenir. Il avait sans doute ramené le tableau à l'appartement. L'atmosphère à table était lourde, mais je faisais mine de ne rien remarquer. Vera paraissait vouloir me dire quelque chose par ses regards intenses et fugaces à la fois. Rosenberg échangeait des regards discrets avec Marko, et surveillait anxieusement le retour d'Aloïs.

Vera était adorable, comme toujours, même si la présence de Rosenberg avait sur elle un effet paralysant. Qui sait ? Je la retrouverais peut-être en Amérique…

Les plateaux d'huîtres sont arrivés, les vins ont été servis, et je me suis mis à manger comme si j'étais le plus à l'aise du monde. Vera m'a suivi et Rosenberg a été obligé de s'y mettre à son tour. Seul Marko paraissait ne pas avoir d'appétit, et il sirotait son vin en me regardant de travers. Rosenberg a commencé à me parler d'une nouvelle commande, qu'il qualifiait de fabuleuse ; mais à l'arrivée d'Aloïs il a changé de sujet.

— Il était bien là, Aloïs, ton Gottlieb ? ai-je demandé distraitement, en dégageant la chair d'une petite coquille.

— Oui, a-t-il répondu, contrarié. Mais ce ne sont pas des manières, tu le sais bien. On ne prend pas ce genre de risques avec une telle marchandise, Max. Ce tableau vaut une fortune, et je m'en portais garant.

— Ça t'apprendra, mon vieux, à te porter garant parmi des tricheurs. Tu vois, j'ai bien appris tes leçons, mon vieux fou. À l'avenir, lorsque nous ferons d'autres affaires, je ne veux plus de méfiance ni de pièges. J'ai compris : nous sommes tous des faussaires. Alors, plus besoin de politesses... Ces huîtres sont délicieuses. Encore du vin, madame ? Garçon !

Pendant que le vin était servi et que les garçons débarrassaient les grands plateaux avec les coquilles, je me suis levé pour partir en direction des toilettes. Marko a aussitôt esquissé un mouvement, mais s'est arrêté net lorsque je lui ai dit, à haute voix et en faisant le geste :

— Tu veux me tenir la bite ?

La sortie arrière, donnant sur un passage rempli de restaurants était là, et je me suis fondu dans la foule en direction de mon hôtel. Dommage pour tous les costumes anglais que j'abandonnais dans ma chambre du Scandinavie. Oh ! et puis de toute façon, je ne comptais jamais plus porter cette sorte de vêtements !

À minuit, j'ai pris le train en direction de Londres. Trois jours après, via Boston, j'arrivais à Bar Harbor. Désormais, je n'étais rien d'autre qu'un simple artiste.

Épilogue

Louis Berté était vraiment pressé de vendre ; le scandale a éclaté fin octobre. Cinq mois à peine après mon départ. Heinz, le copain autrichien de Guderius devait être quelqu'un de bien influent, car la saisie du lot de tableaux a été faite à Londres dès la publication du catalogue de vente.

Comme seuls les deux Rothko avaient été dénoncés, Berté, sûr de lui, avait accepté l'expertise demandée par la section des fraudes artistiques de la Scotland Yard. Mes sept petites inscriptions secrètes, au plomb, toutes pareilles, ont ainsi été mises à jour, pour le plus grand plaisir de la presse à sensation : « V. Prelog, Nobel de chimie 1975. Vive la Suisse ! »

Selon l'habitude des affaires touchant la grande finance, le scandale a été de courte durée. Les journaux parlaient d'enquêtes se poursuivant à Paris et en Suisse, mais rien d'autre n'a transpiré. Dans sa dernière lettre, datée de décembre, qu'il m'avait envoyée poste restante à Boston, Guderius racontait avec plaisir les mouvements de panique dans le milieu des arts de diverses villes européennes. Il n'avait pas de nouvelles d'Aloïs ni de Rosenberg; mais il me priait de disparaître pendant quelques années, car Interpol s'était saisie de l'enquête, tant en Europe qu'au Canada.

❏

Voilà déjà plus de six mois que je suis dans ce bled perdu de la côte du Pacifique. Je commence cependant à voir plus clair dans mes objectifs personnels. Et, depuis que j'ai entrepris d'écrire ce récit, j'arrive aussi à mieux comprendre le passé. Toutes ces choses étranges restent peu claires, comme brouillées dans mon esprit, et parfois je me demande si tout cela a vraiment existé. Vera et Delphine m'habitent toujours, mais détachées de la vie, diaphanes; elles, comme tant d'autres, sont devenues des muses.

J'arrive à peindre et à dessiner, de mieux en mieux; et je sens que je me libère des spectres de tous ces artistes que j'ai personnifiés. Ce que je fais ne me satisfait pas encore, naturellement, mais l'acte en lui-même devient plus important au fur et à mesure que je m'abandonne à mes propres imperfections. C'est peut-être simplement cela, le fait d'être artiste: poursuivre sans cesse ses propres mirages avec une conviction inébranlable qu'ils sont réels, tout en sachant que ce ne sont que des illusions de perspective. À quoi cela sert-il? Voilà l'unique question qu'il faut éviter de se poser.

Ce matin, par exemple, sur la place du marché, deux ivrognes se sont battus au couteau. L'un d'eux est resté sur place, le ventre ouvert, saignant comme un porc à l'abattoir. J'ai bien observé toute la scène, les passants affolés, le temps qu'il faisait, les détails anatomiques de la blessure et des entrailles, les couleurs, même les bruits agréables d'un matin ensoleillé. Puis, de retour à mon atelier, je me suis mis à dessiner. De l'homme mourant, je n'ai retenu que l'expression paisible du visage blême, ses yeux dirigés vers le ciel, sans révolte. Ensuite, le visage de la femme éperdue que les gens tentaient de consoler m'a donné la forme d'une madone indienne ; certes, l'expression venait de Vera lorsque celle-ci feignait ses orgasmes pour me faire plaisir. Le geste de Delphine, surprise, m'a permis de figer une autre Indienne dans une pose magnifique. Des enfants maigres tout autour complètent la composition de cette pietà. Je pense à Grünewald, mais c'est Max Willem qui crée. Voilà un bon début pour un tableau. Je tenterai de transposer la composition sur la toile, demain matin. Qui sait ce qui peut arriver ? Après tout, ce ne sont que des pigments et de la toile, et personne ici ne sait qui je suis, ni d'où je viens. Pourquoi m'inquiéterais-je d'en savoir davantage ? Cela doit être possible ; d'autres l'ont fait avant moi.

Curieusement, je le remarque avec le sourire, les Mexicaines pauvres, lorsqu'elles se maquillent, ne semblent pas vouloir tricher, ni se cacher, ni passer pour ce qu'elles ne sont pas. Non ; elles paraissent le faire pour s'amuser et, pourquoi pas, pour attirer l'attention des hommes qu'elles aiment...

Deuxième tirage

Cet ouvrage
composé en Palatino corps 12 sur 14
a été achevé d'imprimer
en octobre
mil neuf cent quatre-vingt-dix-sept
sur les presses de
l'Imprimerie HLN,
Sherbrooke (Québec).